D0261209

Baby op bestelling

Rachel Lehmann-Haupt

BABY OP BESTELLING

De zoektocht van
een uitstelmoeder

Vertaald uit het Engels
door Kitty Pouwels

Artemis & co

ISBN 978 90 472 0116 8

Oorspronkelijke titel *In Her Own Sweet Time. Unexpected Adventures in Finding Love, Commitment, and Motherhood.*
Oorspronkelijke uitgever Basic Books
Omslagontwerp Studio Jan de Boer
Omslagillustraties © Studio Jan de Boer
Foto auteur Miriam Berkley

Verspreiding voor België:
Veen Bosch & Keuning uitgevers n.v., Wommelgem

Voor Clay Felker,
die me heeft geleerd mijn hart te volgen

Inhoud

Voor alles wat gebeurt is er een uur,
een tijd voor alles wat er is onder de hemel.
Er is een tijd om te baren en een tijd om te sterven,
een tijd om te planten en een tijd om te rooien.
Er is een tijd om te doden en een tijd om te helen,
een tijd om af te breken en een tijd om op te bouwen.
Er is een tijd om te huilen en een tijd om te lachen,
een tijd om te rouwen en een tijd om te dansen.
Er is een tijd om te ontvlammen en een tijd om te verkillen,
een tijd om te omhelzen en een tijd om af te weren.
Er is een tijd om te zoeken en een tijd om te verliezen,
een tijd om te bewaren en een tijd om weg te gooien.
Er is een tijd om te scheuren en een tijd om te herstellen,
een tijd om te zwijgen en een tijd om te spreken.
Er is een tijd om lief te hebben en een tijd om te haten.
Er is een tijd voor oorlog en er is een tijd voor vrede.

Prediker 3:1-8

Voorwoord van de auteur

Feiten zijn voor mij heel belangrijk, en ik heb ervoor gezorgd dat alle wetenschappelijke en medische informatie in dit boek volkomen juist is; de voortplantingswetenschap ontwikkelt zich echter in hoog tempo en onderzoeksgegevens veranderen snel. Dr. Daniel Stein van het St. Luke's-Roosevelt Hospital was zo vriendelijk om het manuscript te lezen zodat ik er zeker van kan zijn dat het medisch en wetenschappelijk klopt. Ik ben hem heel dankbaar voor de tijd die hij daaraan heeft willen besteden.

Dit boek is ook autobiografisch, en hoewel de gebeurtenissen erin merendeels gebaseerd zijn op uitgebreide aantekeningen en transcripten van opgenomen gesprekken, zijn er ook veel scènes die ik op basis van mijn herinnering heb geschreven, wat betekent dat de citaten in sommige gevallen de inhoud en betekenis weergeven zoals ik me die herinner. In het hele boek is met een asterisk aangegeven dat namen, identificerende gegevens en sommige gebeurtenissen met betrekking tot bepaalde personen zijn veranderd om de privacy van de betreffende personen te waarborgen. Geen van de veranderde namen duidt een bestaande persoon aan of is als zodanig bedoeld.

Inleiding

Later beginnen

We zitten op de reusachtige boomstronk van een eik in The Cloisters, een middeleeuws park met weelderige geometrische tuinen op het noordelijke puntje van het eiland Manhattan. De zomer loopt ten einde. Het licht wordt weerkaatst door de Hudson en schittert door de bladeren. Hij lijkt nerveus. Ik ben ook trillerig. We zijn al bijna een jaar samen, en ik vraag me af of hij me misschien een aanzoek wil gaan doen.

In plaats daarvan ontwijkt hij mijn blik. Stilte. Dan draait hij zich naar me toe en zegt op geforceerde toon dat hij niet het soort 'ondefinieerbare band' voelt die hij essentieel vindt om met me te willen trouwen en kinderen te krijgen. In plaats van het begin van ons leven samen, is dit het einde.

Mijn maag zit in mijn keel. Ik vraag hem of we ergens anders kunnen gaan zitten, alsof op een andere plaats dit gevoel zou verdwijnen, zou worden weggedrukt wat er nu stond te gebeuren.

Nee. Hij maakt het uit. En met die woorden vervaagt in één klap alles wat ik me bij onze toekomst heb voorgesteld: aan mijn vaders arm in een witte getailleerde jurk met wijd uitlopende rok naar het altaar schrijden, in een loft wonen in hartje New York, met die werkkamer met dakraam waar ik zou schrijven, op zondagmiddag de stad uit om bij mijn ouders in de tuin te gaan barbecuen, terwijl ons kind zit te spetteren in een plastic zwembadje.

'Sorry dat ik je tijd heb verspild,' zegt hij.
En daarmee is het afgelopen.

Alex* en ik hadden elkaar in de zomer van 2000 ontmoet tijdens een feestje op een dakterras in Greenwich Village. Ik was eenendertig en meer gefocust op mijn carrière dan op relaties. Ik had veel vriendjes, maar mijn interesse ging eerder uit naar borrelen na het werk met een stel vrienden en vervolgens uitgebreid dineren in de nieuwste trendy restaurantjes dan naar knus thuis zitten met één man, of een gezin beginnen. Een serieuze relatie die zou uitmonden in een huwelijk was wel iets wat ergens in mijn achterhoofd speelde, maar ik had geen haast.

Alex kwam met een andere vrouw naar het feest. Ik was gecharmeerd door zijn verlegenheid, zijn grote, melancholieke blauwe ogen, de manier waarop hij rustig vanaf de zijlijn deelnam aan het gebeuren. Aan de bar werden we aan elkaar voorgesteld door een wederzijdse vriend; na een paar minuten babbelen complimenteerde hij me met mijn sociale talent en zei vol zelfspot dat hij dat totaal niet bezat.

Ik ging op deze subtiele flirt in door aan te bieden het praatwerk voor hem te doen, en we wisselden visitekaartjes uit.

Een paar weken later besloot ik het erop te wagen en stuurde hem een e-mail. Ik vertelde hem dat ik een artikel wilde schrijven over zijn bedrijf, een smoesje om hem weer te ontmoeten en erachter te komen of hij nog steeds met die vriendin van het feestje was. Een paar dagen later mailde hij terug en nodigde me uit voor een feestje bij hem thuis, maar intussen was ik voor een opdracht de stad uit. Na terugkomst stelde ik hem voor om ergens iets te gaan drinken. Hij vond mijn late reactie charmant.

We troffen elkaar in een café in Bedford Street waar een rode

* In dit hoofdstuk en alle die erop volgen, geeft een asterisk aan dat namen, identificerende gegevens en sommige gebeurtenissen zijn gewijzigd.

gloed hing. Jonge zakenmannen stonden zwijmelend aan de bar. Alex wees me op hun imitatie-Ferragamodassen en zei iets sarcastisch over nepromantiek. Zijn scherpzinnige opmerkingen bevielen me direct. Een paar glazen wijn later was de stemming van gereserveerd-professioneel veranderd in impulsief-lacherig. Naderhand kuste hij me op de hoek van de straat – een kus zo beladen dat ik na het afscheid pas vier huizenblokken verder in de gaten had dat mijn huis precies de andere kant op was.

Het werd al snel serieus tussen ons.

In die tijd kregen sommigen van mijn vrienden vaste relaties; anderen kregen zelfs hun eerste kind. Dat waren degenen die me met opgetrokken wenkbrauwen aan konden kijken alsof ze wilden zeggen: wanneer ga jij er eens aan beginnen? Ook mijn grootmoeder wilde graag weten wanneer ze me haar diamanten ring zou kunnen geven, de ring die zij van mijn grootvader had gekregen toen ze pas drieëntwintig was en die mijn verlovingsring moest worden.

Dus ik zei bij mezelf dat het tijd werd. Tijd om mezelf over te geven aan de onvermijdelijke nesteldrang, tijd om net als mijn leeftijdgenoten over te gaan naar de volgende levensfase, tijd om voor iemand te kiezen, me te binden en samen een leven op te bouwen. Maar nog meer dan dat was het tijd om iets te doen met die subtiele, tijdloze drang die ergens in het bindweefsel tussen mijn hart, mijn hoofd en mijn diepste instincten verborgen zat. Met een schok begreep ik het ineens: ik wilde moeder worden. Ik wilde óók met mijn wang langs het donzige, zoet geurende hoofdje van een baby strijken, een hulpeloos kind tegen me aan drukken, het toefluisteren: 'Ik hou van je.'

Al na een maand zei ik tegen Alex dat ik van hem hield. Hij zei dat hij ook van mij hield. Ik dacht vol opwinding aan de toekomst; bijna onmiddellijk kreeg ik romantische ideeën over onze bruiloft, onze baby, ons leven als gezinnetje. Alles aan hem leek te kloppen, alsof ik een verantwoordelijke – en ja, ik geef het toe: een sociaal geaccepteerde keuze maakte. Hij was hoogopgeleid, ambitieus en lang. Hij had een heerlijk gevoel voor humor met veel zelfspot: in zijn vrijgezellentijd had hij ooit voor de feestdagen een e-card rondgestuurd met een afbeelding van een smachtende, met zand overdekte Caribische sirene met dreadlocks die geknield op het strand zat. Maar op de plaats van haar gezicht had hij een foto van zijn eigen hoofd gefotoshopt.

Mijn vrienden en ouders mochten hem graag. Om helemaal eerlijk te zijn: ik was blij met de aandacht die ik kreeg omdat ik 'verliefd' was. Op een cocktailparty legde een vriendin van de familie haar hand op mijn schouder en zei: 'Als hij je aan het lachen maakt, moet je met hem trouwen.' Hij maakte me inderdaad aan het lachen, dus hij werd degene met wie ik de volgende fase zou ingaan. Het was de weg die mijn ouders hadden gekozen en ik dacht dat ik die ook moest volgen om echt volwassen te worden.

Het enige probleem was dat Alex en ik niet echt verliefd waren. Ik besefte het in die tijd niet, maar ik was verliefder op mijn fonkelende fantasie over onze toekomst dan op de man zelf, het gevoel dat ik bij hem had. Hoe beter ik hem leerde kennen, des te meer besefte ik dat de verschillende manieren waarop we in de wereld stonden elkaar niet aanvulden. Zijn ooit zo charmante sociale onhandigheid begon een belemmering te vormen voor de intimiteit die ik nodig had om me echt geliefd te voelen en helemaal voor onze relatie te gaan.

Als ik erop terugkijk was ik niet klaar om een leven op te bouwen met wie dan ook, omdat ik nog niet had ontdekt wat voor soort intieme band ik nodig had voor zo'n fundamentele relatie. Ik moest zelf nog meer groeien om te kunnen begrijpen hoe die band zou kunnen aanvoelen. Hoewel ik wist dat deze relatie voor mij niet de juiste was, maakte ik er geen einde aan omdat ik bang was. Ik dacht dat ik, als ik afhaakte en opnieuw moest beginnen, misschien achterop zou raken. Ik was bang dat ik misschien nooit meer iemand zou krijgen.

Toch stroomden op die dag in The Cloisters de tranen over mijn wangen omdat híj degene was geweest die het initiatief had genomen, omdat hij mijn fantasie had verbrijzeld over wie ik volgens de mensen zou moeten zijn, en dus wie ikzelf geloofde te moeten zijn: een getrouwde vrouw op weg naar het moederschap.

Nadat Alex de relatie had verbroken, had ik het gevoel dat ik in een draaikolk zat aan de rand van een razendsnelle sociale stroming. Ik was in de war, ik draaide in kringetjes rond en werd omringd door nieuwe vragen: wat voor soort relatie was goed als deze fout was? Als ik zojuist een jaar had geïnvesteerd in een relatie die nergens toe leidde, hoeveel tijd zou ik dan moeten steken in een relatie die wel een toekomst had? Ik wist al mijn leven lang dat ik moeder wilde worden, maar pas nadat het uitging met Alex voelde ik hoe Moeder Natuur ongeduldig met haar voet op de grond tikte. Haar geduld was niet oneindig.

In hetzelfde jaar dat Alex en ik uit elkaar gingen, verscheen er een boek dat als een bom insloeg bij jonge vrouwen in de Verenigde Staten. Sylvia Ann Hewlett, econome en oprichtster van het liberale Center for Work-Life Policy, publiceerde *Creating a Life: What Every Woman Needs to Know About Having a Baby and Career.* In haar spraakmakende boek over de problemen waarmee vrouwen worden geconfronteerd bij het combineren van carrière en gezin vertelde Hewlett, een babyboomer, schrikwekkende verhalen over de feministische pioniersvrouwen van haar generatie, die het krijgen van kinderen hadden uitgesteld tot later in hun leven en daardoor de grootste moeite hadden om zwanger te worden. Ze wilde de volgende generatie waarschuwen om niet dezelfde fout te maken. 'Al die nieuwe status en macht hebben niet geleid tot betere keuzes inzake het gezinsleven,' schreef ze. 'Als het om het krijgen van kinderen gaat, lijken hun mogelijkheden zelfs flink te zijn afgenomen. Vrouwen kunnen toneelschrijver, presidentskandidaat of directeur van een onderneming worden, maar steeds vaker is het moederschap niet meer mogelijk.'

Hewlett vond dat vrouwen gewoon eerder moesten beginnen. Als ze begin twintig waren zouden ze op mannenjacht moeten gaan en al snel kinderen moeten krijgen – lang voor hun vijfendertigste, de scheidslijn tussen een normale en een risicovolle zwangerschap. Anders was de kans groot dat ze het zonder een eigen gezin zouden moeten stellen.

Creating a Life veroorzaakte een mediacircus. Al snel verschenen er in tijdschriften en kranten artikelen over 'de nieuwe babypaniek' die zich verspreidde onder alleenstaande vrouwen van midden tot eind dertig. Hewlett vertelde over haar bevindingen waar ze maar kon – in *60 Minutes, The Today Show* en in een dubbelpagina-artikel in het weekblad *Time* – waarbij ze er voortdurend op bleef hameren dat vrouwen te lang wachtten met kinderen krijgen.

Hoewel Hewlett het boek niet met die bedoeling geschreven had, vormde de publiciteit die het losmaakte de aanzet tot een tegenreactie op de verworvenheden van het feminisme. Natuurlijk hadden de vrouwen dit probleem zelf veroorzaakt. Zo werd in het *Time*-artikel een onderzoek aangehaald van *iVillage* onder meer dan 12.500 vrouwen, die vijftien vragen over vruchtbaarheid hadden beantwoord. Slechts 13 procent van hen wist dat haar vruchtbaarheid begon af te nemen vanaf haar zevenentwintigste; 39 procent dacht dat haar voortplantingsvermogen tot haar veertigste gelijk bleef, en slechts één vrouw had alle vijftien vragen goed beantwoord. De boodschap was duidelijk: vrouwen hadden zichzelf in de problemen gebracht door hun eigen onwetendheid. Natuurlijk werd er met geen woord gerept over het scala aan sociaaleconomische factoren dat bijdroeg aan deze trend, zoals de kosten van kinderopvang, of zelfs de achteruitgang van de levensstandaard in de VS, waardoor de meerderheid van de Amerikaanse huishoudens onmogelijk kon rondkomen van één inkomen. Nee, de dames deden het zichzelf aan.

Het media-apparaat was niet te stuiten. Die hippe, onafhankelijke carrièrevrouwen die in *Sex and the City* waren vereeuwigd, konden maar beter hun Manolo Blahnik-schoenen inruilen en normaal gaan doen als ze ooit nog moeder wilden worden. Veel vrouwen gingen mee in de paniek en verweten zichzelf dat ze zich onverantwoordelijk hadden gedragen. In een artikel in het meinummer uit 2002 van *New York Magazine* schreef de journaliste Vanessa Grigoriadis: 'Tegenwoordig lijkt die fantastische onafhankelijkheid – althans voor degenen onder ons die dat woord graag in de mond nemen – niet meer zo fantastisch.'

'Babypaniek' werd de nieuwe mediamantra van 2001, vergelijkbaar met de term huwelijkscrunch, die Amerika in een vergelijkbare periode van culturele terugslag had veroverd. In 1987 verscheen er in *Newsweek* een artikel waarin werd beweerd dat een vrouw die veertig werd zonder trouwring, een grotere kans had om slachtoffer van een terroristische aanslag te worden dan om te trouwen. We weten intussen dat dit niet verder van de waarheid verwijderd zou kunnen zijn: in september 2007 weersprak *Newsweek* het oorspronkelijke artikel door te onthullen dat een veertigjarige vrouw tegenwoordig in feite meer dan 40 procent kans heeft om te trouwen. Dan vraag je je toch af hoeveel vrouwen door dat artikel in de tussenliggende twintig jaar bezorgd zijn geweest of zelfs slechte keuzes hebben gemaakt om maar te ontkomen aan het schrikbeeld van het ouwevrijsterschap.

Hewletts boek kwam in 2001 aan als een stoot onder mijn onzwangere gordel. Haar betoog drukte precies op de pijnpunten van mijn eigen situatie en maakte me nóg bezorgder over mijn liefdesleven en mijn biologische klok. Ik vroeg me zelfs af waar ik de fout in was gegaan. Plotseling kreeg ik een slecht gevoel over mijn professionele ambitie en de emotionele en financiële onafhankelijkheid die ik had bereikt. Ik had het gevoel dat ik moest gaan luisteren naar een andere, oudere culturele boodschap: een aangeleerde wanhoop omdat ik me niet op de juiste, sociaal aanvaarde plaats bevond waar een vrouw van mijn leeftijd zich hoorde te bevinden.

Op een paar reële punten had Sylvia Ann Hewlett uiteindelijk wel gelijk: het is waar dat naarmate een vrouw ouder wordt, de kwaliteit van haar eicellen achteruitgaat en zwangerschap zowel riskanter als moeilijker te verwezenlijken wordt. Oudere eicellen vergroten de kans op genetische afwijkingen en miskramen. Volgens de American Society for Reproductive Medicine heeft een dertigjarige vrouw een kans van 1 op 385 om een baby te krijgen met een chromosoomafwijking, terwijl die kans op haar vijfendertigste is opgelopen tot 1 op 192. Op haar veertigste heeft ze een kans van 1 op 66. Ook is het zo dat vrouwen moeilijker zwanger worden naarmate ze ouder zijn. Een onderzoek uit 2004, gepubliceerd in het blad *Human Reproduction*, wees uit dat 75 procent van de vrouwen die op hun dertigste beginnen te proberen op natuurlijke wijze zwanger te worden daar binnen een jaar in slaagt. Op vijfendertigjarige leeftijd lukt dat ongeveer 66 procent binnen een jaar, en op veertigjarige leeftijd 44 procent.

Maar Hewlett zag ook een paar belangrijke feiten over het hoofd. Medisch gezien zijn de risico's van het krijgen van een kind boven de vijfendertig jaar aanmerkelijk verminderd door ontwikkelingen als niet-invasieve genetische screening en diagnostische zwangerschapstests. En Hewletts statistieken omtrent de waarschijnlijkheid van een zwangerschap op verschillende leeftijden zijn dan wel juist, maar het zijn slechts statistieken. In feite heeft iedere vrouw haar eigen biologische constitutie en zijn er grote verschillen tussen vrouwen. In haar boek *Everything Conceivable: How Assisted Reproduction is Changing Men, Women, and the World* uit 2005 geeft Liza Mundy, journaliste van *The Washington Post,* een treffende omschrijving van deze vervagende grens: 'Na hun vijfendertigste komen vrouwen in een periode van extreme variabiliteit. Een vrouw kan nog tien jaar vruchtbaar blijven, maar haar vermogen om zwanger te raken kan ook razendsnel afnemen; de kans op zwangerschap kan voor haar verkeken zijn. Als grove maatstaf gaan artsen ervan uit dat de onvruchtbaarheid gewoonlijk tien jaar voor de menopauze intreedt, die gemiddeld bij eenenvijftig jaar begint.'

Hewlett liet nóg een belangrijk punt onvermeld: er is steeds meer bewijs voor het feit dat ook de biologische klok van mannen wordt beïnvloed door het ouder worden. Tegenwoordig ligt meer dan de helft van de gevallen van onvruchtbaarheid bij mannen. De kwaliteit van sperma keldert niet op zo'n drastische manier als die van eicellen, maar uit wetenschappelijk onderzoek blijkt dat sperma wel degelijk veroudert. In een Israelisch onderzoek uit 2006 werd op basis van de Israëlische militaire databank van mannen bekeken of er verband was tussen de leeftijd van de vader en het vóórkomen van autisme en verwante afwijkingen. De onderzoekers kwamen erachter dat kinderen van mannen die op hun veertigste of ouder vader werden 5,75 maal zoveel kans hadden op een autistische afwijking als kinderen met een vader jonger dan dertig. Aangezien de leeftijd waarop men trouwt en kinderen krijgt zowel voor mannen als voor vrouwen in Amerika steeds hoger ligt, zijn de problemen voor veel stellen dus waarschijnlijk eerder aan gebrekkig sperma dan aan gebrekkige eicellen te wijten. Maar waar blijven de coverartikelen over dat onderwerp?

Hewletts boek en de media-uitbarsting die erop volgde, lijken een nostalgisch verlangen naar een eenvoudiger tijd te weerspiegelen, toen mannen nog mannen waren en vrouwen thuisbleven om voor de kinderen te zorgen. Ooit was die werkverdeling zinvol. In het landbouwtijdperk kregen vrouwen hun kinderen op jongere leeftijd, en ze kregen er ook veel meer, omdat ze een economische aanwinst waren als arbeiders op de boerderij. In het postindustriële tijdperk vormen kinderen een emotionele aanwinst maar ook een financiële last van meer dan 10.000 dollar per jaar, of het nu een echtpaar uit de middenklasse of een ongehuwde ouder betreft. Vaak kan de mannelijke kostwinner het gezin niet in zijn eentje onderhouden. Vrouwen moeten een carrière opbouwen om zelf een economische aanwinst te worden en in het onderhoud van hun gezin te voorzien. (En uiteraard zijn ook veel vrouwen erachter gekomen dat ze gráág werken.) Zodoende zijn vrouwen hun verdiencapaciteit belangrijker gaan vinden dan hun voortplantingscapaciteit. We beginnen nu pas aan kinderen nadat we zijn afgestudeerd en een goede baan hebben veroverd.

De leeftijd waarop iemand voor het eerst moeder of vader wordt, stijgt overal in de ontwikkelde landen, met name in de stedelijke en rijkere middenklasse. Alleen al in de VS is het aantal vrouwen dat tussen haar vijfendertigste en haar vierenveertigste zwanger wordt sinds 1980 bijna verdubbeld. In 2003 lag het aantal veertigplussers dat van een kind beviel voor het eerst boven de honderdduizend.

In de hele geïndustrialiseerde wereld is het menselijk leven in de afgelopen honderd jaar drastisch veranderd. Niet alleen wachten vrouwen langer met kinderen krijgen, mensen leven ook veel langer, bijna tweemaal zo lang. De verschillende fasen van ons leven – kindertijd, puberteit, jong-volwassenheid en daarna – worden allemaal langer, en soms schuiven we ook nog met de volgorde. Dankzij de technologie en het feminisme kunnen vrouwen keuzes maken die een generatie geleden nog niet mogelijk zouden zijn geweest. Veel vrouwen worden zwanger voor ze zich verloven of in het huwelijksbootje stappen. Sommige vrouwen krijgen zelfs bewust kinderen voordat ze een echtgenoot vinden, of laten hun eicellen invriezen om ze later in hun leven aan zichzelf te doneren. Tijdens de media-ophef over de babypaniek las ik een artikel over een Britse vrouw die op haar achtenvijftigste een tweeling had gebaard die was geconcipieerd met donorembryo's!

De uitwerking van Hewletts boek en de babypaniek-manie die volgde, was dat vrouwen zich méér beperkt gingen voelen door biologische gegevens in een tijd waarin dat juist minder dan ooit nodig was. Vrouwen hebben een scala aan mogelijkheden zoals nooit eerder in de geschiedenis is vertoond.

Met mijn verstand wist ik dit. Maar emotioneel was ik evenzeer in paniek als alle anderen.

Ik ben nu negenendertig jaar en hoop nog steeds ooit mijn eigen gezin te stichten. Ik ben niet bij toeval op dit punt terechtgekomen, maar door keuzes – zowel goede als verkeerde – die ik in de loop van de tijd heb gemaakt.

Toen ik in 1988 ging studeren, zei mijn moeder: 'Vind je passie. Vind jezelf.' Ik had die uitspraak altijd geïnterpreteerd als een aansporing om uit te zoeken waar mijn persoonlijke interesses lagen en mijn carrière daarop af te stemmen, en mezelf niet te vroeg te belasten met het soort compromissen dat hoort bij een langdurige relatie en een gezin. Zodoende was ik als twintiger niet op jacht naar stabiliteit en conventie, maar onderzocht ik mijn uiteenlopende interesses en de onconventionele trekjes van mijn persoonlijkheid. Ik bracht tijdens mijn studie een semester door in Nepal, waar ik een cultuur bestudeerde die niet meer van de mijne zou kunnen verschillen. Ik beklom in mijn eentje bergtoppen in de Himalaya. Na mijn afstuderen ging ik reizen en danste ik tot diep in de zwoele nacht op onontdekte eilandjes in Thailand. Ik verhuisde helemaal naar San Francisco voor een universitaire vervolgopleiding. In de loop der jaren had ik verschillende relaties met mannen. Er waren een paar onvergetelijke romantische ervaringen: de sexy waterpoloër met zijn bruine ogen die me leerde sjoelen en bij wie ik nog achter op een rood scootertje over Menorca heb rondgecrost; de sullige tijdschriftredacteur die geobsedeerd was door curiosa op het gebied van oude vliegtuigen en met wie ik ooit een hele nacht heb doorgereden op weg naar een kamelenrace in de Nevadawoestijn. Dan was er nog die jongen die op ons eerste afspraakje rode wijn door een rietje dronk omdat hij niet wilde dat zijn tanden verkleurden, en de maffe mormoonse kunstenaar die een tekening van het Canal Grande in Venetië maakte op een perkamentrol. Er was die jongen van wie ik leerde dat zelfs als een man zégt dat hij je gaat bellen, hij dat misschien toch niet doet, en die andere die twee keer met me uitging alvorens me mee te delen dat hij met iemand samenwoonde. Elke stap, elk professioneel avontuur en elke relatie gaf me iets meer inzicht in wat ik met mijn leven wilde; elke keuze leidde weer tot nieuwe keuzes.

Ik volgde mijn intuïtie en leefde met de dag. Seksuele bevrijding was stevig verankerd in mijn sociale DNA. Het sprak voor mij vanzelf dat anticonceptie me vrijheid gaf, en ik geloofde dat die vrijheid me in staat zou stellen mijn passies en interesses verder te verfijnen om zo tot een carrièrekeuze te komen die me financiële controle over mijn leven zou geven. Van daaruit kon ik een partner zoeken die mijn interesses en ambities deelde.

Op die leeftijd dacht ik niet echt na over mijn mogelijke keuzes als het ging om hoe en wanneer ik moeder zou worden; het moederschap was iets waarvan ik aannam dat het er een keer van zou komen. Ik was nog niet op zoek naar mijn toekomstige gezin; in al die jaren was ik juist angstvallig bezig te voorkómen dat ik zwanger werd.

Pas in het jaar na het einde van mijn relatie werd het voor mij topprioriteit om de vader van mijn beoogde kinderen te vinden. Terwijl ik aan mijn nieuwe leven als single begon, kreeg ik in de gaten welke nieuwe keuzes en dilemma's en tegenstrijdigheden er waren ontstaan door de pas ontdekte vrijheid om later te beginnen. Ik merkte dat er in deze nieuwe wereld maar weinig sociale regels en voorschriften bestaan aan de hand waarvan we beslissen met wie we uitgaan, wanneer en óf we trouwen en wanneer we proberen zwanger te worden, en die houvast geven bij de nieuwe mogelijkheden dankzij geavanceerde voortplantingstechnologie, het vormen van alternatieve gezinnen met behulp van sperma- of eiceldonoren, de keuze voor ongehuwd moederschap of adoptie.

Deze wereld is zo nieuw dat hij nog niet in kaart is gebracht. Sylvia Ann Hewlett en vele anderen hebben hun – vaak strijdige – adviezen gegeven op basis van de ervaringen van hun eigen generatie, maar dat was niet waar ik behoefte aan had. Ik wilde advies van iemand van míjn generatie, die alles doormaakte waar ik mee geconfronteerd werd en word. En aangezien ik dat boek nergens kon vinden, besloot ik aan de slag te gaan en met mijn hulpmiddelen als journalist mijn eigen opties als alleenstaande vrouw aan de buitengrens van haar vruchtbaarheid te verkennen. Hopelijk kan ik daarmee ook andere vrouwen helpen meer helderheid te krijgen over hun opties.

Ik begon mijn onderzoek door simpelweg met andere vrouwen en mannen te gaan praten. Sommigen van mijn leeftijd, sommigen jonger, anderen ouder. Ik wilde rechtstreeks van andere mensen horen over hun ervaringen met het moeder- of vaderschap in verschillende levensfases en via onconventionele wegen. Ik zocht naar verhalen, maar niet de verhalen van Hollywoodsterren die zwanger werden als ze achter in de veertig, begin vijftig waren. Ik kwam erachter dat het probleem met deze verhalen is dat de meesten van die vrouwen niet hun eigen eicellen hebben gebruikt – een feit dat zelden wordt benadrukt in de vleierige artikelen van *People Magazine*. Meer dan in de versie uit de glossybladen was ik geïnteresseerd in de verhalen van gewone vrouwen die bereid waren hun persoonlijke details over hoe zij via alternatieve middelen het moederschap bereikten, met mij te delen.

Het zijn niet alleen single vrouwen die met deze kwesties worstelen. Ik heb ook getrouwde vrouwen geïnterviewd die onzeker zijn over hun carrière en zelfs over hun echtgenoot, maar die zeker weten dat de ervaring van het ouderschap deel van hun toekomst moet zijn. Ook zij vroegen zich af hoe ze een gezin konden beginnen. Ze hadden dezelfde vragen. Hoeveel tijd heb ik nu eigenlijk? Kan ik mijn eicellen laten invriezen? Moet ik mijn vruchtbaarheid laten testen? Zal het moederschap me gelukkig maken?

Tijdens mijn onderzoek heb ik de innovatiefste en recentste technologieën voor vrouwen aan de grens van hun vruchtbaarheid verkend. Ik heb de toonaangevende ondernemers, uitvinders, artsen en psychologische experts op het gebied van vruchtbaarheidswetenschap opgezocht en geïnterviewd. Ik heb mijn licht opgestoken over een breed scala aan mogelijkheden en een kijkje genomen in een niet zo ver van ons verwijderde toekomst. Die toekomst zou technologieën kunnen brengen die het mogelijk maken het DNA van oudere vrouwen te implanteren in de vruchtbare eicellen van jongere vrouwen, of de voorraad eicellen van een vrouw aan te vullen met behulp van beenmergstamcellen.

Geavanceerde voortplantingstechnologie draagt bij aan deze nieuwe keuzes, maar betekent het feit dat we over deze technologie beschikken dat we ons daarvan afhankelijk moeten maken? Natuurlijk zijn er veel vrouwen en echtparen die geconfronteerd worden met onvruchtbaarheid – niet vanwege hun leeftijd of omdat ze te lang hebben gewacht – die het gebruik van deze technologie niet als een keuze zien, maar als een laatste hulpmiddel en hun enige kans op een biologisch kind. Maar toch is het belangrijk je af te vragen of het ouderschap door de vercommercialisering van voortplantingstechnologie niet te veel gaat lijken op shoppen voor een paar designerschoenen. Wordt daardoor niet een cultuur van perfectionisme geschapen waarin ons verlangen om alles te hebben leidt tot de onrealistische wens om perfecte kinderen voort te brengen? Hoeveel risico kunnen we nemen? En hoeveel emotionele en fysieke druk mogen we op ons lichaam uitoefenen om zwanger te worden? Hoe oud is té oud?

Onder al deze vragen ligt een nog diepere vraag: als het moederschap niet langer een vereiste is voor vrouwen, waarom kiezen we dan toch voor kinderen? Zelfs als het om economische redenen of bij gebrek aan de juiste partner niet nodig is om te wachten met kinderen krijgen, is het voor sommigen van ons een hele worsteling om erachter te komen of ze nu wel of geen kinderen in hun leven willen.

In deze periode heb ik ook mijn persoonlijke zoektocht voortgezet naar het soort gezin dat goed is voor míj. Af en toe is het vreselijk eenzaam, op andere momenten ronduit angstaanjagend. Maar soms werkt het ook stimulerend. Naarmate ik meer weet over de nieuwe mogelijkheden die er zijn, krijg ik het gevoel dat mijn leven naarmate ik ouder word niet beperkter, maar juist ruimer is geworden.

Tijdens mijn onderzoek heb ik Amerikaanse vrouwen geïnterviewd die helemaal in Des Moines in Iowa of in een Texaanse voorstad woonden. Ook heb ik vrouwen nog verder weg gesproken, zoals in India en Zuid-Afrika. Door dat brede perspectief kreeg ik een indruk van de grote diversiteit aan waarden dat bij vrouwen meespeelt wanneer ze geconfronteerd worden met dezelfde uitdaging: het plannen van hun toekomst en hun gezin. Elk verhaal was als een kijkje in een caleidoscoop, waarbij ik elementen uit mijn eigen leven herkende. Bij elke draai, bij elk persoonlijk verhaal veranderde mijn perspectief. De mensen die ik heb ontmoet, hebben me niet alleen ontroerd en geïnformeerd, maar ook geholpen bij de verkenning van het lastigste terrein waarop ik tijdens het schrijven van dit boek ben gestuit: mijn eigen emoties.

Ik ben waarden tegengekomen die radicaal van de mijne verschilden en ik heb ervan geleerd. Op andere momenten heb ik diepe betrokkenheid gevoeld. Ik heb ontdekt dat sommige vrouwen zeer afwijkende ideeën hebben over het gezin. Sommigen bekijken het in het licht van biologie en genetica, anderen in het licht van sociaal bepaalde patronen en taboes.

Door al deze ervaringen met elkaar te verbinden heb ik meer duidelijkheid gekregen over mijn eigen waarden. In mijn persoonlijke zoektocht heb ik allerlei verschillende scenario's uitgeprobeerd om te kijken welk paste. Alleenstaand moederschap, gezamenlijk ouderschap met een vriend die geen partner is, adoptie – en ja, zelfs de keuze voor een niet zo perfecte liefde. Ik hoop dat anderen er door mijn ervaringen en research een indruk van krijgen hoe een aantal van deze mogelijkheden eruitziet en aanvoelt. Ik kan echter geen algemene oplossing bieden voor de dilemma's waarvoor vrouwen in deze uitdagende nieuwe wereld worden gesteld, aangezien de antwoorden die ik heb gevonden specifiek voor mij zijn, gebaseerd op mijn eigen waarden en ervaringen. Andere vrouwen zullen met andere antwoorden komen. Het enige wat ik zonder meer kan zeggen is dat vrouwen die kinderen willen, of daarover twijfelen, al vroeg de tijd zouden moeten nemen om over dit soort dingen na te denken. Wij vrouwen van de post-babyboomgeneratie zijn gewend om professioneel en financieel de controle te hebben over ons eigen leven. Het feit dat we geen controle hebben over onze vruchtbaarheid maakt het ongelooflijk angstaanjagend, iets wat velen van ons liever zo lang mogelijk willen negeren. Maar ik heb gemerkt dat het, hoe beangstigend de informatie op het moment zelf ook mag zijn, uiteindelijk bijzonder bevrijdend is om inzicht te hebben in de voortplantingsmogelijkheden, en -onmogelijkheden van mijn eigen lichaam. We hebben meer mogelijkheden dan ooit; inzicht daarin kan ons sterker maken en, misschien nog belangrijker, paniek omzetten in kalmte.

1
Een nest bouwen

Het is een paar weken voor mijn vijfendertigste verjaardag en ik staar naar een plankje met tientallen pastelkleurige folders erop met titels als: *Donorinseminatie: een gids voor patiënten*, *Het invriezen van eicellen met gebruik van donoreicellen*, *Adoptie: een gids voor ouders* en *Single Mothers By Choice*.

'Dus je hebt moeite om zwanger te worden?' vraagt Mindy Schiffman, de psychotherapeute die tegenover me achter haar bureau zit.

'Ja,' zeg ik, terwijl ik mijn blik losmaak van de folders en haar aankijk. Maar dan verbeter ik mezelf. 'Nou nee, niet helemaal. Ik heb de afgelopen vier maanden niet eens seks gehad. Ik weet alleen zeker dat ik een kind wil.'

Ze kijkt me bevreemd aan; ze is duidelijk verbaasd. Een warme blos van schaamte kruipt over mijn wangen. Ik vraag me af of ze denkt dat ik niet goed bij mijn hoofd ben, of ik de enige vrouw ben die ooit met iets dergelijks naar haar toe is gekomen.

Mevrouw Schiffman is een kleine, magere vrouw met op het puntje van haar neus een bril met een dik zwart montuur. Ze werkt al twintig jaar in onvruchtbaarheidsklinieken, waar ze vrouwen en stellen begeleidt door het emotioneel beladen terrein van de onvruchtbaarheid – en vruchtbaarheid. Ze spreekt dagelijks vrouwen die een soortgelijk verhaal hebben: ze zijn midden of eind dertig of begin veertig en beginnen nu net, terwijl ze al ver in hun vruchtbare periode zijn, serieus na te denken over zwanger worden. Het is haar taak hen te helpen hun timing en opties zorgvuldig af te wegen. Sommigen van haar patiënten zijn echtparen die een beroep moeten doen op geavanceerde vruchtbaarheidstechnieken of donoreicellen om zwanger te kunnen worden. Andere zijn alleenstaande vrouwen die overwegen met behulp van een spermadonor moeder te worden. In de huidige cultuur, waarin zoveel vrouwen het krijgen van kinderen uitstellen om carrière te maken of de juiste partner te vinden, zijn zorgen over vruchtbaarheid zo gewoon geworden dat de kliniek zijn naam van Programma voor Ivf, Voortplantingschirurgie en Onvruchtbaarheid heeft veranderd in New York University Fertility Center, ofwel 'vruchtbaarheidscentrum'. De boodschap: vruchtbaarheid is iets waar je aandacht aan zou moeten besteden lang voordat je stuit op onvruchtbaarheid.

'Ik wil het niet nu doen,' leg ik uit. 'Misschien volgend jaar. Of het jaar daarna. Of zelfs nog een jaar later.'

De verbazing van Schiffman trekt weg en er verschijnt een glimlach op haar gezicht. Ik besef dat ze al eerder vrouwen zoals ik voor zich heeft gehad. Ik leun achterover in mijn stoel.

Er zijn vier jaar voorbijgegaan sinds die dag in The Cloisters waarop het uitging tussen Alex en mij. Onlangs sloeg ik de huwelijksannonces van *The New York Times* op en zag dat hij was getrouwd.

'Ik ben nog vrijgezel,' zeg ik tegen Schiffman.

Ik wil nog niet meteen een baby, maar sinds het einde van mijn laatste relatie voel ik een toenemende druk om de juiste man te vinden. Dat is nog niet gebeurd, en ik heb het idee dat het tijd is om mijn opties te bekijken. Pas nog had ik een droom waarin ik aan een groot banket zat met mijn hele familie en aanhang. Zelfs mijn overleden grootmoeder was er ze zat naast mijn vader. Ik verontschuldigde me tegenover hen allemaal dat ik er zo lang over deed om de familiegenen door te geven.

Ik heb het gevoel dat mijn leven vastzit en dat iedereen me voorbijsnelt. In de afgelopen vier jaar heb ik veel van mijn vrienden zien trouwen en kinderen krijgen. Eén vriendin van me is zelfs getrouwd, gescheiden en weer verliefd geworden op een nieuwe man – en dat alles in de tijd waarin ik door anderen geregelde afspraakjes afliep, profielen op datingsites bekeek en deelnam aan speeddate-avondjes – oog in oog met vreemden, terwijl je je afvraagt of ze de liefde van je leven zouden kunnen worden.

'Mijn zorg is niet dat er een einde komt aan de tijd van de liefde,' zeg ik tegen haar.

Diezelfde ochtend had ik mijn vader nog aan de telefoon gehad. Hij vertelde me over een vriendin van hem, een vrouw met wie hij elke maand pokert. Ze is zeventig en de enige vrouw in het gezelschap. Mijn vader vertelde me dat ze onlangs iets had gekregen met een man van bijna negentig.

'Ze heeft wat problemen met zijn hardhorendheid, maar de liefde gaat door,' zei hij.

'Ik maak me alleen zorgen over mijn eicellen,' zeg ik tegen Schiffman.

Natuurlijk heb ik niet met mijn armen over elkaar zitten wachten tot het lot me welgezind was. Ik heb mijn profiel op verschillende datingsites gezet, waardoor ik ruime keuze heb en zelf kan bepalen wie ik ontmoet. De afgelopen maanden heb ik mijn netten wijd en zijd uitgegooid, wat het voornaamste voordeel lijkt te zijn van internet als hulpmiddel om mensen te leren kennen. Ik heb een afspraakje gehad met een heel sociale televisieproducent die zowel aan de oost- als aan de westkust woonde en op zaterdagochtend graag naar de boerenmarkt ging; onze korte romance tussen de met veel zorg gekweekte tomaatjes werd echter niet werkelijk serieus, omdat hij na een maand besloot om permanent in Los Angeles te gaan wonen. Daarna kwam de Australische arts met zijn hoge sportschoenen van groen canvas. Een van mijn vrienden gaf hem de bijnaam 'de hippe nerd'. Hij zat wekenlang achter me aan, maar ik voelde me gewoon niet zo tot hem aangetrokken, en toen kreeg ik een e-mail van een heel sexy advocaat met jarenzestigbakkebaarden, die in een grote loft in Brooklyn woonde. Ik viel voor zijn melancholieke stem en de chemie tussen ons was veel sterker, dus de arts liet ik varen. Maar toen kwam de advocaat iemand tegen die hij leuker vond. Ik overwoog de arts weer op te bellen, maar intussen leek het me beter om gewoon helemaal opnieuw te beginnen met iemand anders. En op dat moment besefte ik wat het grootste probleem is van contacten leggen op deze manier. Het geeft me te véél keuze.

Internet heeft sociale netwerken geopend die zoveel omvangrijker zijn dan de kring van studievrienden (en hun vrienden), toevallig ontmoete personen en mensen aan wie je wordt voorgesteld, dat er een heel doolhof aan mogelijke wendingen en doodlopende wegen is ontstaan. Een voorbeeld van zo'n doodlopende weg was de man die op de site een flatteus fototje had gezet en er bij onze ontmoeting zo anders uitzag dat ik hem in de verste verte niet zou hebben herkend als hij niet naar mij toe was gekomen. Na een verspilde avond waarop ik zijn getetter over zijn liefde voor musicalsongs, vampierromans voor de jeugd (hij was achtendertig) en derderangs cabaretiers lijdzaam over me heen had laten komen, bezwoer ik mezelf dat ik, mocht zich ooit nog eens zoiets voordoen, na één drankje een smoes zou verzinnen.

Ik denk aan al die keuzes als ik op een dag in de koelafdeling van de supermarkt naar pakken sinaasappelsap sta te kijken. Je hebt nu de keuze tussen tientallen verschillende soorten: zonder vruchtvlees, met een beetje vruchtvlees, minder zuur, met extra calcium, goed voor het hart, goed voor het immuunsysteem, met extra vitamine D, sinaasappel-ananassap, sinaasappel-aardbeiensap. Ik vraag me af waarom we zoveel keuzemogelijkheden hebben gecreëerd.

In het algemeen worden we niet gelukkiger van al die mogelijkheden. In *The Paradox of Choice* betoogt psycholoog Barry Schwartz dat meer keuze ons leven beter kan maken omdat we er meer controle over hebben. Als we ons echter te zeer laten meeslepen door al die beschikbare mogelijkheden, kunnen ze overweldigend worden en leiden tot stress, het nemen van verkeerde beslissingen, ontevredenheid of zelfs chronische depressie.

Na een paar maanden internetdaten begon het tot me door te dringen dat deze theorie ook van toepassing is op de manier waarop we daten en gezinnen vormen. In 2007 meldden zich meer dan vijf miljoen singles aan om te gaan shoppen op de landelijke digitale vleesmarkt. Match.com, een van de grootste online datingsites, zegt wereldwijd wel vijftien miljoen leden te hebben. (Tussen 2002 en 2007 noteerde het bedrijf een stijging van 13 procent van het aantal contactadvertenties van vrouwen boven de vijfendertig.) Internet maakt weliswaar miljoenen singles met één muisklik beschikbaar, maar het brengt potentiële partners ook onder in ongelooflijk specifieke categorieën. Zo heb je TallPersons.com ('De lengte doet er wél toe!') voor de langere medemens; DateMyPet.com voor degenen met een huisdierobsessie; RightStuffDating.com voor 'ons soort mensen' afkomstig van de elitaire universiteiten, en SingleAndActive.com – een versiercentrum voor buitensportfanaten en atleten. Op Chemistry.com kun je zelfs worden gekoppeld op grond van je biochemische type.

Veel sites gebruiken taggingtechnologie om mensen te koppelen op basis van woorden die staan voor hun interesses en stijlvoorkeur. Als je bijvoorbeeld in iemands profiel de woorden 'surfen' en 'intellectueel' aanklikt, verbindt de site je met anderen die zichzelf ook met deze eigenschappen of interesses identificeren. Het kwam bij me op dat ik mijn echtgenoot – de man met wie ik mogelijk de rest van mijn leven zou doorbrengen en mijn genen aan volgende generaties zou doorgeven – misschien alleen maar zou ontmoeten omdat ik had geschreven dat ik 'te gek' was en van alternatieve muziek en yoga hield.

Ik ken een heleboel vrouwen die van het zoeken naar een man een project maken, als was het een tweede baan. Ze zappen op internet langs honderden mannen alsof ze in een bak graaien tijdens de uitverkoop en hebben twee of drie keer per week een afspraakje. Een vriendin van mij, wetenschapster, noemt dat 'het contactoppervlak vergroten'. Als je in de scheikunde het contactoppervlak tussen twee stoffen groter maakt, is er meer kans op een chemische reactie.

Al geloof ik best dat het praktisch is om 'het contactoppervlak te vergroten', toch werkt dat voor mij niet. In de loop van de tijd ben ik tot het inzicht gekomen dat de romantica in mij toch echt gelooft dat je liefde niet kunt dwingen. Ik denk dat het meer een kwestie is van ongrijpbare timing en het lot, waarvan ik nu weet dat ik er geen controle over heb, al krijg ik met één muisklik honderden mannen voorgeschoteld.

Ook de anonimiteit van internetdaten stoort me. Ik heb maar zelden een kennis gemeen met de mensen die ik ontmoet en vind het daarom moeilijk hen te vertrouwen. De aansprakelijkheid die samengaat met het gevoel dat je tot één gemeenschap behoort – als je bijvoorbeeld iemand via vrienden ontmoet, of in een plaatselijke koffiebar waar je buren ook komen – ontbreekt hier. In de snelle wereld van het internetdaten voelt niemand zich verplicht om hoffelijk, aardig of zelfs maar eerlijk te zijn. Of om iemand een tweede kans te geven. Ik merkte dat ik gewoon doorging naar de volgende als een afspraakje ook maar enigszins ongemakkelijk of stroef verliep, en sommigen van mijn dates behandelden mij ook zo. We zijn allemaal inwisselbaar, lijkt het.

Misschien is het een kwestie van aanpassing, maar na een paar maanden trekt de elektronische vleesmarkt me niet langer aan. De gang van zaken strookt absoluut niet met mijn fantasie over de ware vinden op een betekenisvolle, organische manier.

Maar goed, mijn vijfendertigste verjaardag staat voor de deur en mijn klok tikt door.

Dankzij Sylvia Ann Hewlett, de schrijfster van *Creating a Life*, zie ik als een berg op tegen mijn vijfendertigste verjaardag. 'Ik voel me als een verwelkende lelie,' had ik een paar dagen eerder tegen een vriendin geklaagd. Een serieuze relatie lijkt verder weg dan ooit, evenals het moederschap.

Ik vertel mevrouw Schiffman over een gesprek dat ik tijdens een etentje met een vriendin had. Zij was negenendertig en had zich zojuist verloofd met een filmscout, een telg uit een rijke, excentrieke familie uit Chicago. Ze zei tegen me dat ze van hem hield, maar dat ze de kriebels kreeg bij het idee dat ze ging trouwen. Ergens dacht ze dat hij misschien niet altijd in haar leven zou blijven. Maar ze had besloten de sprong toch te wagen, omdat ze, zo legde ze uit, niet de kans wilde missen om een kind te krijgen.

'Een kind is voor altijd,' zei ze.

Ik stond versteld van haar opmerking. Het verbaasde me dat haar verlangen naar meer stabiliteit haar ertoe bracht te gaan trouwen, niet omdat ze in de eeuwigdurendheid van dat instituut geloofde, maar omdat ze zich wilde binden om samen met iemand een kind te krijgen. Ik heb altijd geloofd dat ook het huwelijk voor altijd is. Mijn ouders zijn al meer dan veertig jaar gelukkig samen en mijn familie is altijd mijn rots in de branding geweest. Maar in een tijdperk met een zo hoog echtscheidingspercentage hebben kennelijk veel mensen het gevoel dat liefde en gebondenheid ófwel vluchtig zijn, ófwel niet samengaan, óf allebei.

En kinderen kunnen een antwoord lijken. Uit een onderzoek van Harvardsociologe Kimberly DaCosta onder eenentwintigjarige single vrouwen blijkt dat het verlangen naar de intimiteit van een relatie is vervangen door de romantische hunkering naar een baby. De onderzoekster concludeerde dat deze vrouwen het moederschap als een situatie van voortdurende, onvoorwaardelijke liefde zien. Ik denk terug aan een vriendin van me die een kind kreeg toen ze midden twintig was. Haar eigen ouders waren slechts twee jaar na haar geboorte gescheiden, en ik vraag me af of een kind krijgen haar een veilig gevoel gaf in dit tijdperk van vluchtige relaties.

Ik weet niet of ik daarom meer gericht ben op het moederschap, maar in de afgelopen paar jaar heb ik ook grotere behoefte gekregen aan iets blijvends. Misschien heeft dat iets te maken met het feit dat ik erbij was toen die twee vliegtuigen het World Trade Center in vlogen. Ik stond in Greenwich Street toen de eerste toren op anderhalve kilometer van mijn appartement naar beneden kwam. In één tel werd de wereld onzeker, en ik bleef achter met een verlangen naar veiligheid en huiselijkheid.

Het kan ook komen doordat mijn reizen en mijn ervaringen met verschillende soorten relaties en met alleen leven me zoveel vrijer hebben gemaakt dat ik er nu klaar voor ben me te binden aan één plaats en één relatie. Wat ik wel weet, nu ik bijna op een gevorderde leeftijd ben voor iemand die moeder wil worden, is dat ik moet nadenken over de vraag hoe ik mijn doel bereik.

'Je bent een nest aan het bouwen,' zegt Schiffman, en ze legt uit dat ik alleen al door deze vragen te stellen mijn eerste stap naar het moederschap zet. 'Ik vind dat alle vrouwen van jouw leeftijd die een kind willen krijgen, dit moeten doen – zelfs als ze geen relatie hebben.'

'Ik ben traditioneel ingesteld,' zeg ik. 'Ik wil het graag via de natuurlijke weg doen, althans de weg die ik als natuurlijk zie, namelijk een man ontmoeten, verliefd worden, trouwen en een kind krijgen.'

Ze glimlacht flauwtjes, alsof ik iets nogal sentimenteels zeg. 'Heb je ooit overwogen om alleenstaand moeder te worden?' vraagt ze.

'Nee,' zeg ik automatisch.

Daar heb ik inderdaad nog nooit serieus over nagedacht, hoewel ik de hele tijd verhalen hoor over vrouwen van mijn leeftijd die daarvoor kiezen.

'De meeste vrouwen komen niet naar me toe met de wens

om alleenstaand moeder te worden,' legt ze uit. 'Het is eerder zo dat ze niemand kunnen vinden en niet nog langer willen wachten met het risico dat ze nooit een kind met hun eigen genen zullen krijgen. Maar heel weinig vrouwen denken dat ze de rest van hun leven alleen zullen blijven. Sommigen denken dat ze misschien zelfs een aardiger man aantrekken als ze in hun eentje een kind krijgen.'

Ik laat haar woorden bezinken. Misschien heeft ze gelijk, misschien moet ik als ik pas op latere leeftijd een gezin wil mijn romantische fantasie laten varen. Misschien remt die fantasie over de perfecte man, het perfecte huwelijk, me in feite in mijn secundaire, maar springlevende kinderwens. En omdat mijn vermogen om een biologisch kind te krijgen aan bepaalde tijdsgrenzen gebonden is, wat niet geldt voor de mogelijkheid om verliefd te worden, moet ik misschien wat praktischer zijn en eerst kiezen voor datgene waarover ik biologische controle heb. Tenslotte maakte die keuze deel uit van het voorrecht dat ik als financieel onafhankelijke vrouw heb verdiend.

Natuurlijk lijkt het vooruitzicht om dit alleen aan te gaan, financieel en emotioneel in mijn eentje verantwoordelijk te zijn voor een kind, me nogal onpraktisch en ronduit beangstigend. Ik weet eerlijk gezegd niet of ik klaar ben voor de compromissen die daarbij komen kijken. Ik ben nog maar net gewend voor mezelf te zorgen op de manier die ik prettig vind en ik ben bereid compromissen te sluiten om samen te zijn met de juiste man. Maar helemaal in mijn eentje voor een baby zorgen, dat lijkt me nogal wat.

Ik zeg tegen Schiffman dat ik me verstandelijk wel kan vinden in het idee om liefde en moederschap te scheiden, maar dat het emotioneel erg ongemakkelijk aanvoelt.

'Is dat verkeerd?'

'Nee,' zegt ze. 'Dat is slim. Het voornaamste wat ik al mijn patiënten voorhoud, is dat dit onderzoek niet voor jezelf is, maar voor je kind,' zegt ze.

Ik vind het grappig om over 'mijn kind' te denken terwijl ik geen flauw idee heb wie de vader zal zijn. Mijn fantasie slaat op hol. Ik zie een miniversie van mezelf, een kleine ik, zoals het nasaal sprekende kind in de gigantische stoel dat door Lily Tomlin werd gespeeld in *The Incredible Shrinking Woman*. Alleen zit mijn 'ik' voor een gigantische computer.

Wat een vreselijk narcistisch beeld, zeg ik bij mezelf. Wil ik alleen maar een kind om mezelf te klonen? Nee toch.

Dan denk ik aan de eindeloze stoet die ik tegenwoordig op straat zie, baby's en kleine kinderen alom, in hun Bugaboo-kinderwagens, hand in hand met hun moeder, op de schouders van hun vader.

Was het hebben van een kind een soort statussymbool, zoals het bezit van een Blackberry of een paar Prada-schoenen? Was dit alleen maar een reactie van mij op de druk van mijn leeftijdgenoten? Probeerde ik alle mammies te evenaren?

Als ik terugdenk aan mijn kindertijd, kan ik me niet herinneren ooit te hebben gefantaseerd over het moederschap als een belangrijk levensdoel. Ik had toen al andere ambities. Ik herinner me dat ik bij mijn moeder op schoot zat achter haar typemachine om vol enthousiasme een verhaal te schrijven over een prinses die gevangen werd gehouden door een draak. Op zeker moment wilde ik eindredacteur van een tijdschrift worden. Ik weet nog dat ik tijdens een feestje voor volwassenen eens een dramatische speech ten gehore heb gegeven vanuit mijn boomhut.

Toch was ik wel dol op baby's en zat ik vaak te denken aan mijn lievelingsbuurvrouw die een klein dochtertje had. Bijna elke dag zat ik na school bij haar op de stoep te wachten tot de baby wakker werd, in de hoop dat ik haar zou mogen vasthouden.

'Jij was al gek op baby's toen je zelf nog een peuter was,' zei mijn vader vaak.

Ik denk dat ik niet over het moederschap fantaseerde omdat ik er altijd al van uitging dat dit iets anders was dan eindredacteur zijn van een tijdschrift of carrière maken als schrijver –

niet iets wat ik hoefde na te streven en waarvoor ik moest werken. Ik had het altijd gezien als iets veel simpelers, een natuurlijke neiging om leven te koesteren en door te geven, iets wat gaandeweg vanzelf zou gebeuren. Maar nu ik bijna vijfendertig ben, dringt het tot me door dat het veel gecompliceerder is. Ik moet nadenken over mijn opties en plannen maken. Ik moet mijn vruchtbaarheid managen zoals ik mijn carrière heb gemanaged.

In de loop van mijn gesprekken met Schiffman word ik me steeds meer bewust van de vele keuzemogelijkheden die ik heb. Ik kan via donorinseminatie single moeder worden voordat ik mijn vruchtbaarheid verlies en voordat mijn ware liefde langskomt. Of ik kan wachten tot mijn prins zich aandient en erop gokken dat dit voor mij snel genoeg zal gebeuren om op natuurlijke wijze zwanger te kunnen worden. Maar als dat niet lukt, bestaan er verschillende voortplantingstechnologieën – vruchtbaarheidsmedicijnen, ivf – die kunnen helpen. En zelfs als ik ontdek dat ik niet langer een kind kan krijgen met mijn eigen eicellen, bestaat de mogelijkheid een donoreicel te gebruiken, of een kind te adopteren. Al deze opties kosten veel, zowel financieel als emotioneel; voortplantingstechnologie is voor de sterkeren en bevoorrechten. Al vallen sommige behandelingen onder de ziektekostenverzekering, er zitten veel beperkingen en extra uitgaven aan vast.

Al die mogelijkheden staan mijlenver af van mijn fantasie over de perfecte romantische liefde en het moederschap. Ik wil verliefd worden en op natuurlijke wijze een kind krijgen. Maar hoe ouder ik word, des te meer ik inzie dat ik misschien een deel van de romantiek zal moeten opofferen. Ik kan wachten tot de ware Jakob op zogezegd organische wijze mijn kant op komt, maar dan een kind krijgen met behulp van door mensen ontworpen technologie. Misschien vindt op dit gebied een feitelijke herdefinitie plaats van 'de natuurlijke weg'. Of ik kan op een wat praktischer manier blijven zoeken naar de juiste man door 'het contactoppervlak te vergroten' en te kijken of er zich liefde ontwikkelt. Ik kan net als mijn vriendin met iemand trouwen die niet helemaal mijn perfecte partner is. Ik ken massa's mensen die trouwen om andere redenen dan liefde – en dan is het verlangen naar een kind toch een van de betere. Maar dat lijkt mij geen goede keuze. Soms wou ik dat ik niet zo'n romantisch type was en benijd ik mensen die hun leven wat pragmatischer benaderen. Het zou mijn zoektocht beslist veel gemakkelijker maken, want het romantische ideaal creeert hoge verwachtingen, misschien zelfs een niet bestaand ideaal. Op dit moment weet ik gewoon niet welke kant ik op moet.

Dan zegt Schiffman dat ik niet hoef te wanhopen. Ik heb de tijd. Ze verzekert me dat vijfendertig eigenlijk aan de jonge kant is om het over dit soort kwesties te hebben. Al ligt de vruchtbaarheid van een vijfendertigjarige vrouw een kwart lager dan die van een vrouw van in de twintig, toch zijn er genoeg vrouwen van dik over de dertig of veertig die een gezond kind krijgen.

Terwijl ik naar haar luister, ga ik in gedachten terug naar een herinnering aan mijn moeder. Het is 1978. Ze is acht maanden zwanger van mijn jongere broer, Noah. We staan in onze verwilderde achtertuin en vieren haar veertigste verjaardag met vrienden en familie. Ze draagt een enkellange oranje zomerjurk en gaat rond met een gevlochten mandje vol lange vingers, terwijl ik achter haar aan loop en mijn handen tegen haar enorme buik druk. Als ik me verdrietig en bezorgd voel over het feit dat ik nog geen gezin heb, kalmeert dit beeld me.

'Ik dacht altijd dat ik tot mijn veertigste had,' zeg ik.

'Dat zou best kunnen,' zegt Schiffman. 'De vruchtbaarheid van je moeder geeft vaak een goede indicatie van die van jezelf.'

Het zou kunnen. Dat lijkt wel het thema van de afgelopen tien jaar van mijn leven: een voortdurende toestand van 'zou kunnen'. Ik zou met hem kunnen trouwen. Ik zou hierheen kunnen verhuizen. Ik zou daar een nieuwe man kunnen tegenkomen. Deze afwachtende staat zonder echte verbondenheid maakt deel uit van de luxe die ik als kind van mijn bevrijde generatie heb geërfd, maar ook zelf heb gekozen.

Toen mijn moeder in 1956 naar de universiteit ging, zei mijn grootmoeder tegen haar dat ze een man moest zoeken. De strengere sociale regels dicteerden dat ze voor haar dertigste moest trouwen, omdat ze anders veroordeeld was tot een leven als ouwe vrijster. In 1964, het jaar waarin mijn vader en moeder trouwden, was de gemiddelde leeftijd voor een eerste huwelijk voor vrouwen twintig en voor mannen drieëntwintig jaar. In die tijd werd het huwelijk gezien als de scheidslijn tussen kindertijd en volwassenheid. Getrouwd zijn stond voor verantwoordelijkheid en inzetbaarheid. Maar tegenwoordig heeft 'liefde' – een woord dat op veel manieren ingevuld kan worden – het huwelijk vervangen als de centrale factor waaromheen de mensen hun leven en hun rollen ten opzichte van elkaar organiseren. Mensen trouwen uit liefde en gaan een psychologische fase van gebondenheid in. Als beide personen verliefd blijven, of zich op zijn minst gebonden blijven voelen om ook in tegenspoed niet af te haken, dan blijven ze getrouwd. Maar het huwelijk volgens deze nieuwe definitie houdt uiteraard niet altijd stand, en dan gaat men over op nieuwe, afwijkende vormen van liefde en relaties.

Mijn moeder trouwde met mijn vader toen ze zevenentwintig was. Op hun huwelijksdag gaf een ouder familielid fronsend een klopje op haar buik en vroeg zich hardop af of het een 'moetje' was, omdat ze zo 'oud' was. In feite had mijn moeder op de ware gewacht, maar ze had beslist niet zoveel keuzemogelijkheden als ik nu heb en heeft ook niet zo uitgebreid gezocht naar de juiste man om een gezin mee te beginnen. Ze ontmoette mijn vader bij toeval in het appartementencomplex waar ze allebei woonden in Greenwich Village. Op zekere middag vroeg zijn huisgenoot haar in de lift of hij haar eiergarde mocht lenen om slagroom te kloppen voor een aardbeientaart. Ze stemde toe, op voorwaarde dat ze het eindproduct mocht komen proeven. Toen ze in zijn flat kwam, maakte ze kennis met mijn vader. Vier jaar later trouwden ze.

Hoe romantisch ik de toevallige ontmoeting van mijn ouders en hun langdurige huwelijk ook voorstel, ik weet heel goed dat ik niet als dertigster hier in mevrouw Schiffmans spreekkamer terecht ben gekomen alleen maar vanwege het lot, of pech. Op mijn zevenentwintigste had ik ook de keuze om te trouwen, en dat heb ik bijna gedaan. Maar uiteindelijk koos ik voor iets anders.

Andrew* had engelachtige blonde krullen. Ik woonde in die tijd in San Francisco en werkte bij een uitgeverij. We leerden elkaar kennen via een vriendin. Andrew was als een labrador: supervriendelijk, loyaal en speels. Hij hechtte meer waarde aan zijn leventje dan aan professioneel succes; hij werkte bij een verzekeringsbedrijf, een baan die hij toevallig had gekregen en die hem niet echt interesseerde, om de dingen te kunnen betalen waar hij van hield en die hem gelukkig maakten. We waren allebei avontuurlijk aangelegd. Hij leerde me een handgeschakelde auto besturen, een verijsde helling af snowboarden, een tent opzetten aan de basis van een gletsjer en een maaltje koken op een campinggasje kleiner dan mijn hand. Ik hield echt van hem, maar ik zag hem niet als 'de ware', omdat 'de ware' me in die levensfase helemaal niet bezighield. Ik leefde met de dag en onze levens stroomden toevallig samen. Toen we ruim een jaar een relatie hadden, gingen we samenwonen. Ik begon net aan de masteropleiding op Berkeley en samenwonen leek een goed en leuk idee. Het kwam ook financieel prima uit in een tijd waarin ik lesgeld betaalde in plaats van loon ontving. Al gauw kochten Andrew en ik samen meubels, gingen we om beurten naar de supermarkt en gaven we etentjes tijdens de feestdagen.

Maar tijdens de opleiding begon ik een andere, serieuzere kant van mezelf te ontdekken. Ik raakte meer gefocust op mijn droom om schrijver te worden, en ineens leken onze avonturen samen – en onze relatie – geen prioriteit meer. Ik kreeg twijfels over het vaste karakter van deze relatie in een periode waarin ik me op andere gebieden nog zo ongevormd voelde, en ineens wilde ik geen compromissen meer sluiten.

In die tijd ontwikkelde er zich ook een band tussen mij en een oudere mentor op mijn opleiding, een vaderfiguur. Hij zag in mijn werk een professioneel en artistiek potentieel waar ik zelf nog onzeker over was, en hij stimuleerde mijn zelfvertrouwen en ambitie. Op een dag stelde ik hem voor aan Andrew. Hij vroeg me wat ik deed bij iemand met zo weinig professionele motivatie. Al snel kreeg ik zelf ook het idee dat ik met hem misschien de verkeerde kant op ging.

Onlangs keek ik in mijn dagboek uit die tijd. Daarin had ik geschreven: 'Dit is niet reëel. We spelen vadertje en moedertje. Ik weet dat er een ander leven op me wacht.'

Terwijl ik me op de journalistiek en mijn nieuwe vrienden van de opleiding stortte, verflauwde mijn belangstelling voor het huiselijk leven. Ik kreeg de kriebels om terug te gaan naar New York en daar mijn carrière te vervolgen, maar Andrew wilde in Californië blijven en de dingen doen waar hij van hield. Nadat ik in New York een zomerstage had gedaan bij een krant, besloten we uit elkaar te gaan. Het was spijtig, maar vriendschappelijk; we besloten gewoon dat we verschillende kanten op wilden en verder moesten. Na het verbreken van onze relatie stond ik geen seconde stil bij mijn vruchtbaarheid of bij het feit dat ik misschien de kans miste om een gezin te beginnen. Ik vertrouwde er blindelings op dat er een ander op mijn pad zou komen.

Vaak denk ik erover dat ik, als we wel getrouwd waren en kinderen hadden gekregen, niet had kunnen uitgroeien tot wat ik nu ben. Onlangs ging ik eten met een vriendin die op haar vierentwintigste trouwde en op haar vijfentwintigste haar eerste kind kreeg. Ze zei dat ze zich soms te jong voelde om moeder te zijn en zo'n uitgestippeld leven te leiden, terwijl zoveel van haar oudere vriendinnen nog geen kinderen hadden. Ze grapte zelfs dat ze voor haar tweede kind misschien maar tot na haar dertigste zou moeten wachten. Ze keek me aan en even zag ik de ambivalentie in haar blik.

'Die tien jaar vrijheid om uit te zoeken wat je wilt zal ik nooit hebben,' zei ze.

Ze heeft gelijk. Ik ben vrij van alle verantwoordelijkheid ten opzichte van een echtgenoot en een gezin. Door mijn schrijfopdrachten en mijn goede inkomen heb ik de hele wereld over kunnen reizen. Door die ervaringen ben ik een tevredener, beter geïnformeerd mens met meer diepgang geworden. Maar ik leef ook al een tijd in deze toestand van 'zou kunnen'. En ik geef toe dat ik in een pessimistische bui, als ik twijfel of ik ooit nog de juiste tegenkom, er soms spijt van heb dat ik mijn relatie met Andrew heb opgegeven, dat ik me niet heb ingezet om samen met hem op te groeien, compromissen te sluiten, ja zelfs ruzie te maken om onze relatie te verbeteren. Soms denk ik dat ik zo gewend ben geraakt aan het idee dat ik een situatie moet vinden die precies bij me past, dat ik mezelf afsluit voor andere, minder perfecte mogelijkheden.

Ik weet zeker dat mijn moeder niet bij dit soort dingen stilstond – die luxe had ze niet. De maatschappij zei tegen haar dat ze voor een bepaalde leeftijd moest trouwen, dus dat stuurde haar beslissing. Ze hield van mijn vader, maar ik geloof niet dat ze ooit heeft ingezeten over de vraag of hij wel de perfecte match voor haar was. Hij was de man van wie ze hield op het juiste moment, en dat is het leven waarin ze is meegegaan. Ze verzekert me dat ze ook met mijn vader getrouwd zou zijn als ze net zoveel keuzemogelijkheden had gehad als ik. Maar ze heeft dezelfde drang tot zelfverkenning als ik en ik vraag me vaak af of haar keuze meer door sociale conventies was ingegeven dan zij beweert.

Dus hier ben ik, acht jaar na het verbreken van mijn relatie met Andrew. Ik sta steviger in mijn schoenen ten aanzien van mijn identiteit en carrière en ik ben vrij om te gaan en staan waar ik wil. Maar nu, aan de vooravond van mijn vijfendertigste verjaardag, heb ik ervoor gekozen hiernaartoe te gaan: de spreekkamer van een vruchtbaarheidstherapeute, waar ik naar folders zit te staren over het invriezen van eicellen en alleenstaand moederschap. Hier ben ik, met de gedachte dat het zóú kunnen. Ik zou moeder kunnen worden.

Een paar dagen later zit ik in een medisch laboratorium in de West Village. Een vriendelijke verpleegkundige steekt een enorme naald in mijn arm om bloed af te tappen en zegt dat mijn conditie goed is. Ik lach – tenslotte ben ik hier om erachter te komen of mijn eicellen beginnen te verschrompelen. Op aanraden van mevrouw Schiffman onderga ik een eenvoudige bloedtest om het niveau van mijn follikelstimulerend hormoon (FSH) te meten. Dat zal me een indicatie geven van mijn vruchtbaarheid. Aangezien ik geen zeggenschap heb over het moment waarop mijn vruchtbaarheid zal gaan afnemen, wil ik zoveel mogelijk te weten komen over mijn lichaam, zodat ik de eventuele consequenties van de verschillende mogelijkheden met meer feitenkennis tegen elkaar kan afwegen.

Elke maand scheidt de hypofyseklier in mijn hersenen FSH af om mijn eierstokken ertoe aan te zetten antrale follikels te ontwikkelen, met daarin een eicel die eventueel vrijkomt. De hoeveelheid FSH die mijn lichaam produceert geeft een indruk van mijn ovariële reserve en de kwaliteit van mijn eicellen. Met behulp van de test kan mijn maandelijkse kans op bevruchting voorspeld worden door me in te delen op een schaal van 1 tot 12.

'Alles onder de 12 is redelijk goed,' zegt Nicole Noyes, een in vruchtbaarheid gespecialiseerde gynaecologe en endocrinologe van de NYU, als ik haar bel voor haar medische beoordeling van de test. 'Als je vruchtbaarheid op het hoogtepunt is, zou het onder de 7 moeten liggen. Op je vijfendertigste moet je je met een 10 wellicht zorgen gaan maken over je vruchtbaarheid. Maar als je niveau op 6 of 7 ligt, kun je waarschijnlijk nog wel een jaartje wachten.'

De test kan er echter naast zitten. Volgens sommige artsen

geeft hij vrouwen een vals gevoel van zekerheid, aangezien de FSH-spiegel snel kan veranderen en zelfs binnen een maand kan fluctueren met een marge van 20 tot 40 procent. 'De feitelijke voorspellende waarde van FSH, en van andere vruchtbaarheidstesten die nu worden aangeboden, is niet echt bekend,' aldus Dan Stein, gynaecoloog en endocrinoloog in het St. Luke's-Rooseveltziekenhuis in New York. 'Ik raad mensen niet aan om het moment waarop ze bevrucht willen worden te laten afhangen van hun FSH.'

John Zhang, de gynaecoloog die aan het hoofd staat van het New Hope Fertility Center in New York, heeft meer vertrouwen in vruchtbaarheidsonderzoek en maakt gebruik van een methode die hij zo goed als onfeilbaar acht. In zijn kliniek biedt hij een vaginale echo aan waarmee de eicelreserves worden gemeten. Door een toverstafachtige sonde in te brengen in de vagina kan hij op een schermpje de eicellen van een vrouw zien en zelfs het aantal antrale follikels waar de eicellen in zitten die op FSH reageren. Naarmate we ouder worden, vermindert het aantal antrale follikels waaruit eicellen vrijkomen en gaat ook de kwaliteit van de eicellen achteruit. Het aantal is afhankelijk van iemands leeftijd en gestel, maar volgens Zhang zijn zeven follikels een goede reserve, ongeacht de leeftijd van een vrouw.

'Plannen betekent dat je het belangrijkste prioriteit geeft,' zegt hij. 'Als je erachter komt dat je reserve groot is, dan kun je zeggen: laat ik nog zes maanden wachten, zorgen dat ik een goede baan heb en het huis in orde maken. Blijkt je reserve klein te zijn, dan kun je misschien beter je eicellen laten invriezen.'

Toch zijn er veel onzekere factoren, legt Zhang uit. Zelfs al heeft een vrouw een ruime reserve aan antrale follikels, dan voorspelt dat niet per se hoeveel follikels ze over twee of over vijf jaar zal hebben. Evenmin beantwoordt het de vraag hoeveel eicellen nog levensvatbaar zijn.

Zhang vindt dat vrouwen veel eerder over hun vruchtbaarheid moeten gaan nadenken dan ik heb gedaan. Zoals de meeste vrouwen ben ik me pas gaan bezinnen op mijn mogelijkheden toen ik met mijn rug tegen de muur van de onvruchtbaarheid stond. Dat is een grote vergissing, legt hij uit. Zodra een vrouw een jaar of eenentwintig, tweeëntwintig is zou ze een grondig onderzoek moeten laten doen waarin haar antrale follikels worden geteld, haar bloed wordt getest en haar baarmoeder wordt gecontroleerd door middel van een echo. Zo heeft ze gegevens waarop ze haar latere beslissingen kan baseren. Hij vertelt me een angstaanjagend verhaal over een achtentwintigjarige vrouw die naar hem toe kwam omdat ze na een jaar proberen nog niet zwanger was. Hij ontdekte dat ze geen antrale follikels had en aan 'prematuur ovarieel falen' leed, iets wat voorkomt bij 1 tot 4 procent van de vrouwen onder de veertig jaar.

'Hoe eerder een vrouw erachter komt dat er zich een probleem zou kunnen voordoen, des te groter de kans dat dit kan worden verholpen,' zegt hij.

De tests zijn niet al te duur, maar gaan wel gepaard met tijdrovende doktersbezoekjes. Een FSH-test kost tussen de 100 en 200 dollar en kan worden uitgevoerd bij elke gynaecoloog of medische kliniek waar bloedtests worden afgenomen. De follikel-echo van dr. Zhang is iets duurder, bijna 300 dollar, en deze technologie is niet overal beschikbaar.

Die onhandigheid is de reden waarom dr. Bill Ledger, professor obstetrie en gynaecologie aan de universiteit van Sheffield in Engeland, het voor vrouwen gemakkelijker probeert te maken om hun vruchtbaarheid zelf te testen in de privacy van hun eigen huis. Hij heeft een vruchtbaarheidstest ontwikkeld, Plan Ahead, die voor rond de 200 dollar per post bestelbaar is en uiteindelijk ook bij de apotheek verkrijgbaar zal zijn. Naast FSH meet deze test ook het anti-Müllerianhormoon (AMH), dat sterk samenhangt met de omvang van de ovariële follikelpool van een vrouw, en inhibine B, een ander hormoon dat door groeiende follikels wordt geproduceerd. De test berekent wat hij de ovariële reserve-index noemt. Met behulp van een computermodel vergelijkt de test de uitslag met het normale gehalte bij vrouwen van dezelfde leeftijd.

Ledger legt uit dat het tegelijk testen van deze drie hormonen een veel preciezer plaatje geeft van de vruchtbaarheid van een vrouw. 'Het probleem bij het uitsluitend meten van het FSH is dat de stijging daarvan vrij ver in het aftakelingsproces van de ovariële reserve plaatsvindt, dus dan kan het te laat zijn om er iets tegen te doen. Zowel de inhibine B- als de AMH-spiegel is hoog als je jong bent en daalt naarmate je ouder wordt. Dus ben je op tijd gewaarschuwd als je AMH en je inhibine B sterk afnemen.'

De uitslag van mijn FSH-test laat een paar weken op zich wachten. Intussen besluit ik met Daniel Stein, die ietwat sceptisch was over de betrouwbaarheid van alleen een FSH-test, te gaan praten over andere mogelijke stappen in verband met mijn vruchtbaarheid. Stein is een opgewekte, hartelijke man die geen blad voor de mond neemt. Vanachter zijn bureau in het centrum van de stad legt hij uit dat of een vrouw nu wel of niet aan het proberen is om zwanger te worden, het altijd goed is om haar lichaam erop voor te bereiden.

'Er is een aantal omgevingsfactoren dat in verband wordt gebracht met vroegtijdige eicelveroudering of potentiële beschadiging van eicellen,' zegt hij. Vrouwen die meer dan een half pakje sigaretten per dag roken, komen volgens hem minstens twee tot drie jaar eerder in de overgang dan vrouwen die niet roken. Ook overmatig alcoholgebruik wordt in verband gebracht met schade aan eicellen. Bovendien hebben vrouwen wier gewicht negen kilo boven of onder hun ideale lichaamsgewicht ligt, een veel kleinere kans om binnen zes maanden zwanger te worden.

Door met deze artsen te praten en informatie in te winnen over mijn keuzemogelijkheden krijg ik een minder machteloos gevoel. Ik weet nu dat er geen garanties zijn. Zelfs de gegevens die ik op wetenschappelijke wijze over mijn vruchtbaarheid kan verkrijgen, zijn niet onfeilbaar en kunnen valse hoop geven. En uit die gegevens zou iets akeligs kunnen blijken: dat ik onvruchtbaar ben. Ik begrijp heel goed waarom vrouwen geneigd zijn dit onderwerp te negeren en er maar het beste van te hopen. Dat is precies wat ik lange tijd gedaan heb.

Toch hebben mijn gesprekken met al die vruchtbaarheidsspecialisten me optimistisch gestemd. Ook al kom ik de juiste man niet meteen tegen, ik begin meer open te staan voor alternatieve manieren van gezinsvorming. Alleen al het nadenken en praten over deze mogelijkheden maakt ze normaler, als de nieuwe voortplantingsmethoden van deze nieuwe tijd.

Ik heb nog tijd, houd ik mezelf voor. Mevrouw Schiffman verzekerde me dat ik, ondanks de mediahype, niet hoef te wanhopen. Vijfendertig is nog jong. Maar door ons gesprek begin ik wel gerichter en praktischer na te denken over daten, wat inhoudt dat ik alleen mannen kies die zich serieus willen binden en een gezin willen.

Ik besluit het advies op te volgen dat een goede vriendin me ooit gaf. Ze raadde me aan een stukje te schrijven over de man die ik wilde ontmoeten. Het achterliggende idee was dat inzicht in wat je zoekt je meer zelfvertrouwen geeft, zodat je minder lang blijft hangen in minder ideale relaties en je concentreert op wat jij wilt, en niet op de vraag of mannen jóú al dan niet willen.

Ik schrijf: 'Iemand die me in balans brengt. Iemand die mijn zwakke punten ondersteunt en mijn sterke punten versterkt. Iemand die gemakkelijk in de omgang en slim is en zijn eigen emoties kent. Iemand met ambitie die weet waar hij naartoe wil, maar bereid is om af en toe van dat pad af te wijken om te gaan surfen of zeilen of rond te dwalen in verborgen steegjes in een buitenlandse stad. Iemand met een realistische houding ten opzichte van geld. Een milde en flexibele ziel die in verandering gelooft, zich niet zomaar laat meeslepen door romantische illusies, van goed eten houdt, hard wil werken aan gezamenlijke ontwikkeling aan de hand van de uitdagingen van het leven, en die vooral, voorál weet wanneer hij moet laveren om de liefde voorwaarts te laten gaan.'

Hoewel ik in het traditionele gezin geloof, heb ik mezelf nooit als een traditionele echtgenote gezien. Ik wil niet zo'n jarenvijftigregeling waarbij man en vrouw in afzonderlijke invloedssferen leven en afzonderlijke verantwoordelijkheden hebben – wat in de praktijk inhoudt dat de vrouw thuisblijft bij de kinderen terwijl de man het geld verdient en zodoende meer macht heeft in de relatie. Ik wil deel uitmaken van een gelijkwaardige relatie, zoiets als mijn beste vriendschappen, waarin mijn partner en ik als team beslissingen nemen, geven en nemen, elkaars passies en carrière ondersteunen en respecteren en op een flexibele, volwassen manier samen de verantwoordelijkheid dragen voor het grootbrengen van de kinderen. Uiteraard betekent dit gelijkwaardige, gezamenlijke ideaal een aanmerkelijke aanscherping van de vereisten, en dat is misschien een van de redenen waarom ik er langer over doe om de juiste man te vinden.

Zodra ik mijn opstel over mijn ideale man af heb, besluit ik een stapje verder te gaan. Ik vraag mijn beste vrienden en vriendinnen wat voor soort man hun geschikt voor mij lijkt. Misschien kunnen de mensen die mij het beste kennen en begrijpen me een beter beeld geven van de juiste match voor mij dan persoonlijkheidstests op internet of het aflopen van honderden tijdrovende dates.

Ik spreek met vriendinnen af om ergens iets te gaan drinken; ik mail met oude vrienden die ik in geen jaren gesproken heb en spreek zelfs buren aan die ik toevallig tegenkom. Ik stel ze allemaal de vraag wat ze voor zich zien als ze denken aan mijn ideale partner. Ze zeggen dingen als: 'vriendelijk, niet te stil', 'sportief', 'ondernemend', 'iemand die jou tot rust kan brengen.' Een vriendin zegt: 'Ik zie je voor me met een vent in een coltrui.' Een ander kijkt me aan alsof ik gestoord ben en zegt: 'Jij hebt gewoon iemand nodig die gek op je is!'

Twee weken voor mijn vijfendertigste verjaardag word ik gebeld door mijn gynaecologe, die me vertelt dat ik een FSH-waarde van 2 heb. Dat betekent dat mijn eicellen er goed voorstaan en dat ik qua vruchtbaarheid in prima conditie verkeer – al weet ik nu dat dat snel kan veranderen.

'Probeer je zwanger te worden?' vraagt ze.

Ik vind het gênant om haar te vertellen dat dat niet zo is, dat ik nog op zoek ben naar een man, wellicht met coltrui, dat ik gewoon een vruchtbaarheidsgokker ben die een inschatting van haar kansen maakt voor het beste resultaat.

'Ik ben nog op zoek naar mijn ware liefde,' mompel ik.

'Als je nou over een paar jaar de juiste nog niet gevonden hebt en toch graag de mogelijkheid wilt openhouden om een kind te krijgen, dan kun je misschien naar een spermabank gaan,' zegt ze onomwonden.

Pff, ik kijk het nog even aan, denk ik. Maar ik zeg: 'Hoe lang heb ik nog?'

'Dat zou ik echt niet weten,' antwoordt ze. 'Vruchtbaarheid is onvoorspelbaar. Ik heb patiënten die op natuurlijke wijze zwanger raken op hun drieënveertigste, en ik heb er bij wie het op hun tweeëndertigste niet meer lukt.'

Ze zwijgt even en raadt me dan aan om over zes maanden of een jaar opnieuw mijn FSH-spiegel te laten testen en te kijken naar het verschil tussen de twee scores. Dat zou me een goede indruk geven van de snelheid waarmee mijn vruchtbaarheid afneemt.

'En verder gewoon lekker doorleven,' zegt ze tot slot.

Terwijl ik ophang klinken er twee stemmetjes in mijn hoofd.

'Sorry dat ik je tijd heb verspild,' zegt Alex.

'De liefde gaat door, Rachel,' zegt mijn vader.

Ik bevind me op onbekend terrein, maar voel me een stuk sterker dan voor ik mijn vruchtbaarheid begon te onderzoeken. Ik ben alleen, maar ik denk dat ik een belangrijke stap heb genomen in de richting van het moederschap. Ik ben bezig mijn toekomst te plannen – of beter gezegd een aantal mogelijke toekomstscenario's te bekijken – en ik weet al wat de eerste stap is: voor mezelf zorgen. De ironie daarvan ontgaat me niet. Op het moment waarop ik aanvaard dat mijn eicellen binnenkort achteruitgaan, realiseer ik me ook dat ik absoluut geen verwelkende lelie ben. Ik kom juist tot bloei.

2

Tijd winnen

Mijn mobiele telefoon gaat, maar ik kan er niet bij omdat mijn voeten in beugels zitten en de hand van mijn gynaecologe op mijn onderbuik drukt. Ik weet dat het Nick* is, een vasthoudende hoogleraar letterkunde die ik drie weken eerder tijdens een boekpresentatie heb ontmoet. Ik schepte erover op dat ik trainde voor een triatlon en daagde hem vervolgens uit me op te sporen in plaats van hem mijn telefoonnummer te geven. Hij vond me – niet zo moeilijk in het Googletijdperk – en sindsdien spreken we soms af. Ik mag hem wel, omdat hij op zomerse middagen als een surfer rondkuiert op slippers en in een gescheurde spijkershort, maar in werkelijkheid het grootste deel van zijn tijd doorbrengt met tobben over zijn leven en het analyseren van literatuur uit oorlogslanden.

Vanavond hebben we afgesproken in een trendy, door beroemdheden gefrequenteerd café in de West Village. Hij komt daar graag vanwege de glamour, want het enige waar hij naast deprimerende literatuur van houdt is mode, en fotomodellen. Hij bestudeert de nieuwste avantgardemerken even intensief als Coetzee of Conrad. Die paradox amuseert me, maar ik ben niet verliefd.

'Hoe staat het met de liefde?' vraagt mijn gynaecologe terwijl ze opkijkt van tussen mijn benen.

Ik glimlach half en zeg dat ik de laatste tijd veel afspraakjes heb. 'Is alles oké?' vraag ik.

'Jawel, je bent gezond,' zegt ze. 'Maar je wordt er niet jonger op.'

Ik vertel haar dat ik overweeg mijn eicellen te laten invriezen.

Eicelcryopreservatie, een techniek waarbij de eicellen van een vrouw uit haar eierstokken worden gehaald en ingevroren tot de vrouw er klaar voor is ze te gebruiken, begint net ingang te vinden in de tijdgeest inzake voortplanting. Sommige artsen beweren dat deze technologie even revolutionair zou kunnen worden als de anticonceptiepil; anderen waarschuwen ervoor dat de razendsnelle vercommercialisering ervan gevaarlijk is, dat bedrijven munt proberen te slaan uit de bezorgdheid van vrouwen door hun een soort botox op voortplantingsgebied aan te smeren, waardoor welgestelde alleenstaande vrouwen welgestelde proefkonijnen worden. Hoe het ook zij, de technologie bestaat en roept bij mij en andere vrouwen in mijn situatie een heleboel nieuwe vragen op over de mogelijkheden – en onmogelijkheden – van hedendaags moederschap.

Ik hoorde pas een paar maanden geleden, kort na mijn vijfendertigste verjaardag, voor het eerst over cryopreservatie van eicellen. Bij mijn post zat een reclamekaartje van een nieuw bedrijf met de naam Extend Fertility. Op de voorkant stond een foto van een carrièrevrouw met een praktisch kapsel dat een lachend kindje met blauwe ogen in bad deed. Naast de foto stond in vetgedrukte letters de schreeuwerige tekst: 'Vruchtbaarheid. Vrijheid. Eindelijk.' Direct eronder stond een persoonlijke boodschap van de oprichters van het bedrijf: 'Als vrouw leid je een druk en veeleisend leven. Vanwege de overvloed aan mogelijkheden kiezen velen van ons ervoor om later in hun leven kinderen te krijgen. Extend Fertility biedt een baanbrekende service op het gebied van het eicelbevriezing, zodat vrouwen hun vruchtbaarheid kunnen behouden en hun voortplantingsvermogen in eigen hand hebben.'

Dit is precies wat ik nodig heb, dacht ik. Het was bijna griezelig, alsof het bedrijf wist dat ik single was en zojuist vijfendertig was geworden. (Later hoorde ik van de directeur dat deze timing niet op toeval berustte; het bedrijf had een marketingorganisatie in de arm genomen om ongetrouwde vrouwen van boven de vijfendertig doelgericht te benaderen.) Ik ging naar de website van Extend om meer te lezen over de procedure. Die begint met een standaard ivf-behandelingscyclus. Met behulp van kunstmatige hormonen wordt de groei en het vrijkomen van eicellen bevorderd. Bij een gewone ivf-cyclus worden de eicellen eerst operatief weggehaald en vervolgens, na te zijn bevrucht, weer in de baarmoeder teruggeplaatst. Maar bij het invriezen van eicellen wordt de bevruchting achterwege gelaten. De arts haalt de eicellen weg en legt ze in vloeibaar stikstof, waarna ze kunnen worden opgeslagen voor toekomstig gebruik.

Ik klikte op een label waarop stond: 'Waarom eicellen invriezen?' Het antwoord: 'Onze mogelijkheden zijn grenzeloos, maar onze eicelvoorraad en -kwaliteit is dat niet.' Daarna klikte ik op een paar klantbeoordelingen. Megan, een knappe acupuncturiste van zesendertig, zei het volgende: 'Ik had het idee dat mijn kinderwens mijn huidige relatie onder druk zette... Het besluit mijn eicellen te laten invriezen heeft me geholpen de dingen uit elkaar te houden: ja, ik wil kinderen en ja, ik heb een relatie, maar mijn kinderwens moet niet het zicht vertroebelen op de vraag of wij samen kinderen zouden moeten krijgen.'

Verder schreef ze: 'Door het invriezen van mijn eicellen heb ik een minder negatief zelfbeeld, minder zelfkritiek over dingen die ik beter anders had kunnen doen en minder schuldgevoel over het feit dat ik nog geen kinderen heb. Ik ben niet meer zo bezorgd over de toekomst, hoe het ook uitpakt – of ik nu op natuurlijke manier zwanger word, deze eicellen gebruik of voor adoptie kies. Nu staat mijn uiteindelijke moederschap meer centraal, en niet het veroordelen van mijn lichaam omdat het biologisch gezien niet de "perfecte" leeftijd heeft.'

Zou dit de oplossing zijn? Zou ik door het invriezen van mijn eicellen wat tijd kunnen winnen om de juiste relatie te vinden? Ik dacht aan mijn gesprek met mevrouw Schiffman over het onderscheiden van mijn zoektocht naar liefde en mijn kinderwens. Aangezien ik er nog steeds niet aan toe was om in mijn eentje een kind te krijgen, klonk deze nieuwe technologie als de perfecte keuze om mijn ongerustheid weg te nemen. Plotseling kwamen er nieuwe beelden bij me op, die er heel anders uitzagen dan mijn romantische visioenen van mijn bruiloft of van een peuter die in een plastic badje zit te spelen. In plaats daarvan zag ik een gigantisch magazijn, met kleine laatjes waarin ingevroren eicellen zaten, elk met een andere vrouwennaam erop. Ik dacht: als ik mijn eicellen nu laat invriezen, vergroot dat mijn kans op een baby – en misschien zelfs een tweede – op mijn tweeënveertigste, drieënveertigste of vierenveertigste. Dat zou me alle tijd geven om mijn ware liefde te zoeken.

Ik klikte op het label 'informatiebijeenkomsten' en zag dat er een paar weken later een gepland stond voor New York.

Op een winteravond toog ik naar de Upper West Side om mijn eerste Extend Fertility-bijeenkomst bij te wonen. Deze avond werd mede gesponsord door de *Tango*, een nieuw tijdschrift over liefde en relaties, en vond plaats bij de uitgever.

Ik kwam binnen in een huiskamer vol vrouwen van in de dertig. Sommigen waren gekleed in heupjeans en schoenen met sleehakken, anderen droegen gedistingeerde mantelpakjes. Een paar zaten met gekruiste benen op de grond als kleine kinderen op school; anderen groepten fluisterend samen met een glaasje witte wijn en een blokje cheddarkaas.

Julie Hammerman, adjunct-directeur marketing van Extend Fertility, kwam voor de groep staan. Ze vertelde dat Christy Jones, de vijfendertigjarige directeur, en haar projectteam van uitsluitend vrouwen in hun laatste jaar van Harvard Business School zaten toen ze in 2002 het idee kregen voor het bedrijf. Deze topvrouwen bespraken met elkaar hoe ze hun carrière en het moederschap beter met elkaar in balans konden brengen, en onvermijdelijk kwam het probleem van de timing naar voren. Velen van hen waren bang dat te vroeg zwanger worden hun carrière zou schaden en op lange termijn een nadelige invloed op hun inkomen zou hebben, maar te lang wachten bracht natuurlijk het risico met zich mee dat ze helemaal geen kinderen meer konden krijgen.

'Voor vrouwen die een biologisch kind wilden, was de enige optie er meteen een te krijgen,' zei ze.

De groep besefte al snel dat er een gat in de markt was voor een product: keuzemogelijkheden voor hoogopgeleide carrièrevrouwen zoals zijzelf, die uit persoonlijk of professioneel oogpunt nog niet in de juiste omstandigheden verkeerden om een kind te krijgen. En zo ontstond Extend Fertility. Het team ging samenwerken met non-profitorganisaties, stichtingen en allerlei vrouwennetwerken en alumnigroepen om reclame te maken voor de nieuwste keuzemogelijkheid voor vrouwen: de keuze om te wachten. Zij zagen dat als een boodschap die eerder sterk dan bang maakt.

Vervolgens introduceerde Hammerman Alan D. Copperman, voortplantingsendocrinoloog verbonden aan het Mount Sinai Medical Center. Hij stond op, schraapte zijn keel en wees naar een grafiek die op een uitklapbord stond. Hij benadrukte een dun zwart lijntje dat de dalende vruchtbaarheid van een vrouw na haar dertigste aangaf.

'Eicellen zijn geprogrammeerd om uiteen te vallen,' verklaarde hij plompverloren. 'Daar hebt u niet echt controle over.'

We schoven allemaal een beetje in onze stoelen en luisterden vol aandacht. Ik zag dat op de ontspannen gezichten van de carrièrevrouwen om me heen een frons verscheen. We dachten allemaal aan hetzelfde: bijna elk obstakel dat op ons pad komt, kunnen we overwinnen, maar onze vruchtbaarheid ligt buiten onze macht. En we hoopten allemaal dat dit nieuwe bedrijf ons een tovermiddel kon bieden dat een einde zou maken aan onze zorgen.

Hammerman en Copperman lazen in onze bezorgde gezichten echter een torenhoge potentiële winst. Het invriezen van eicellen kost minimaal 15.000 dollar. Feminisme en kapitalisme vormen een eigenaardig duo in de wereld van de voortplantingstechnologie. Aan de ene kant lijkt Extend Fertility vrouwen oprecht een reële oplossing te willen bieden voor de grote tegenstrijdigheden tussen carrièreontwikkeling en gezinsplanning. Aan de andere kant is voortplantingstechnologie een snelgroeiende markt, dus het winststreven voor deze nieuwe techniek was ook heel reëel. Ik wist niet zeker of ik was terechtgekomen bij een nieuw soort bewustmakingsgroep waarin zelfverwezenlijking was vervangen door het bespreekbaar maken van vruchtbaarheidskwesties, of dat dit de onorthodoxe marketingcampagne van een geldbelust bedrijf was dat het nieuwste wondermiddel op het gebied van de voortplanting aan de vrouw bracht, verpakt in feministische praatjes. Van allebei wat, leek het.

Copperman werkte niet voor Extend Fertility, maar de kliniek die hij leidde, RMA in New York, was een van de zes klinieken in het netwerk van Extend Fertility waar deze opkomende technologie werd aangeboden. Voor een deel van de prijs van het invriezen zorgde Extend Fertility voor alle details, zoals het stap voor stap begeleiden van de vrouwen.

'De ideale kandidate is onder de veertig, idealiter onder de vijfendertig,' legde Copperman uit. Hij benadrukte echter wel dat de technologie nog in de experimentele fase verkeerde. Volgens schattingen van experts waren er over de hele wereld ongeveer tweehonderd baby's geboren uit eicellen die ingevroren waren geweest. Met nadruk zei hij dat de technologie niet was goedgekeurd door de controlerende overheidsinstantie FDA, noch door de American Society for Reproductive Medicine.

Ook is er geen enkele garantie dat de technologie echt werkt. Hoewel Copperman geen statistische gegevens gaf, had het marketingteam van Extend de potentiële klanten op hun mailinglijst onlangs een persbericht toegestuurd waarin stond dat Reproductive Medicine Associates of New York een onderzoek had uitgevoerd waarbij 68 van de in totaal 79 eicellen van vier verschillende donoren het invriezings- en ontdooiingsproces hadden overleefd. 61 van die overgebleven eicellen werd met succes bevrucht. Het marketingteam beweerde dat 'een op de vier embryo's werd geïmplanteerd', en ze zodoende een kans op zwangerschap hadden gerealiseerd van 'drie op de vier met behulp van ingevroren eicellen van vruchtbare donoren', wat staat voor een zwangerschapspercentage van 75 procent en een implantatiepercentage van 26 procent. De meeste onderzoekers zouden die resultaten overdreven noemen. Een onderzoek uit 2006 door dr. Eleonora Porcu, de Italiaanse uitvinder van het invriezen van eicellen, en dr. Stefano Venturoli van de afdeling Obstetrie en Gynaecologie van de universiteit van Bologna rapporteerde een overlevingspercentage na ontdooiing van 70 procent en een bevruchtingspercentage dat 'uiterst variabel' was, tussen de 13 en 71 procent. Zij schreven als volgt: 'Op basis van de verzamelde klinische resultaten uit de afgelopen tien jaar komen we tot een totaal gemiddeld overlevingspercentage van ongeveer 67 procent en een geboortepercentage per ontdooide eicel van rond de 4 procent.'

'Misschien werkt het,' zei Copperman. 'Misschien komen we tot de ontdekking dat het onze eicellen beschadigt. Maar als de vraag is: nu of later, dan is het antwoord: nu.'

Na zijn presentatie stak bijna iedereen in de kamer zijn hand op.

'Kan ik mijn eicellen laten meeverhuizen als ik verhuis?' vroeg iemand.

'Ja.'

'Valt het onder de ziektekostenverzekering?' vroeg iemand anders.

'Nee. Het is een vrijwillige keuze, zoals plastische chirurgie.'

'Wat is het rendement?' vroeg weer iemand anders.

'Ik kan niets garanderen,' antwoordde hij.

'Hebt u ook een spaarregeling?' vroeg ik, half voor de grap.

'Jawel,' antwoordde hij.

Na de presentatie van Copperman maakte ik een praatje met de andere potentiële klanten. Ik maakte kennis met Jane O'Reilly*, een zesendertigjarige bedrijfseconome met zwarte krullen en een brede tandpastaglimlach. Ze kwam uit Zuid-Florida en was vier maanden eerder van Londen naar New York verhuisd.

'Ik ben altijd dol op kinderen geweest en ik kan er goed mee overweg, maar ik heb het krijgen van kinderen nooit als toekomstideaal voor ogen gehad,' zei ze. 'Als ik de juiste man tegenkom en financieel mijn zaakjes op orde heb, is het een mogelijkheid. Het invriezen van eicellen zie ik als een calloptie.'

'Een calloptie op het moederschap?' vroeg ik.

'Ja,' zei ze. 'In de financiële wereld neem je een optie om aandelen op termijn te kunnen kopen. Dus je betaalt 3 dollar voor de optie en hebt daarmee de keuze om de aandelen gedurende een bepaalde periode voor een lagere prijs te kopen, zelfs als de koers omhoog gaat. Dit is zoiets als een calloptie wanneer je eicellen nog goed zijn, zoals wanneer de aandelen nog een goede prijs hebben.'

Toen ik haar vroeg wat volgens haar de reden is dat ze nog geen kinderen heeft, vertelde ze me een bekend verhaal. Ze bracht het grootste deel van haar jonge jaren door met van stad tot stad gaan, op zoek naar haar eigen plek en druk met haar carrière. Na de economische faculteit in Chicago verhuisde ze naar Parijs en vervolgens naar Londen, waar ze voor verschillende financiële bedrijven werkte. Ondertussen had ze wel vriendjes, maar niemand met wie ze iets duurzaams wilde.

'Het kwam een paar keer dichtbij,' gaf ze toe. 'Ik heb alleen nog niet degene gevonden van wie ik genoeg hou om me voor de rest van mijn leven te binden. Als ik naar de lange termijn kijk en me voorstel hoe het zal zijn als mijn ouders niet meer leven, dan zou ik wel graag een levensgezel willen, maar zoals mijn leven er nu uitziet, bevalt het me prima zonder. Ik heb geen gezeur aan mijn hoofd en ik hoef geen compromissen te sluiten.'

Terwijl we stonden te praten kwam er een vrouw in een grijs pak op ons af, die zichzelf voorstelde als Sam Montgomery*. Sam, een tengere zwarte vrouw, was pas drieëntwintig jaar en stond als administratief assistent bij een investeringsbank aan het begin van haar carrière. Ze wist dat het misschien nog jaren zou duren voor ze ging trouwen of kinderen kreeg, maar was naar deze bijeenkomst gekomen omdat ze de toekomst wilde plannen. In feite behoorde zij misschien eerder tot de toekomstige doelgroep van Extend Fertility dan al die vrouwen van eind dertig, aangezien uit de meeste onderzoeken blijkt dat het invriezen van eicellen het succesvolst is voor vrouwen die het doen als ze begin twintig zijn. En aangezien de technologie elk jaar beter wordt, zou het best zo kunnen zijn dat Sam op haar vijfendertigste of veertigste een uitstekende kans heeft om zwanger te raken met behulp van haar eigen ingevroren eicellen.

'Ik wou dat deze mogelijkheid al had bestaan toen ik vijfentwintig was,' zei ik. 'Maar kinderen waren toen wel het laatste waar ik aan dacht, ik wilde over de hele wereld reizen en de vrijheid hebben om mijn carrière te verkennen, mezelf te vinden, stevig op eigen benen te leren staan. Als ik mijn eicellen had laten invriezen, zou ik me nu misschien niet zo opgejaagd voelen.'

Jane viel me in de rede. 'De wrede grap van de natuur is dat mijn vruchtbaarheid niet parallel loopt met mijn ontwikkeling,' zei ze quasi verdrietig. 'Nu ik er eindelijk emotioneel en financieel klaar voor ben me te binden en een gezin te beginnen, loop ik de kans dat mijn lichaam niet meewerkt.'

'Ja, maar wat als je wel eerder trouwt, en vervolgens gaat scheiden?' zei een stem achter me. 'Dat is wat mij is overkomen.'

Allison Barney*, een lange blondine in een wijde gele rok, kwam bij ons groepje staan. Ze zag er eerder uit als iemand die naar een Nepalese ashram gaat om te mediteren dan als de beheerster van een hedgefonds. Ze zei dat ze over vier dagen haar vijfendertigste verjaardag vierde en overwoog bij wijze van verjaardagscadeau haar eicellen te laten invriezen.

Allison vertelde dat ze op eenendertigjarige leeftijd negen maanden in gesprekstherapie had gezeten met haar vriend, met wie ze al drie jaar samen was, om erachter te komen of ze nu wel of niet moesten trouwen. Ze maakten allebei lange dagen in tijdrovende banen waar een sterke concurrentie heerste en hadden het gevoel dat ze niet voldoende ruimte kregen in hun relatie. Uiteindelijk besloten ze de stap te wagen, ook al waren een heleboel onderlinge problemen niet opgelost.

'Een jaar en een week na de bruiloft ging hij ervandoor,' vervolgde ze. 'Hij besloot dat hij toch niet getrouwd wilde zijn. Als ik erop terugkijk was vier jaar veel te lang om samen te leven zonder dat hij zich echt wilde binden. Na een of twee maanden verloving had ik de knoop moeten doorhakken. Maar aan de andere kant moet ik misschien niet zeggen dat ik mijn tijd heb verspild, want ik heb er veel van geleerd over mijn eigen wensen.'

Allison zei dat ze onlangs met haar gynaecologe had gesproken, die haar had verteld dat het invriezen van eicellen nog altijd zeer experimenteel is. 'Ze zei dat ik met mijn vijfendertig jaar misschien beter even kan wachten tot de technologie is verbeterd en in plaats daarvan mijn energie moet steken in het zoeken van een man. Ik baal enorm van de tijd die ik tussen mijn achtentwintigste en drieëndertigste met de verkeerde heb verdaan. Ik heb het gevoel dat ik mijn beste tijd om een partner te vinden heb verspild. 'Weet je,' zei ze wat zachter, 'soms vraag ik me af of ik een slecht huwelijk ben aangegaan omdat mijn biologische klok tikte. Mijn ouders zeiden dat ik misschien wilde trouwen omdat iedereen om me heen getrouwd was, en misschien ook om die reden kinderen wilde krijgen.'

Ja, dacht ik, en ik herinnerde me die dag in The Cloisters.

'Mijn vader lacht me uit omdat ik me nooit bind,' zei Jane. 'Hij zegt dat in de jaren zestig het motto was: "Als het goed voelt: doen." Maar voor mijn generatie is het nieuwe motto: "Als het niet goed voelt: wegwezen."'

Ik ging naar huis en droomde die nacht over bomen met takken die doorhingen van de grote ingevroren eicellen.

Als ik mijn gynaecologe vertel over de Extend Fertility-bijeenkomst, schudt ze krachtig haar hoofd. Ze vertelt me dat het invriezen van eicellen een veelbelovende techniek is, maar dat de wetenschap nog niet ver genoeg is om al dat geld erin te steken.

Ze suggereert dat ik, áls ik overweeg om iets te laten invriezen, misschien beter kan kiezen voor embryo's gecreëerd met donorsperma. De gang van zaken zou in essentie hetzelfde zijn als bij het invriezen van eicellen. Ik zou eerst een ivf-cyclus krijgen, maar nadat mijn eicellen waren weggehaald zouden ze met donorsperma worden bevrucht alvorens te worden ingevroren. Vanuit wetenschappelijk oogpunt is die techniek volgens haar minder riskant dan het invriezen van eicellen, omdat de procedure al langer bestaat en daarom meer verfijnd is. Embryo's zijn niet zo kwetsbaar als eicellen en zijn dan ook beter bestand tegen het invriezen, waardoor het percentage zwangerschappen met ingevroren embryo's veel hoger ligt dan met ingevroren eicellen.

Terwijl het percentage geboortes uit embryo's die zijn ontstaan uit ontdooide eicellen bij vrouwen jonger dan vijfendertig die zowel eicellen hebben laten invriezen als op normale manier proberen zwanger te worden, rond de 4 procent ligt, is het aantal geboortes bij embryo's gevormd uit de eigen, verse eicellen van de vrouw en sperma van hetzij haar partner of een donor, veel hoger: 28 procent voor vrouwen tussen de vijfendertig en zevenendertig jaar, 23 procent voor vrouwen tussen de achtendertig en veertig en 15 procent voor vrouwen tussen de veertig en tweeënveertig jaar. Deze slagingspercentages liggen maar weinig lager dan die voor vrouwen die een ivf-behandeling ondergaan met verse embryo's. (Uiteraard beginnen die vrouwen in het algemeen aan ivf vanwege bestaande vruchtbaarheidsproblemen. Het slagingspercentage kan best hoger liggen voor normaal vruchtbare vrouwen die eicellen of embryo's willen laten invriezen met het oog op de toekomst.)

Terwijl mijn arts me meer vertelt over het invriezen van embryo's, besef ik dat dit statistisch misschien kansrijker is dan het invriezen van eicellen, maar dat het in andere opzichten veel gecompliceerder is. Het betekent dat je ófwel sperma moet gebruiken dat is gedoneerd door een mannelijke vriend ófwel donorsperma moet kopen bij een spermabank. Bovendien zijn de mogelijkheden veel beperkter. Als ik mijn eicellen laat invriezen, houd ik de mogelijkheid open om later zwanger te worden van die perfecte man die ik hoop te vinden. Met ingevroren embryo's vervliegt die mogelijkheid. Als ik mijn eicellen met donorsperma laat bevruchten en vervolgens laat invriezen, kan ik ze later gebruiken als ik besluit single moeder te worden. Ik kan ze ook gebruiken als de ware Jakob en ik elkaar niet tegenkomen voordat mijn natuurlijke vruchtbaarheid is verlopen, in welk geval die ware Jakob ook nog bereid moet zijn om een kind te krijgen dat niet biologisch van hem is. Al zouden we ook donoreicellen kunnen gebruiken met zijn sperma – maar zou ik daarvoor voelen? Dat is nog maar de vraag.

'Heb je er ooit over nagedacht waar je het sperma vandaan zou halen?' vraagt mijn arts.

Nee. Over niets van dit alles – het invriezen van eicellen, het invriezen van embryo's, donorsperma – heb ik nagedacht, tot voor heel kort. En nu heb ik het gevoel dat ik een sciencefictionfilm binnen ben gestapt. Alleen is dit mijn leven in New York in 2004. Mijn hoofd tolt ervan.

Als ik thuiskom check ik mijn e-mail.

'Hallo Rachel, ik ben een consultant van Extend Fertility en ik bied je een gratis consult aan.'

Twee dagen later: 'Hallo Rachel, we hebben een nieuwe website gelanceerd: Laterbaby.org. Abonneer je!'

Ik google 'eicellen invriezen' en honderden koppen en advertentielinks verschijnen op mijn scherm. Een artikel uit *The Wall Street Journal* van 2002 luidt: 'Vruchtbaarheidskliniek plant opening eerste commerciële eicelbank – controversiële voorziening gericht op vrouwen in afwachting van de ware.' Vervolgens wordt in het artikel een uitspraak geciteerd van Thomas Kim, de directeur van CHA Fertility in Los Angeles: 'Wij winnen tijd voor vrouwen van in de dertig door hun eicellen op te slaan.' Een ander artikel op Forbes.com, met als titel 'The Big Chill', zet uiteen dat er 'in de VS vijf miljoen single vrouwen van in de dertig zonder kinderen zijn, driemaal zoveel als in de generatie van hun moeders', en volgens een stuk in *Newsweek* zal het feit dat de technologie nog als experimenteel wordt beschouwd 'single vrouwen van boven de dertig er wellicht niet van weerhouden om in de rij te gaan staan met hun creditcards en hun dromen.'

En dan zijn er nog de advertenties: 'Eicellen invriezen voor de laagste prijs en nog veel meer', lokt een site. Een site met de naam SaveMyEggs.com brengt me bij The Florida Institute for Reproductive Medicine, dat beweert 'landelijk het hoogste zwangerschapspercentage voor ingevroren eicellen' te hebben. Een andere link: 'Ontspan je. Adem diep in. Wij hebben de antwoorden die je zoekt', brengt me naar Fertilitytomorrow.com, een kliniek die zich 'de voornaamste leverancier van vrouwelijke vruchtbaarheidspreservatie' noemt.

Vanwaar die uitzinnige marketing? Een kleine steekproef maakt me al snel duidelijk dat het invriezen van eicellen weleens big business zou kunnen zijn. Er zijn nog geen harde cijfers omtrent de markt voor eicelbevriezing, maar vergeet niet dat er in de VS vijf miljoen single vrouwen van boven de dertig zijn. Stel dat ieder van die vrouwen 15.000 dollar neertelt voor een ivf-cyclus plus een bedrag voor het opslaan van de eicellen, dan heb je een markt van 75 *miljard* dollar. Natuurlijk is het niet waarschijnlijk dat iedere vrouw boven de dertig haar eicellen wil laten invriezen, maar ook al zou slechts 10 procent daartoe besluiten, dan nog is de potentiële winst gigantisch.

In de afgelopen vijf jaar zijn de investeringen in voortplantingswetenschap door particuliere investeerders en durfkapitalisten aanmerkelijk gestegen. Jorn Lyshoel, analist bij het Noorse bedrijf Pareto Securities, vertelde me dat bijna alle bedrijven die instrumenten voor in-vitrofertilisatie produceren – petrischaaltjes, chemicaliën voor het invriezen enzovoorts, een markt van 80 miljoen dollar wereldwijd – nu werken aan de instrumenten die nodig zijn voor het invriezen van eicellen.

In deze oververhitte markt is het bijzonder moeilijk de echte wetenschap te scheiden van de speculatieve rage. Daarom besluit ik een bezoekje te brengen aan Nicole Noyes, de endocrinologe en gynaecologe van het vruchtbaarheidscentrum van de universiteit van New York die ik eerder heb gesproken over mijn FSH-bloedtest. Noyes en haar team beginnen zich in hun onderzoeken te richten op het invriezen van eicellen. Ze proberen die methode nog niet actief aan het publiek te verkopen, zoals Extend Fertility, maar Noyes heeft wel een onderzoek gestart.

Ze ontvangt me in haar appartement in de Upper East Side van Manhattan, en we drinken thee in de zonnige keuken. Het is midden op de dag, Noyes heeft haar drie kinderen al naar school geholpen en heeft haar chirurgische dienst en een yogales voor gevorderden achter de rug. Een paar dagen geleden heeft ze bovendien de eerste zwangerschap uit ingevroren eicellen van haar kliniek gerealiseerd.

Ik geef uitleg over mijn situatie, en ze knikt snel. Ongetwijfeld heeft ze dit verhaal al duizend keer gehoord. In feite is een van de voornaamste redenen waarom ze heeft besloten een onderzoek naar eicelbevriezing te starten haar frustratie over het feit dat zoveel vrouwen het zichzelf kwalijk nemen dat ze in paniek raken over hun vruchtbaarheid.

Ze vertelt het verhaal van een achtendertigjarige patiënte, een investeringsbankier aan Wall Street. 'Ze heeft het druk met haar carrière en is niet verliefd,' zegt ze. 'Ze kwam naar me toe en vroeg: "Moet ik met een man trouwen van wie ik niet hou of moet ik helemaal geen kind krijgen?" Nu laat ze haar eicellen invriezen en kan ze misschien nog twee jaar afwachten of de ware alsnog langskomt.

Of stel dat je medicijnen studeert en niet voor je drieëndertigste klaar bent met je coschappen, en tegen die tijd nog niet je partner ben tegengekomen – is het dan zo'n gek idee om je eicellen te laten invriezen?' vervolgt ze. 'Het gaat hier om het rationaliseren van je biologische constitutie.'

Noyes is net terug van een internationale cursus over het invriezen van eicellen onder leiding van Eleonora Porcu, de wetenschapper van de universiteit van Bologna die de invriezingstechniek voor eicellen heeft uitgevonden. In Italië maakte Noyes de gevaarlijke hype rond het invriezen van eicellen van dichtbij mee. Ze hoorde tientallen Amerikaanse artsen zeggen dat ze deze nieuwe technologie onmiddellijk wilden aanbieden en erover wilden adverteren op hun websites.

Bedrijven zoals Extend Fertility willen de invriestechnologie voor eicellen juist vanwege deze overmaat aan opwinding op de markt zetten. Hoewel de technologie zich nog in een experimentele fase bevindt, is het van essentieel belang mensen te rekruteren die het product in een vroege fase willen gebruiken. Hoewel de vrouwen in dit vroege stadium relatief weinig kans hebben om met behulp van de technologie zwanger te worden, zal die technologie zeker verbeteren door de kennis die wordt opgedaan dankzij deze patiëntes. Extend Fertility – en de concurrerende bedrijven – voeren in zekere zin een keiharde campagne op zoek naar proefpersonen die ten koste van zichzelf artsen helpen de mankementen in de technologie voor het invriezen van eicellen te verhelpen.

Het zeer reële gevaar dat bezorgde vrouwen ten prooi zullen vallen aan artsen die te veel beloven is precies de reden waarom de American Society for Reproductive Medicine de technologie nog niet volledig heeft goedgekeurd. Dr. Fred Fritz, voorzitter van het bestuur van de vereniging en professor in de obstetrie en gynaecologie aan de universiteit van North Carolina, zei tegen me: 'De resultaten die we hebben zijn afkomstig van baanbrekende klinieken op dat gebied. We kunnen er niet van uitgaan dat bij toepassing op bredere schaal het succes navenant groter zal zijn.'

Geen van de klinieken die het invriezen van eicellen aanbieden, is malafide, maar het is van belang te weten wie in het onderzoek een toonaangevende rol speelt, en niet te vergeten dat er sprake is van een streven naar winst. Barry Behr, een arts verbonden aan Stanford die aanvankelijk adviseur van Extend Fertility was toen Christy Jones haar bedrijf startte, heeft nu de leiding over een onafhankelijk onderzoek naar de technologie. Hij legde uit dat veel Amerikaanse artsen, sommigen van wie werkzaam zijn bij klinieken die deel uitmaken van het netwerk van Extend Fertility, bij het op de markt zetten van eicelbevriezing door de concurrentie onder druk worden gezet om alleen hun meest positieve resultaten te publiceren, aangezien klinieken in de vs voor hun voortbestaan afhankelijk zijn van hun succespercentages. En dat draagt weer bij tot valse ideeën omtrent de levensvatbaarheid van de technologie.

'Ik geloof niet dat iemand liegt,' zegt hij. 'Wat er gebeurt is dat voor de onderzoeken patiëntes worden geselecteerd bij wie de toepassing waarschijnlijk succesvol zal zijn. Over het geheel zijn die patiëntes niet representatief voor de groep patiëntes die de grootste behoefte hebben aan deze technologie.' De meeste onderzoeken waar bedrijven als Extend Fertility zich op baseren, vertonen succespercentages waarbij de eicellen van vruchtbare vrouwen van in de twintig zijn gebruikt. De realiteit is echter dat de meeste vrouwen die hun eicellen willen laten invriezen midden of eind dertig zijn. In feite zijn er op dit moment nog géén onderzoeksgegevens beschikbaar over de uitvoerbaarheid van invriezing van eicellen bij vrouwen ouder dan vijfendertig jaar – en dat terwijl Christy Jones zich nu juist op die leeftijdsgroep richtte toen ze een reclamebureau inschakelde om haar kaartjes te versturen.

Hoewel Noyes juist met een dergelijk onderzoek is begonnen, vindt ze dat artsen geen reclame voor de technologie zouden moeten maken zonder betrouwbare gegevens over de effectiviteit ervan voor vrouwen ouder dan vijfendertig. Zij zal de technologie pas aanbieden wanneer ze haar eerste onderzoek heeft afgerond en nog wat meer zwangerschappen uit bevroren eicellen heeft gerealiseerd. Ze adviseert me een jaar te wachten voor ik aan het invriezen van eicellen of embryo's begin. Ze hoopt dat tegen die tijd de technologie verbeterd is. En aangezien mijn FSH-waarden goed zijn, denkt ze dat ik nog wel even kan wachten.

'Welke leeftijd is het beste om het te doen?' vraag ik.

'Vijfendertig, zesendertig, zevenendertig jaar is waarschijnlijk het beste,' zegt ze. 'Ook al laat je ze op je vijfendertigste invriezen, maar kom je op je zesendertigste iemand tegen met wie je een kind krijgt, dan kun je je nog opgejaagd voelen om een tweede kind te krijgen. Ik zie regelmatig vrouwen die na de eerste niet meer zwanger raken. Met ingevroren eicellen kun je op je eenenveertigste nog een tweede krijgen.'

Ik besluit naar Noyes te luisteren en een jaar of zo te wachten tot de technologie is verbeterd. En mijn bankrekening is gegroeid.

Intussen blijf ik nieuwsgierig naar het invriezen van embryo's, en met name naar de kwestie van spermadonoren. Op dit moment is mijn interesse voornamelijk theoretisch. Ik ken Nick, de professor, nog maar een paar maanden, dus het lijkt me een beetje vroeg om hem te vragen me wat sperma te lenen zodat we ons kleine trendsettertje kunnen laten invriezen.

Ik besluit het invriezen van embryo's te onderzoeken door achter iemand aan te gaan over wie ik een paar maanden eerder iets heb gehoord via een medisch journaliste. Die had me verteld over Nancy Vitali*, een jonge psychiater die het hele proces van het kiezen van een spermadonor en het laten invriezen van embryo's had meegemaakt.

Nancy en ik spreken af voor de lunch in een café vlak bij

Fifth Avenue, om de hoek van haar kantoor. Ze is een sportief blond type met kort, recht afgeknipt haar en je zou haar even gemakkelijk voor je zien in de voorsteden, met een stel kinderen achter in haar SUV, als in een nachtclub in hartje New York. Ze draagt een zwarte gebreide pet die ze naar één kant schuift als ze gaat zitten. Ze vertelt me direct dat ze aan het trainen is voor haar tweede Iron Man-triatlon, en als ze mijn opgetrokken wenkbrauwen ziet, verklaart ze zich snel nader: 'Ja, ik doe aan hardlopen. Ik heb ooit 160 kilometer gerend over de Chinese muur. Mijn familie is nogal traditioneel en op mannen gericht, zodoende ben ik erg sportief en actief.'

Nancy is tweeënveertig en single. Na een paar minuten babbelen over haar training, het leven in New York en haar volgende race – een Iron Man in Hawaï – val ik met de deur in huis en vraag haar waarom ze denkt dat ze nog alleen is.

'Het huwelijk heeft me nooit zo geïnteresseerd,' zegt ze.

Op haar negenendertigste had ze na vier jaar een verloving verbroken met een man die tien jaar jonger was dan zij. Ook al hielden ze heel veel van elkaar, hun ideeën over de manier waarop ze wilden leven en hun kinderen wilden grootbrengen liepen te zeer uiteen. Hij wilde buiten de stad wonen, zij er middenin. Ze hadden vaak ruzie over geld. 'Als we waren getrouwd en kinderen hadden gekregen, was dat een ramp geworden,' zegt ze. 'Liefde alleen was niet genoeg.'

Nadat de relatie was verbroken, begon ze zich echter zorgen te maken over haar vruchtbaarheid. Een bevriende arts nam haar mee naar een medisch congres waarin de feiten werden uiteengezet. Ze had er nooit bij stilgestaan, zegt ze. Een jaar later sprak ze met haar therapeut over de mogelijkheid om in haar eentje een kind te krijgen. Ze besloot dat ze, als ze na een jaar nog niemand was tegengekomen, op zoek zou gaan naar een spermadonor.

Nancy verdiepte zich serieus in haar mogelijkheden; ze bezocht zelfs een bijeenkomst van de groep Single Mothers By Choice om daar haar licht op te steken. Maar na het horen van de verhalen over hoe moeilijk het is om met een klein kind aan de man te komen, over het gejongleer met werk en kinderopvang en over de nijpende financiën van veel van de aanwezige vrouwen, wilde ze gillend wegrennen. En dat deed ze.

'Ik had niet eens tijd om de hond uit te laten, laat staan om een kind te krijgen, keihard te werken en een oppas aan te sturen,' zegt ze.

Nancy groeide op in de jaren zeventig met vier broers in een voorstad van New Jersey. Haar vader was arts en haar moeder runde zijn kantoor. Ze laat doorschemeren dat haar moeder een ontevreden huisvrouw was, en misschien was dat een van de redenen waarom ze zo huiverig was voor een traditioneel huwelijk en gezinsleven.

Ook al weet Nancy nog steeds niet honderd procent zeker of ze kinderen wil, ze wil de mogelijkheid graag openhouden. Daarom koos ze voor een fysieke uitdaging van een andere soort. Ze besloot de strijd aan te binden met haar biologische klok – door die stil te zetten. Het was een procedure waar haar leeftijdgenoten nog nooit van hadden gehoord, maar haar leek het een logische stap.

Nancy legde een aantal mannelijke vrienden de vraag voor of ze sperma aan haar zouden willen doneren. De meesten wilden dat niet, zegt ze, maar wel haar persoonlijke trainer, die akkoord ging op voorwaarde dat hij geen emotionele of financiële verantwoordelijkheid voor het kind zou dragen als ze in de toekomst mocht besluiten de embryo's te laten ontdooien en implanteren.

'Hij had alles in huis om als biologische vader te fungeren,' zegt ze. 'Hij was intelligent en had een atletisch postuur, maar we waren gewoon vrienden.'

En zo begonnen ze aan het proces. Al heel snel merkten ze echter dat er meer bij kwam kijken dan dat hij zich op het toilet terugtrok met een pornoblaadje en vervolgens naar buiten kwam met een buisje sperma dat hij aan haar arts kon overhandigen. Het sperma zou maandenlang in de vruchtbaarheidskliniek moeten blijven voor talloze genetische tests om er zeker van te zijn dat het vrij was van soa's en genetische ziekten. Ook moest hij stapels formulieren ondertekenen waarin hij beloofde dat hij in de toekomst niet de voogdij over het kind zou proberen te krijgen.

Nancy zegt dat zelfs haar eigen arts zich afvroeg waarom ze zich onderwierp aan zo'n gecompliceerde reeks procedures. '"Waarom ga je niet gewoon met die jongen naar bed en zorg je zo dat je zwanger raakt?" vroeg hij.'

'Waarom eigenlijk niet?' vroeg ik, want dat leek me iets minder ingewikkeld.

Maar Nancy nam aanstoot aan die opmerking van haar arts. Ze wilde geen alleenstaande moeder worden. De enige reden waarom ze embryo's wilde laten invriezen, was dat ze tijd wilde winnen om de man te vinden met wie ze een gezin zou kunnen vormen in de context van een liefdevolle relatie, zelfs al betekende dit dat ze de biologische band tussen de vader en het kind moest opofferen. Ze noemt zichzelf een idealiste die pas een gezin wil beginnen als de situatie klopt.

'Ik heb zoveel vriendinnen die getrouwd en wel met hun gezin in de voorsteden wonen en doodongelukkig zijn,' zegt ze.

Uiteindelijk trok Nancy's persoonlijke trainer zich terug toen hem duidelijk werd hoe gecompliceerd het hele proces was. En inderdaad, sinds de opkomst van ivf is spermadonatie een juridisch ongelooflijk ingewikkelde kwestie geworden. In een Texaanse rechtszaak uit 2002 raakte de verpleegkundige Augusta Roman verwikkeld in een voogdijkwestie met betrekking tot haar ongeboren kind. Een dag voordat er embryo's in haar baarmoeder zouden worden geïmplanteerd besloot haar echtgenoot, Randy Roman, dat hij geen vader wilde worden en het huwelijk wilde beëindigen. Met dat besluit begon het proces 'Roman versus Roman', een van de eerste voogdijzaken met betrekking tot een ongeboren kind die tot voor het hooggerechtshof van Texas werd uitgevochten. (Uiteindelijk verklaarde het Texaanse hooggerechtshof zich niet ontvankelijk omdat het echtpaar een verklaring bleek te hebben ondertekend waarin stond dat de embryo's in geval van echtscheiding zouden worden vernietigd.) Toch wierp deze zaak nieuwe vragen op waar veel ouders mee te maken konden krijgen: wiens embryo is het? En wie maakt de keuze om een zwangerschap te beginnen?

Nadat haar trainer was afgehaakt, besloot Nancy naar een spermabank te gaan. 'Zo kun je aan embryo's komen die echt jouw wettig eigendom zijn,' zegt ze.

Nancy zocht maandenlang in de bestanden van de spermabank naar de juiste donor. 'Het was bijna net zo moeilijk als daten,' zegt ze. 'De meesten van die kerels klonken erg sullig: intelligent, maar wereldvreemd. Het was een vreselijke afknapper.'

Maar toen drong het tot haar door dat ze het verkeerd aanpakte. Het maakte niet uit of ze deze kandidaten leuk vond; ze wilde per slot van rekening geen relatie met ze. Waar het om ging was of ze de gewenste eigenschappen hadden om haar aan gezonde embryo's te helpen. 'Het is iets totaal anders dan een geliefde uitzoeken of voor je laten uitzoeken,' zegt ze. 'In zekere zin is het totaal objectiverend.'

Ze koos uiteindelijk een student van het Massachusetts Institute of Technology met een goede medische voorgeschiedenis. 'Ik werd verliefd op zijn babyfoto,' zegt ze.

Het jochie dat mogelijk de vader van haar kind zou worden, had bruine krullen en een ondeugend koppie. 'Hij deed me denken aan mijn ex-verloofde,' zegt ze blozend.

Ze betaalde ook een extra bedrag voor sperma waarvan de identiteit kon worden vrijgegeven, zodat haar eventuele kind op zijn of haar achttiende de wettige mogelijkheid heeft om de identiteit van de vader te achterhalen.

Nancy onderging een ivf-behandelingscyclus en produceerde acht eicellen. Haar arts creëerde daarmee zes embryo's, die hij vervolgens invroor. Nu betaalt Nancy per jaar voor de opslag van haar ingevroren embryo's in een speciale container tot ze ze wil gebruiken.

Ik vraag of haar beslissing uiteindelijk de moeite waard is geweest; heeft ze nu een beter gevoel over haar keuzemogelijkheden, minder opgejaagd?

'Absoluut,' zegt ze zonder een spoor van twijfel in haar stem. 'Ik heb zes baby's. Ik heb nu het gevoel dat het nog kan als ik vijftig ben en dat ik niet zo krampachtig op zoek hoef te gaan naar iemand. Het heeft me gewoon ontspannener gemaakt,' zegt ze.

'Op welke leeftijd denk je dat je te oud bent om moeder te worden?' vraag ik.

'Als ik zo goed in vorm zou zijn als nu, zou ik het nog op mijn zesenvijftigste doen,' antwoordt ze.

Het idee dat het invriezen van eicellen een golf zesenvijftigjarige moeders teweeg zou kunnen brengen, zet me aan het denken. In de afgelopen jaren hebben beroemdheden zoals Elizabeth Edwards en Joan Lunden het nieuws gehaald door als vijftigers een kind te krijgen. En dan is er natuurlijk nog dat verhaal van die zesenzestigjarige vrouw in Roemenië. Ik heb daar toch mijn twijfels over. Als een oudere moeder bijvoorbeeld ziek wordt, komt er een grote verantwoordelijkheid op de schouders van een jong kind te liggen. Mag je tieners in de situatie brengen dat ze moeten zorgen voor hun bejaarde ouders? Er schiet me een uitspraak te binnen die Schiffman deed tijdens ons eerste gesprek: 'Dit gaat niet om jou, het gaat om je kind.'

Zelfs als de technologie het mogelijk maakt op oudere leeftijd een kind te krijgen, moet je dan niet de levenskwaliteit van het kind in aanmerking nemen?

Ik wilde ook weten of het invriezen van embryo's nadelige effecten heeft op de ontwikkeling van de foetus. Later kwam ik erachter dat er over dit onderwerp heel verschillend wordt gedacht; sommige onderzoekers hebben ontdekt dat bepaalde soorten kanker en genetische afwijkingen vaker voorkomen bij *frosties*, zoals ze ingevroren embryo's noemen; anderen menen dat dat verschil zo miniem is dat het nauwelijks direct in verband gebracht kan worden met cryopreservatie of geavanceerde voortplantingstechnologie.

Natuurlijk krijgen mannen al heel lang kinderen als ze in de zestig zijn, maar dat was gewoonlijk met veel jongere vrouwen. De voortplantingstechnologie creëert nu een nieuw soort 'normaal', en ik weet eerlijk gezegd niet wat de sociaal gerechtvaardigde leeftijd voor een vrouw is om zichzelf te oud te verklaren. Per slot van rekening baarden vrouwen twee eeuwen geleden op veel jongere leeftijd kinderen en stierven ze als in de veertig waren. Ze verwachtten niet dat ze nog leefden als hun kinderen van de middelbare school af kwamen of de middelbare leeftijd bereikten, dus wie zegt dat je een betere of zelfs een goede ouder bent als je die levensfases met je kind meemaakt? Is het voldoende om een kind als het jong is de basis mee te geven voor een goed leven?

'Ik ben een laatbloeier,' zegt Nancy ietwat verdedigend. 'Het past nu niet in mijn leven. Op dit moment ben ik druk met mijn patiënten, ik schrijf een scriptie, ik volg een analytische training en ben aan het trainen voor een marathon. Het is té veel. Ik ben ook nog bezig mijn leven te veranderen wat betreft relaties met mannen. Ik denk dat ik een fantastische moeder kan zijn en een kind veel liefde kan geven, maar ik heb geen partner en wil het echt niet in mijn eentje doen.'

Ik kijk Nancy aan en vraag me af of ze misschien gewoon helemaal geen kinderen wil. De sociale druk op vrouwen om moeder te worden is sterk; in zekere zin staat het moederschap voor de ultieme vrouwelijke daad. Kinderen krijgen is niet langer de levensopdracht die het in vroeger tijden was, maar tegelijkertijd lijkt het in grotere mate een statussymbool geworden te zijn. Roddelbladen kondigen tegenwoordig elke nieuwe zwangerschap van een beroemdheid met evenveel bombarie aan als celebrity-bruiloften en -echtscheidingen, en in modebladen staan fotomodellen en beroemdheden met smetteloos geklede kindertjes op de arm als waren het accessoires van dezelfde orde als de nieuwste Prada-tas of Guccimuiltjes. Die sociale druk voel ik zelf zeker ook; telkens wanneer ik hoor dat een vriendin van mij zwanger is, wordt mijn verlangen naar een kind sterker. Ik moet mezelf voorhouden dat moeder worden geen statuskwestie of wedloop moet zijn. Ondanks alle vooruitgang van het feminisme blijft het voor een vrouw heel moeilijk, zelfs in de meest ruimdenkende omgeving, om te zeggen dat ze geen kinderen wil: dat wordt als onnatuurlijk beschouwd.

Zoals mijn broer de biologische determinist onlangs zei: 'De enige reden waarom de mens bestaat, is het creëren van meer mensen. Dus als we geen kinderen krijgen, dan mankeert er iets aan onze aard.' Die opmerking maakte me furieus. Ik dacht aan de mensen die ik ken die bewust hebben besloten dat het ouderschap niet bij hen past en er daarom voor hebben gekozen om, zoals we dat nu noemen, 'kindervrij' door het leven te gaan. Als we leven in een tijd waarin we onze biologische constitutie kunnen rationaliseren door ervoor te kiezen niet zwanger te worden of eicellen of embryo's in te vriezen, zijn die bewuste keuzes dan niet ook deel van onze biologische evolutie?

'Weet je zeker dat je moeder wilt worden, als je zo lang gewacht hebt?' vraag ik.

'Ja,' zegt ze. 'Ik weet dat ik die impuls heb. Ik heb de hele tijd de neiging om even te gaan kijken of mijn embryo's nog oké zijn.'

Maar dan valt ze stil en staart naar de tafel. Na een ongemakkelijke stilte kijkt ze op, recht in mijn ogen. 'Om je vraag te beantwoorden...' begint ze. 'Ik weet het eigenlijk niet, maar ik wil het openhouden. Een deel van mij zegt: doe het nu. Vrouwen die een derde verdienen van wat ik verdien, doen het in hun eentje. Ik wil gewoon echt een partner.'

Een paar weken na mijn ontmoeting met Nancy kom ik na een avondje met de vasthoudende professor thuis met het duidelijke gevoel dat dit ons laatste afspraakje is geweest. Aan de manier waarop hij in het restaurant rondkeek naar andere vrouwen, merkte ik dat hij er niet helemaal bij was, en ik was dat evenmin. We hebben het gezellig met elkaar, maar het is duidelijk dat we niet verliefd worden en gewoon zitten te wachten op iets beters. Ik neem me voor hem de volgende dag te bellen voor een nabeschouwing, maar vanavond is er iets dringenders. Ik ben een beetje aangeschoten en besluit om Will*, een van mijn beste mannelijke vrienden, te bellen.

Will en ik hebben elkaar eind jaren negentig leren kennen als collega's bij een nieuw tijdschrift en zijn sindsdien elkaars vertrouweling gebleven op elk gebied, van ons liefdesleven tot onze carrière. Op een paar momenten in onze relatie hebben we geprobeerd minnaars te worden. Of, preciezer gezegd: we zijn een paar keer met elkaar naar bed geweest toen we allebei eenzaam of in de war waren. Maar het leek geen van ons beiden een goed idee om vriendje en vriendinnetje te worden, of zelfs meer dan dat. Ik weet dat een heleboel vrouwen dat van tevoren zeggen in dit soort relaties, om zichzelf op die manier tegen hun verliefdheid te beschermen. En ik moet toegeven dat ik waarschijnlijk serieuzer over de mogelijkheid van een relatie heb nagedacht dan hij; mannen zijn nu eenmaal beter in staat seks en liefde te scheiden dan vrouwen. In een eenzame bui heb ik Will zelfs een keer verteld dat ik dacht dat ik verliefd op hem was. Ik denk echter dat ik het feit dat ik veel om hem gaf verwarde met het idee dat ik verliefd was – dat soort dingen is vaak ingewikkeld in vriendschappen met mannen. Feit is dat toen ik me begon voor te stellen hoe het in de realiteit zou zijn als Will en ik samenleefden als een stel, dat totaal fout en raar aanvoelde. Eén ding dat ik van de hedendaagse liefde heb geleerd, is dat intimiteit vele smaken kent en dat je vaak allerlei verschillende rollen moet uitproberen met een man alvorens er een te kiezen die het beste functioneert voor jullie relatie. Will en ik houden het nu op een vriendschap, en we zijn zo ongeveer even intiem als ik met veel van mijn vriendinnen ben.

Vreemd genoeg zorgen al onze ervaringen en ons gezamenlijke verleden voor meer continuïteit en stabiliteit dan ik in veel van mijn relaties heb gehad. Ik zie hem als familie.

Op het moment heeft Will even afstand genomen van de New Yorkse ratrace. Een paar maanden geleden heeft hij een autorit dwars door de VS gemaakt om 'uit het stramien te komen', zoals hij het formuleerde. Hij kwam uiteindelijk terecht bij een meditatieoord annex organische boerderij aan de kust van Noord-Californië. Nu woont hij in een caravan, waar hij elke dag urenlang tuiniert of op een meditatiekussen zit te denken over de vragen waar de meesten van ons simpelweg niet aan toekomen. Tijdens een van onze telefoongesprekken vroeg hij me heel terloops: 'Je weet toch dat je doodgaat?'

Sinds mijn gesprek met Nancy kon ik alleen nog maar denken aan sperma, en ik bedacht dat een man die elke dag uren op een kussentje zit te mediteren daar misschien iets interessants over te zeggen zou kunnen hebben. Wat ik echter niet had voorzien, was dat ik hem in mijn ietwat beschonken, romantisch gezien behoeftige toestand zou vragen om mijn spermadonor te worden.

'Als ik in de komende jaren niet de juiste man vind, wil jij me dan wat van jouw sperma geven?' flap ik eruit.

'Probeer je me te versieren?' vraagt hij.

'Nee.'

Maar ik hoor de opwinding in zijn stem, alsof ik zojuist zijn genetische nalatenschap heb veiliggesteld.

Hij lacht nerveus. 'Besef je wat je me zojuist hebt gevraagd?' antwoordt hij. 'Je hebt me gevraagd of ik een kind met je wil.'

'Nee,' zeg ik. 'Ik heb wat van je sperma gevraagd. Ik wil alleen maar wat van je genetisch materiaal lenen, zodat ik niet de kans mis om moeder te worden.'

Wat ik zeg, voelt maar half reëel aan, maar het woord is eruit en nu ben ik benieuwd welke kant het gesprek op gaat. Wat ik weet, is dat Will een serieus iemand is en dus goed zal nadenken over de kwestie. En dat belooft hij me. Hij voelt zich gevleid omdat ik hem gevraagd heb zo'n belangrijke rol in mijn leven te spelen, zegt hij, maar voor hij me antwoord kan geven moet hij eerst nog een tijdje op zijn kussen zitten.

3

Shoppen voor het juiste sperma

Ik ben eerder opgelucht dan verdrietig nu mijn kortstondige relatie met de modebewuste professor Nick voorbij is – behalve dan op het verlovingsfeestje van mijn goede vrienden Katie* en Leo*. Het is een frisse avond begin maart, en we staan met een klein groepje op een elegant terras in Soho om te toosten met champagne. De lichten van het financiële centrum flonkeren op de achtergrond terwijl de goede wensen wegsterven en ik toekijk hoe Katie met een voldane en opgeluchte gelaatsuitdrukking haar hoofd neervlijt op de schouder van haar verloofde. Voor haar lijkt het allemaal perfect te lopen, en ik voel een steek van afgunst, met name omdat ik daar zonder date ben. Hoewel ik het diep vanbinnen fijn vind om bevrijd te zijn van het gewicht van een toekomstloze relatie, voel ik me niet prettig in mijn eentje te midden van al die stelletjes.

Ik zit op een tuinschommel naast Katies moeder, een vrouw met een apart soort glamour die ik evenzeer waardeer vanwege haar excentriciteit als vanwege haar rationele advies over liefde en leven. Als ze me aankijkt op zo'n manier van 'hoe zit het met jouw liefdesleven?' vertel ik dat ik zojuist een relatie heb beëindigd waar geen toekomst in zat en me aanbevolen houd voor suggesties. Na een korte stilte flap ik eruit: 'Ik denk er trouwens over embryo's te laten invriezen als ik niet snel iemand tegenkom.'

Ze kijkt me aan alsof ik zojuist ben neergestraald van Mars en een vreemde taal spreek. Ik barst in lachen uit, omdat tot me doordringt dat ik al zo midden in die nieuwe ideeën over voortplanting zit dat ik ze normaal begin te vinden, terwijl ze voor de meeste mensen, met name ouderen, nog pure nieuwlichterij zijn.

'Waarom stel je geen datum vast?' stelt ze op praktische toon voor. 'Als je op het moment dat je zesendertig wordt nog geen man hebt ontmoet, probeer dan in je eentje zwanger te worden. Op die manier krijg je toch je kind, je staat minder onder druk en je kunt je richten op het vinden van ware liefde zonder die biologische dwang.'

Het klinkt als een raar advies, maar na alle gesprekken die ik achter de rug heb, begin ik er wel iets in te zien. Ik leg haar uit dat het me moeite kost mijn ideaal te laten varen.

'Laat het los,' zegt ze. 'Kijk om je heen. Bijna de helft van deze mensen is over tien jaar gescheiden of doodongelukkig.'

Ze heeft natuurlijk gelijk. Het landelijke echtscheidingspercentage ligt nu rond de 43 procent. Als ik afzie van het romantische ideaal en een datum vaststel, kan ik me misschien een beetje ontspannen en hoef ik niet elke man met wie ik afspreek onder de loep te nemen als de potentiële vader van mijn kind. Ik weet dat mannen er de kriebels van krijgen als hun zo de maat wordt genomen. Een mannelijke vriend vertelde me eens dat hij een eerste afspraakje had gehad met een vrouw die duidelijk op zoek was naar een papa voor haar baby'tje en dat het net een sollicitatiegesprek was geweest. Ze had hem zelfs gevraagd of hij het soort vader zou zijn dat zijn kind een schone luier zou geven.

Toch kan ik me moeilijk voorstellen dat ik in mijn eentje een kind grootbreng, zelfs al is het iets wat ik serieus wil overwegen. Er zijn gewoon zoveel vragen. Hoe zou ik bevrucht worden? Zou ik een vriend vragen met me naar bed te gaan of zijn sperma te doneren? Of zou ik naar een spermabank gaan en een anonieme donor uitzoeken? En hoe zou ik het financieel doen? Hoe zou ik het alleenstaand moederschap combineren met mijn carrière? Hoe zou ik met mannen kunnen afspreken met een klein kind thuis? Hoe zouden mijn dates het vinden dat ik een single moeder was?

Ik weet dat ik over een heleboel dingen goed moet nadenken. En ik besef dat ik geluk heb dat ik in een tijd leef waarin alleenstaand moederschap een serieuze optie is. In de afgelopen twintig jaar heeft Amerika zich op dat punt behoorlijk ontwikkeld. Een alleenstaande moeder hoeft zich niet langer te schamen; vaak is ze zelfs een symbool van vrouwelijke kracht. Het valt nauwelijks te geloven hoe controversieel dit onderwerp in 1989 was, toen het personage Murphy Brown in de gelijknamige tv-serie opzien baarde door een alleenstaande moeder te worden. Het culturele stigma van het 'onwettige kind' lijkt zo goed als verdwenen. Rachel uit *Friends* kreeg in haar eentje een kind, bijgestaan door Ross, haar vriend en voormalige minnaar. In een nu beroemde scène van *Sex and the City* besluit Miranda triomfantelijk dat ze geen abortus wil, niet omdat ze tegen abortus is maar omdat ze, single of niet, een volwassen vrouw is en dit haar kans is om moeder te worden. Zo ook vatte Angelina Jolie vóór haar relatie met Brad Pitt het alleenstaand moederschap op als een internationale politieke missie.

Het alleenstaand moederschap is echter niet zomaar een trend op tv en in Hollywood, het is een snelgroeiend fenomeen in het hele land. Tussen 1970 en 2006 is het aantal huishoudens met aan het hoofd een alleenstaande vrouw gegroeid van drie miljoen tot tien miljoen. Per jaar worden naar schatting vijftigduizend kinderen geboren uit alleenstaande moeders – ongeveer een derde van deze vrouwen heeft ervoor gekózen in haar eentje zwanger te worden.

Er is een heel nieuwe bedrijfstak opgekomen die voorziet in de behoeften van deze vrouwen. Het is een micro-economie van single moeder-ondernemers en het keur aan online hulp is – voor het grootste deel – inspirerend. Google maar eens 'alleenstaande moeders' en er verschijnen duizenden links voor mensen van elke politieke, sociale en seksuele gezindte. Er zijn sites voor gezamenlijke babyoppas, woongroepen, financieel advies, in eigen beheer gepubliceerde hulpboeken, rockbands die uit alleenstaande moeders bestaan, ja zelfs een door alleenstaande moeders opgericht bedrijf dat T-shirts verkoopt waarop een paaldanseres staat afgebeeld met de leus: 'I $upport $ingle moms'. (Niets ten nadele van paaldanseressen, maar als ik met mijn billen moest schudden voor vieze oude mannen – of zelfs voor minder vieze, minder oude mannen – om de huur te kunnen betalen en mijn kind te eten te kunnen geven, zou ik dat niet bepaald als een vooruitgang zien.)

Het duidelijkste bewijs voor de opkomst van het alleenstaand moederschap als sociaal aanvaarde keuzemogelijkheid is de groei en de zichtbaarheid van de belangenorganisatie Single Mothers By Choice, die door de psychoanalytica Jane Mattes werd opgericht toen zij in 1985 alleenstaand moeder werd. De vrouwen in dit sociale netwerk wenden zich tot vrienden, homo dan wel hetero, tot huidige en voormalige minnaars en tot spermabanken op internet om hen te helpen zwanger te worden, omdat ze er klaar voor zijn om moeder te worden, de ware Jakob nog niet in zicht is, maar ze hun kans op een kind niet willen verkijken.

Zodra ik de website van deze groep ontdek, besluit ik Jane Mattes te bellen om er meer over te weten te komen.

'Ben je zwanger?' vraagt ze binnen een minuut.

Ik vertel haar van niet, maar dat ik die mogelijkheid overweeg en onderzoek.

Ze begint meteen vol vuur haar eigen verhaal te vertellen. In 1984 ontdekte Mattes dat ze zwanger was geraakt van een man die ze omschrijft als 'een prima vent om wat mee te hebben zolang er niets serieuzers voorhanden was.' Toen ze hem vertelde dat ze van plan was het kind te houden, zei hij dat ze een fantastische moeder zou zijn, maar dat hij er niets voor voelde met haar te trouwen of een rol te spelen in het leven van het kind. In die tijd had ze een succesvolle praktijk en was ze financieel draagkrachtig, zodat het besluit om het kind in haar eentje te krijgen en groot te brengen, realistisch leek.

Ook al waren het de jaren tachtig, waarin het allemaal niet op kon en vrouwen met schoudervullingen zich opwerkten in door mannen gedomineerde beroepen, een alleenstaande moeder worden was een radicale beslissing.

'Ik begon aan iets totaal ongebruikelijks,' vertelt ze. 'En ik ben helemaal niet zo'n type. Ik ben een heel braaf, gematigd meisje. Ik hoef helemaal niet zo nodig de bestaande orde omver te werpen, maar ik zag het als een praktisch besluit.'

Mattes was zevenendertig toen ze zwanger werd. Ze zegt dat ze al een paar jaar een kind wilde en zelfs over adoptie dacht, dus toen ze zwanger werd, besloot ze dat dit haar kans was. De meesten van haar vriendinnen hadden al kinderen, en ze wilde gelijke tred houden met hun leven. Net als zij had ze genoeg van haar leven als single. Ze was klaar voor een nieuwe fase, klaar om haar energie te concentreren op het grootbrengen van een kind.

'Ik dacht: ik heb patiënten, planten, een kat. Dus nu krijg ik een kind. Hoe moeilijk kan het zijn?'

Na de geboorte van haar zoon merkte ze echter tot haar schrik hoe naïef ze was geweest. Ze was voortdurend uitgeput en ondervond maar weinig emotionele steun. Maar het allermoeilijkste, vertelt ze me, waren de scheve blikken die ze overal kreeg en de vragen die mensen haar stelden.

'De mensen staarden me met open mond aan,' zegt ze. 'Je kon ze zien denken: hoe zit dat? Je bent geen zestien. Je bent niet gescheiden. Je bent een succesvolle zevenendertigjarige vrouw. Hoe bedóél je, er is geen vader?'

Jane voelde zich beledigd en ze maakte zich zorgen, omdat ze niet wilde dat haar zoon zich een buitenbeentje voelde omdat hij geen vader had. Op een zaterdagavond besloot ze daarom een etentje te geven voor een paar andere alleenstaande moeders die ze kende.

Het was niet bedoeld als een soort feministische bewustwordingssessie, legt ze uit. Ze was gewoon op zoek naar andere vrouwen om met hen te kunnen praten over het grootbrengen van een kind in je eentje. 'Ik wilde weten of het aan mij lag dat ik het zo moeilijk had, of dat het gewoon echt zo zwaar is om alleenstaand moeder te zijn.'

'En wat was je conclusie?' vraag ik.

'Het is écht heel zwaar!' antwoordt ze lachend. 'Maar we kwamen er wel achter dat het in zekere zin ook gemakkelijker is dan getrouwd zijn. Ik merkte dat getrouwde vrouwen zich beklaagden over hun man, die bij thuiskomst in plaats van emotionele steun te bieden, verwachtte dat het huis schoon was en het eten klaarstond.'

Maar volgens mij was het nog zwaarder dan de minder prettige aspecten van het huwelijk. Als haar zoon 's nachts begon te huilen, moest zij er elke keer uit om hem te troosten, er was niemand om haar af te lossen. Als een vergadering op haar werk uitliep, moest ze het in haar eentje zien op te lossen – geen man die ze kon inzetten. Elke ochtend een kind naar school brengen, elke peuterdriftbui het hoofd bieden, elke griepaanval opvangen: alles in haar eentje, zonder partner op wie ze kon terugvallen. Hoe langer ik er over nadacht, hoe zwaarder het me leek.

'Je bent vierentwintig uur per dag in touw. Het was moeilijk om de hele tijd verantwoordelijk te zijn,' zegt ze.

Natuurlijk regelde Jane babysitters, maar ze zei dat ze geen geluk had met haar oppassen. Uiteindelijk zorgde haar moeder vaak voor het kind als Jane aan het werk was.

'Ik ben haar enige kind,' legt Jane uit, 'en zoals ik pas op latere leeftijd moeder werd, werd zij op latere leeftijd oma. Ze was zielsgelukkig om erbij betrokken te zijn. Ik moest haar zo'n beetje het huis uit gooien toen mijn zoon elf was.'

Tegen die tijd was de steungroep die uit het etentje was voortgekomen, uitgegroeid tot een gezelschap van gezinnetjes van alleenstaande moeders, en ze had ontdekt dat het leven van haar zoon daardoor volkomen genormaliseerd was. De groep gaf haar een groot deel van de emotionele steun die andere vrouwen volgens haar ontleenden aan hun traditionelere gezinssituatie.

Dertig jaar later is Mattes' steungroep uitgegroeid tot een internationale organisatie met meer dan tweeduizend leden. Er zijn rond de dertig afdelingen, formeel en informeel, over de hele wereld. In de meest liberale steden zoals New York en Los Angeles is het stigma waar ze midden jaren tachtig op stuitte, zo goed als verdwenen. Maar er is ook een groeiend aantal bewust alleenstaande moeders of SMC's, zoals de leden zichzelf noemen, in conservatievere delen van het land, zoals in Dallas, Texas. In Texas wordt het alleenstaand moederschap nog steeds als een radicale keuze beschouwd en veel artsen weigeren kunstmatige inseminatie of ivf bij alleenstaande vrouwen.

Janes verhaal en het groeiende aantal SMC's lijken revolutionair – een heel nieuwe manier om kinderen groot te brengen – en ook al benauwt de zware verantwoordelijkheid van het alleenstaand moederschap me bij voorbaat, ik vind ons gesprek niettemin inspirerend. Het idee staat niet meer zo ver van me af als toen mevrouw Schiffman het tijdens onze eerste ontmoeting ter sprake bracht. Jane vertelt me zelfs dat veel SMC's nadat ze een kind hebben gekregen, uiteindelijk toch nog de ware vinden en trouwen.

'Het lijkt erop dat mensen die echt willen trouwen, dat uiteindelijk ook doen,' zegt ze op geruststellende toon.

Ik doe mijn ogen dicht en stel me een nieuwe scène voor. Ik loop door Central Park en duw mijn schattige kindje voort in een babyjogger. Hij of zij laat een speeltje vallen. Een goed uitziende jongeman raapt het op en komt achter me aan. Hij is een alleenstaande, gescheiden vader...

Terwijl mijn gemoedstoestand van paniek bij de gedachte aan al het werk van een alleenstaande moeder switcht naar idyllische fantasieën over de perfecte man die me in de ogen kijkt boven een Bugaboo, realiseer ik me dat ik nog het nodige denkwerk heb te verzetten. Ik denk dat Jane dat ook beseft, want ze vertelt me dat een heleboel vrouwen in deze fase betrokken raken bij Single Mothers by Choice. Ze noemt hen 'nadenkers', en de organisatie houdt zelfs bijeenkomsten die speciaal gericht zijn op de vragen die mij bezighouden. Als psychoanalytica heeft ze ook verschillende patiëntes die met deze kwesties worstelen. Ze vertelt me dat ze het weliswaar prachtig vindt dat vrouwen nadenken over alternatieve gezinsvorming, maar niet de indruk wil wekken dat het dé oplossing is. Voordat ze de keuze voor alleenstaand moederschap met haar patiëntes bespreekt, moedigt ze hen aan om eerst te kijken naar de onderliggende oorzaken waardoor ze geen relatie hebben.

Op een fraaie zondagmiddag neem ik de metro naar de Upper West Side om mijn eerste 'nadenkersbijeenkomst' bij te wonen. Ik loop de kelder van het Goddard Riverside-buurthuis aan Amsterdam Avenue binnen, waar tientallen vrouwen tussen de dertig en veertig in kleine groepjes bij elkaar zitten. Sommigen hebben kleine kinderen op schoot, anderen zijn zwanger. Ze lachen en praten allemaal en zo te zien hebben ze plezier.

Het eerste wat me opvalt als ik binnenkom, is hoe goed veel van de vrouwen eruitzien. Ik weet dat ik zo niet moet denken, maar ik vraag me onmiddellijk af waarom ze allemaal single zijn. Ik vind het zelf stuitend: dit is het soort logica waar ik een hekel aan heb als ik die bij anderen zie, de veronderstelling dat single vrouwen single zijn omdat er iets aan hen mankeert. Natuurlijk zijn het niet alleen maar de anderen die zo denken: zelf betrap ik me er ook weleens op dat ik me afvraag of ik nog single ben omdat er iets goed fout aan me is. Hoe groot mijn afschuw van mijn eigen seksisme ook is, ik vind het gek genoeg geruststellend dat deze vrouwen geen zonderlinge types zijn maar leuke, normale mensen.

We zitten op stoelen in een grote kring. De moeder van een tweeling staat op en vraagt iedereen zich voor te stellen. Terwijl we het kringetje rondgaan, identificeert niemand zichzelf door middel van haar beroep, zoals de meeste mensen in New York doen. In plaats daarvan zegt iedere vrouw hoe oud ze is en vertelt ze wanneer en hoe ze zwanger is geworden. Degenen die geen kind hebben, omschrijven zichzelf als 'nadenker'.

De gespreksleidster is een zevenendertigjarige vrouw die met een donoreicel en donorsperma een tweeling heeft gekregen; er is een zesenveertigjarige die op natuurlijke wijze zwanger werd na haar tweede IUI, ofwel intra-uteriene inseminatie, en haar blauwogige dochter naar haar vader heeft genoemd. Er is een vierenveertigjarige vrouw die drie miskramen had voor ze een kind baarde van een donor die ze kende; een negenendertigjarige die zwanger werd na haar vijfde IUI; een tweeenveertigjarige die na vier miskramen en een Clomid-behandeling ten slotte na haar vierde ivf zwanger werd van een tweeling en de zwangerschap beperkte tot één kind; en dan is er nog een tweeënveertigjarige vrouw die na één IUI met donorsperma in de zeventiende week van haar zwangerschap zit van een tweeling. 'Ik voel me zo'n geluksvogel, en zo misselijk,' zegt ze en ze barst in tranen uit.

Na de voorstelronde gaan we verder in kleinere groepjes: de moeders zitten in één groep, de zwangere vrouwen in een andere en de nadenkers en proberenden in een derde. Ik sleep mijn stoel naar dat laatste kringetje. Het gesprek schiet heen en weer tussen angst voor financiële instabiliteit, praktisch advies over donorsperma en voortplantingstechnologie en de frustraties van het datinggebeuren.

'Ik heb genoeg van het wachten; ik ben gewoon klaar om moeder te worden,' verkondigt een gebruinde, afgetrainde psychologe van vierendertig.

'Als het om jouw leven gaat, voel je je totaal verloren. Het is moeilijk er objectief tegenaan te kijken,' zegt een andere vierendertigjarige, een half-joodse, half-Indiase arts die zo mooi is dat ik mijn ogen niet van haar af kan houden.

Een andere vrouw, een eenenveertigjarige PhD-studente in een wijde Indiase broek, zegt dat ze alles heeft geprobeerd: internetdaten, gearrangeerde afspraakjes, zelfs een professionele relatiemakelaar. Ze hoopt dat een kind de druk van haar schouders neemt en haar in nieuwe sociale kringen brengt waar ze andere alleenstaande ouders kan ontmoeten.

Ik knoop een gesprek aan met een knappe schilderes met donkerbruine ogen uit Brooklyn in een gedecolleteerd zwart jurkje. Ze is achtendertig en heeft sinds een jaar een los-vaste relatie. Dit is haar tweede bijeenkomst en ze denkt erover zich volgende maand kunstmatig te laten insemineren met donorsperma. 'Ik ben er nog steeds niet zeker van hoe het verder moet, of ik mijn relatie moet voortzetten in de hoop dat hij zich binnenkort wil binden, of dit gewoon in mijn eentje moet doen,' zegt ze. 'De twee keuzes zijn emotioneel zo verschillend.'

Een van de onderwerpen die in deze groepen vaak naar voren komen, is 'het opgeven van de droom' en onder ogen zien dat als je in je eentje een gezin start, je de wagen wel voor het paard moet spannen. Al betekent dat natuurlijk niet dat de prins op het witte paard nooit zal verschijnen.

De schilderes vertelt me dat ze het gevoel heeft dat het in feite makkelijker zal zijn om in haar eentje een kind groot te brengen. 'Ik heb een erg sterke wil en sluit niet graag compromissen,' zegt ze. 'Ik ben zelf kind van gescheiden ouders. Mijn ouders hadden altijd ruzie over hun relatie – ik hing er maar zo'n beetje bij. Als ik dit in mijn eentje doe, kan al mijn aandacht naar mijn kind gaan en niet naar mijn relatie.'

Op dat moment komt Sonya*, de zesenveertigjarige vrouw die op natuurlijke wijze zwanger was geworden, naar ons toe gelopen en geeft me haar kindje van één jaar aan. Ik vraag haar of ze nooit bang is. Ze zegt dat ze in het begin doodsangsten uitstond, maar nu een groot netwerk van single vriendinnen heeft die komen babysitten als ze er even uit moet. Ze is nog niet opnieuw begonnen met daten, maar wil dat wel gaan doen zodra ze zich wat zelfverzekerder voelt over haar lichaam na de zwangerschap.

Ik ben heel benieuwd hoe deze vrouwen hun kinderen denken te gaan vertellen dat ze zijn voortgebracht met een donor en geen vader hebben. Mijn vader is, hoe je het ook wendt of keert, een van de belangrijkste personen in mijn leven; hij heeft me op zoveel manieren gevormd, zowel mijn sterke als mijn zwakke punten. Ik kan me niet voorstellen hoe mijn leven eruit zou zien als er in plaats van hem een of andere mysterieuze persoon zou zijn geweest die door mijn moeder 'de donor' werd genoemd. En ik zie het mezelf ook niet aan mijn kind vertellen.

'Wie dan leeft, die dan zorgt,' zegt Sonya. 'Ik denk dat ik iets zeg in de trant van dat er tegenwoordig allerlei verschillende soorten gezinnen zijn. Twee mama's, twee papa's. Wij zijn een gezin met één mama. Kijk maar eens om je heen, zo zijn er nog veel meer.'

De schilderes voegt zich in het gesprek. 'Waar ik het meeste mee zit is of het eerlijk is om een kind te krijgen omdat ik er een wil, terwijl ik weet dat hij of zij zonder vader zal opgroeien,' denkt ze hardop. 'Maar als ik wel getrouwd was, zou dat ook niet garanderen dat hij of zij niet toch in een eenoudergezin zou opgroeien.'

'Ik denk dat de meesten van ons zo lang hebben gewacht dat ze helemaal op het kind gefocust zijn,' zegt Sonya. 'Meestal zien de mensen dat je het er goed van afbrengt in je eentje en bewonderen ze je.'

Een kunstzinnig uitziende vrouw met haar haren opgestoken met een blauwe sjaal komt naar ons groepje toe gelopen en legt haar peuterdochter van een jaar of twee op de tafel om haar te verschonen. Om de paar tellen buigt ze zich over het meisje heen en zegt: 'Hallo lieverdje,' en geeft haar een kusje op haar buik.

Ik vraag haar of ze zich ooit gestigmatiseerd voelt.

'Ik wil niet dat iemand denkt dat mijn kind ongedisciplineerd is omdat ze maar één ouder heeft, dus waarschijnlijk ben ik te streng voor haar,' zegt ze. 'Als alleenstaande moeder heb je het algauw gedaan. Mijn ouders hebben altijd commentaar op mijn manier van opvoeden en nooit op die van mijn broers en zussen, die een traditioneel gezin hebben.'

'O, daar heb ik geen last van,' zegt Sonya. 'Ik zie mijn hele familie plus aanhang als hun gezin. Kinderen moeten leren van alle volwassenen.'

'Ik denk dat het gemakkelijker is om alleenstaand te zijn dan getrouwd,' vervolgt Sonya. 'Ik ken zoveel getrouwde moeders die voortdurend hun echtgenoot lopen af te snauwen. Er zijn fantastische echtgenoten en vaders, maar je hebt er wel een heel andere relatie bij, die je ook moet onderhouden. Mensen zeggen dat je de kleine vreugdes mist, zoals 'Aah, zag je dat glimlachje!' Maar ik deel dat met mijn oppas – ik heb het gevoel dat zíj mijn man is.'

In haar maandelijkse SMC-nieuwsbrief snijdt Jane Mattes altijd 'de vaderkwestie' aan. 'Het is in elke discussie van groot belang dat je in je hoofd onderscheid maakt tussen het idee van de "vader", wat een sociale rol is, en de "verwekker", wat een biologische rol is,' schrijft ze. 'Iedereen heeft een verwekker, maar niet iedereen heeft een vader.'

In ons gesprek had Jane me verteld dat ze ervoor had gezorgd dat haar zoon een peetvader had die regelmatig bij hen kwam eten en hem negen jaar lang elke week meenam naar het park. Ze had hem ook al ingeschreven bij de vrijwilligersorganisatie Big Brother. Ze vertelde me dat haar voornaamste zorg was of ze goed zou omgaan met het loslaten van haar kind. 'Als je er maar één hebt, is dat moeilijker,' zegt ze. 'En een enig kind klampt zich eerder aan de moeder vast. Je moet je kind een heel sterke basis geven zodat het zich van jou kan losmaken, terwijl jij uiteraard alleen achterblijft als je niet getrouwd bent. Mijn zoon zei op een gegeven moment: "Het is niet gezond voor mij om zo close met jou te zijn, mam," en ik zei: "Je hebt gelijk. Dank je."'

Gezien de hoeveelheid tijd die SMC's besteden aan het denken en praten over de vraag hoe ze de afwezigheid van een vader in het leven van een kind kunnen compenseren, verbaast het me niets dat uit onderzoek nauwelijks blijkt dat deze kinderen minder aangepast zijn dan kinderen met vaders. In 1998 publiceerde de Sperm Bank of California de eerste onderzoeksgegevens over kinderen van donoren. Daaruit bleek overduidelijk dat kinderen die waren grootgebracht in eenoudergezinnen emotioneel even gezond waren als kinderen uit tweeoudergezinnen. Voor de emotionele stabiliteit van de kinderen was het minder belangrijk of er een of twee ouders waren en of die homo of hetero waren, dan of de ouders een bevredigende relatie hadden en onderlinge conflicten konden hanteren.

Na afloop van de bijeenkomst denk ik dat het alleenstaand moederschap, hoe zwaar ook, een mogelijkheid is die ik serieus zou moeten overwegen als ik niet binnen een jaar of twee de juiste persoon ben tegengekomen. Ik zat echt op één lijn met de vrouwen op de bijeenkomst. Ze waren allemaal heel onafhankelijk en gewetensvol, niet alleen in de manier waarop ze keuzes maakten voor zichzelf, maar ook voor de kinderen die ze op de wereld hadden gezet. Ze waren heel eerlijk over de nadelen van het alleenstaand moederschap, maar uiteindelijk leken ze allemaal echt gelukkig met de beslissing die ze hadden genomen.

Het enige waar ik over inzit terwijl ik naar huis loop, is wat Jane Mattes tegen me zei over zoeken naar de onderliggende oorzaak van het feit dat ik single ben, wat er in mij is dat een relatie in de weg zou kunnen staan. Als ik nu single moeder zou worden, zou ik die vraag alleen maar omzeilen; en hoe mijn beslissing ten aanzien van het hoe en wanneer van een kind ook uitvalt, ik weet dat dit een kwestie is die ik op langere termijn moet oplossen. En niet alleen voor mezelf: als ik een probleem heb met intimiteit, dan heeft dat onvermijdelijk invloed op mijn relatie met mijn kind, en niet alleen met potentiële partners.

Daarom besluit ik terug te gaan naar mevrouw Schiffman. Er zijn zes maanden verstreken sinds ons laatste gesprek.

'Nog steeds single. Nog steeds niet zwanger,' zeg ik terwijl ik de kamer binnen kom, en ik barst in nerveus gelach uit.

'Wil je nog steeds binnen afzienbare tijd een kind krijgen?' vraagt ze.

Ik vertel haar over het gesprek met de moeder van mijn vriendin en ook over de SMC-bijeenkomst. Ze zegt dat ik moet uitgaan van het minst positieve scenario, en ze wijst me er nog eens op: 'Dit gaat niet over jou. Dit gaat over je kind.'

Die opmerking brengt een nieuw beeld bij me naar boven: ik ben helemaal alleen. Het is vier uur 's nachts. Mijn baby is ziek en wil niet slapen. Over drie uur moet ik op mijn werk zijn. Er is niemand om me te helpen.

Ze vraagt me om ook over een paar andere scenario's na te denken: wat als ik binnen drie jaar iemand ontmoet die kinderen wil? Hoe zou ik mijn eerste kind deel laten uitmaken van dat gezin? Hoe zit het met de complicaties bij het inschakelen van een spermadonor? Wat zou er gebeuren als de donor het kind ontmoette, er een band mee voelde en de voogdij opeiste?

'Zelfs als je een officiële, schriftelijke afspraak hebt is er geen garantie dat dit niet gebeurt,' waarschuwt ze me.

Schiffman trekt haar wenkbrauwen op en kijkt me aan alsof ze op het punt staat me een moeilijke vraag te stellen. In plaats daarvan begint ze me het verhaal te vertellen van een drieëndertigjarige vrouw die naar haar toe kwam en zei dat ze erover dacht om in haar eentje zwanger te worden. Schiffman raadde de vrouw aan nog wat langer de tijd te nemen om een relatie te vinden of uit te zoeken waarom het haar niet lukte er een te krijgen, in plaats van overhaast moeder te worden. Ik vertel haar dat Jane Mattes diezelfde vraag opwierp, en dat ik het antwoord echt niet zou weten. Op sommige dagen denk ik dat ik gewoon single ben door pech of slechte timing – dat de juiste man door puur toeval nog niet is langsgekomen. Maar op andere dagen vraag ik me af of het misschien dieper gaat, of ik mezelf misschien onbewust tegenwerk door de manier waarop ik met mannen of relaties omga. Die vragen hangen de hele tijd boven mijn hoofd en ik weet dat ik ze niet een-twee-drie kan oplossen.

Schiffman verzekert me dat alleen al het stellen van die vragen en het onderzoeken van mijn gevoelens een belangrijke stap is. Uiteindelijk is het aan mij om te beoordelen wanneer het geschikte moment is om een kind te krijgen.

'Het is niet aan mij om voor God te spelen,' zegt ze. 'Als je echt in je eentje een kind wilt krijgen, kan ik je niet tegenhouden.'

Jane Mattes had aangeboden een mailtje naar haar SMC-lijst te sturen om de leden te laten weten dat ik research doe voor een boek en op zoek ben naar alleenstaande moeders met wie ik over hun ervaringen kan praten. Al snel is mijn inbox gevuld met vriendelijke mailtjes van alleenstaande moeders die graag over hun ervaringen willen vertellen en me zelfs aanbieden een tijdje met hen op te trekken om de alledaagse realiteit van het alleen grootbrengen van een kind mee te maken.

Een van de eerste vrouwen van wie ik bericht krijg, is Ann Holland*, een zevenendertigjarige moeder van twee kinderen uit Des Moines, Iowa. Ze schrijft in een e-mail dat ze op haar dertigste alleenstaand moeder werd en voegt er op de luchtige toon van een vriendin aan toe: 'Bel me maar!' Daaruit blijkt maar weer de kracht van dit nieuwe netwerk.

Ik bel haar de volgende dag, maar vreemd genoeg is het eerste wat ze zegt als ze opneemt: 'Kan ik je terugbellen als mijn man thuis is en op de kinderen past?'

Ik ben verbaasd. 'Ik dacht dat je zei dat je een alleenstaande moeder was,' zeg ik.

'Dat was ik ook,' zegt ze.

Dat is een verhaal dat ik graag wil horen, dus in een weekend vlieg ik naar Des Moines om kennis te maken met Ann en haar gezin. Ik kom aan op een sneeuwrijke ochtend vroeg in de lente en check in bij een B&B van rode baksteen niet ver van Anns huis in het lommerrijke stadsdeel Beaverdale. Ondanks een zware verkoudheid biedt ze aan me te komen ophalen.

'Een nadeel als je kinderen hebt, is dat je constant door ze wordt aangestoken,' zegt ze terwijl ze in haar zilverkleurige minibus de oprit van het B&B op rijdt. Ze ziet er popperig uit, met lichtblauwe ogen, blozende wangen en een tere witte huid met sproeten. Ik voel me direct bij haar op mijn gemak en ga naast haar voorin zitten. Achterin zit haar tweejarige, lichtblonde zoontje Sam* in een kinderzitje te spelen met een gele vrachtauto.

We rijden naar haar woning, een grijsblauw Victoriaans huis waar ze nu woont met haar zoon, haar dochter Susie* en de man met wie ze sinds twee jaar getrouwd is, Tim McGregory*. In de met speelgoed bezaaide woonkamer stelt Ann me voor aan haar man en haar nu vijfjarige dochter, die ondersteboven met haar rug naar me toe op de bank ligt. Ann zet haar zoontje in de kinderstoel en Susie probeert haar kleine broertje er meteen af te duwen. Ze heeft een T-shirt aan waarop staat IK KAN NIET ZONDER MIJN LIPSTICK, en op haar oogleden zit lichtroze oogschaduw met glitter.

'Kijk, pappie! Kijk nou!' roept ze.

'IJdel is ze gelukkig niet,' zegt Ann ietwat gegeneerd door het vrijpostige gedrag van haar dochter.

'Het is niet makkelijk om een modemeisje te zijn,' zegt Katie tegen haar moeder. 'Ik mag nog geen make-up naar school.'

'Dat gedrag heeft ze van mij,' zegt Tim.

Ann lacht en fluistert tegen mij: 'Of van de donor.'

Tim, afkomstig uit Canada, is lang en mager, heeft kort zwart haar en een rustige manier van doen. Als we allemaal op de bank zitten met een kopje kruidenthee, leunt Ann achterover en houdt haar handen met de palmen omhoog. 'Nou, dit is het,' zegt ze en ze wijst naar haar gezinnetje. 'Op vrijdagavond gaan we soms naar een hockeywedstrijd, en op zondag naar de dienst in de unitariërskerk. Heel wat anders dan jouw glamoureuze stadsleven.'

'Ik zit ook vaak alleen in mijn piepkleine appartement,' vertel ik haar.

Ze lacht.

Ann omschrijft zichzelf als 'heel liberaal', al woont ze in een van oudsher conservatieve staat. Iowa is voor 80 procent blank, met een bovengemiddeld aantal traditionele huishoudens en een van de laagste echtscheidingspercentages in het land. Ann is opgegroeid in een conservatieve methodistenfamilie, maar de weg die ze bewandelde om tot het gezin te komen dat ze nu heeft, lijkt totaal niet op wat haar in de kerk van haar ouders werd bijgebracht – al kwam er wel een onbevlekte ontvangenis bij kijken.

Ann vertelt dat ze op haar achtentwintigste een relatie kreeg met Brett*, een lange, blonde advocaat die in haar volleybalteam zat. Hun romance vlamde al snel op en binnen een paar maanden hadden ze het al over een toekomst samen. Overal om haar heen gingen vrienden trouwen en kregen ze kinderen. In Iowa trouwen veel mensen direct na hun studie, vertelt ze. De gemiddelde leeftijd waarop iemand voor het eerst trouwt ligt in Iowa rond de vierentwintig – ter vergelijking: in de rest van het land is dat zes- of zevenentwintig. Ze had het idee dat ze achterliep.

Toen ze een jaar met Brett samen was, begon Ann aan te dringen op een verloving. Hij stemde toe, maar weigerde het zijn familie te vertellen. Ann vatte dit op als een teken dat hij niet helemaal voor hun relatie ging.

'Op een dag bespraken we onze trouwplannen en zei hij opeens: "Ik kan dit niet",' vertelt ze. Hij was er niet klaar voor, legde hij uit, hun verbintenis voelde niet goed. Een paar dagen later maakte hij het helemaal uit.

Ann was er kapot van; het zag ernaar uit dat het nog jaren kon duren voor ze een gezin zou kunnen stichten. Achteraf moet ze toegeven dat de relatie waarschijnlijk precies om die reden spaak liep. Het waren háár plannen voor een gezin.

'In plaats van te wachten tot hij me ten huwelijk vroeg, pushte ik hem,' geeft ze toe. 'Ik wist dat ik uit biologisch oogpunt nog wel de tijd had om een kind te krijgen. Maar ik dacht dat ik, als ik nog naar iemand moest gaan uitkijken, wel veertig kon zijn voor het zover was, en ik wilde niet langer wachten.

Mijn ouders zagen reikhalzend uit naar kleinkinderen.'

Ik vraag haar of ze beslissingen heeft genomen op basis van de biologische klok van haar ouders, en niet zozeer die van haarzelf.

'Dat denk ik niet,' antwoordt ze.

Ik vraag het vooral omdat ik me soms door mijn ouders onder druk gezet voel om een kind te krijgen. Niet dat ze me ooit streng hebben aangekeken en me hebben opgedragen een kind te krijgen, natuurlijk. Maar ze hebben het voortdurend over hun vrienden met kleinkinderen en over hoe gelukkig die zijn. Misschien zijn het onschuldige opmerkingen, maar op mijn leeftijd klinken ze me in de oren als weinig subtiele hints.

In plaats van de tijd te nemen om een stabiele relatie te vinden, wendde Ann zich tot haar ouders en vertelde hun dat ze nog steeds een kind wilde en overwoog dat in haar eentje te krijgen. Een paar jaar daarvoor had Ann via een plaatselijke vruchtbaarheidsarts een paar van haar eicellen gedoneerd om onvruchtbare vrouwen te helpen, dus ze had er geen moeite mee de biologische kant van een bevruchting los te zien van een liefdesrelatie.

'Ik wilde zeker weten dat mijn ouders niet al te geschokt zouden zijn,' zegt ze. 'Ik dacht dat als ze helemaal onthutst reageerden, ik het niet zou doen, maar ze stonden helemaal achter me.'

Ook al was deze beslissing in hun sociale context nogal radicaal, toch zeiden Anns ouders dat ze haar zowel emotioneel als bij de kinderopvang zouden steunen.

'Toen ik nog met mijn vriend was, waren mijn ouders zwaar geschokt omdat we seks hadden voor het huwelijk,' grapt ze. 'Maar op deze manier hoefde ik geen seks te hebben om mijn dochter te krijgen, dus in zekere zin vonden ze dat wel oké.'

Ann had een vaste baan bij een grote verzekeringsmaatschappij in Des Moines, en ze vertrouwde erop dat ze de combinatie werk en moederschap in haar eentje zou aankunnen met de hulp van haar familie. Zodoende ging ze terug naar de vruchtbaarheidsarts via wie ze haar eicellen had gedoneerd; die onderzocht haar om er zeker van te zijn dat haar voortplantingsorganen goed werkten. Hij verzekerde haar dat alles er gezond uitzag en verwees haar naar een aantal online-catalogi van anonieme spermadonoren. Ann begon honderden profielen door te nemen.

Het kiezen van een spermadonor wierp voor Ann een hele reeks nieuwe keuzes op. Blijkbaar verschilt het shoppen naar sperma niet zo heel erg van online-daten, waarbij je zoekcriteria kunt invullen.

Op de website van de door haar gekozen spermabank trof Ann een keuzemenu aan. Afhankelijk van het bedrag dat ze wilde betalen, kon ze gedetailleerde medische profielen bekijken met alle mogelijke informatie, van eventuele hartafwijkingen in de familie van de donor tot de informatie of zijn oudtante al dan niet aan scoliose leed. Ze kon lange verhandelingen lezen die door de donor zelf waren opgesteld en waarin stond of hij graag dieren opzette, droomde over een reis naar de binnenlanden van Mongolië of op zoek was naar een geneesmiddel voor kanker. Een opname van zijn stem kon haar vertellen of hij verlegen was en of zijn stem hoog was, of juist laag en nors. Een babyfoto zou haar zelfs een glimpje geven van de fysieke kenmerken die met haar eigen genetisch materiaal zouden worden vermengd.

Bij de California Cryobank, een van de grootste spermabanken in de VS, kan een toekomstige ouder voor 75 dollar extra zelfs een temperamentrapport van Keirsey van een potentiële donor bestellen. De donor krijgt een test van zeventig vragen voorgelegd, aan de hand waarvan hij wordt ondergebracht in een van vier verschillende temperamentcategorieën: die van de rationalist, de beschermer, de idealist of de artiest. De medisch directeur van de spermabank maakt er graag grapjes over dat een koper van donorsperma meer weet over die man dan híj over de vrouw met wie hij al veertig jaar getrouwd is.

In het verleden was spermadonatie een geheimzinnig gebeuren. In 1954 werd in een rechtbank in Illinois nog geoordeeld dat kunstmatige inseminatie zelfs met toestemming van de echtgenoot als overspel gold, en het kind als onwettig. Later werd deze uitspraak vernietigd, maar er bleef een taboe rond spermadonatie hangen. Een man kon clandestien een extra centje verdienen door zijn sperma te doneren aan een onvruchtbaar echtpaar of een alleenstaande vrouw. Gebruikelijker was dat de gynaecoloog van de moeder het sperma uitkoos – vaak afkomstig van zijn knappe tennismaatje of van de man van een verpleegkundige – en zij maar moest hopen op genetische gezondheid en een aantrekkelijk uiterlijk. De donor ondertekende een anonimiteitsverklaring, sloot zichzelf met een bekertje en een pornoblaadje in een kamertje op en hoefde nooit meer stil te staan bij de emotionele of genetische consequenties.

In zijn boek *The Genius Factory: The Curious History of the Nobel Prize Sperm Bank* vertelt journalist David Plotz het verhaal van Robert Graham, een excentrieke wetenschapper die ervan droomde een slimmere bevolking te creëren door het sperma van Nobelprijswinnaars op te slaan en vervolgens een tipje van de sluier oplichtte over kunstmatige inseminatie. De 'Repository for Germinal Choice' haalde wereldwijd de voorpagina's en zorgde ervoor dat artsen minder invloed kregen op de keuze van sperma,' schrijft hij. Grahams eugenetische visioen van een maatschappij vol superkinderen mislukte, omdat bleek dat de meeste kinderen die uit Nobelsperma werden geboren volkomen middelmatig waren. Bovendien was er eigenlijk maar heel weinig vraag naar superbaby's. Maar de bank droeg er wel toe bij dat vrouwen op zoek naar sperma veranderden in klanten, dat voortplantingsgeneeskunde veranderde in shoppen en dat spermabankieren big business werd. Er zijn nu honderden sperma- en eicelbanken in het hele land en volgens gegevens uit de bedrijfstak worden er jaarlijks meer dan veertigduizend baby's geboren uit donorsperma en -eicellen. De bekendste banken zijn: Fairfax, Zytec, The Sperm Bank of California en California Cryobank.

Terwijl ik naar Anns verhaal luister, denk ik aan het afgelopen jaar van mijn leven. Ik heb vele uren doorgebracht met het uitpluizen van profielen op internet, en mijn inspanningen zijn tot nu toe vruchteloos. Ofwel er was geen chemie, ofwel ik ging een paar keer met zo iemand uit en hoorde vervolgens niets meer van hem. Kennelijk is de keus zo groot dat het gemakkelijk is geworden om af te haken als de perfecte persoon zich niet onmiddellijk aandient.

Met donorsperma is het echter een ander verhaal, want als je eenmaal bent bevrucht kun je niet meer terug. En uiteindelijk is het een veel grotere gok dan daten. Hoewel het maken van al die keuzes – de kleur van de ogen, het karakter, de intelligentie – de indruk geeft dat vrouwen grote invloed hebben op het resultaat, kunnen ze er in feite alleen maar het beste van hopen.

'Het is verleidelijk te denken dat je met genoeg kennis precies het kind krijgt dat je wilt, zoals je precies de gewenste auto kunt kopen,' schrijft Plotz in *The Genius Factory*. 'Maar bij DNA is er serendipiteit. Een fantastische donor kan een waardeloos stel genen doorgeven. Vrouwen shoppen zorgvuldig naar sperma, hopend op zekerheid. Maar er bestaat geen zekerheid bij een baby.'

Ann was niettemin buitengewoon kieskeurig bij het uitzoeken van het juiste sperma. Het ziekteverleden was van belang en het uiterlijk ook. Ann omschrijft zichzelf als 'klein en aan de mollige kant', dus ze dacht dat lange, slanke genen haar eigen familietrekken, waar ze geen controle over had, in balans zouden kunnen brengen. Ook wilde ze een donor met blauwe ogen en blond haar zoals zijzelf, omdat ze bang was dat het voor haar en haar kind niet prettig zou zijn als de mensen steeds maar zouden zeggen dat hij of zij waarschijnlijk meer op de vader leek.

Ann beperkte haar keuze tot tien mogelijke donoren en bestelde van alle tien een uitgebreider profiel. Uiteindelijk koos ze een Zweeds-Engels-Duitse donor van ruim 1 meter 80 en 77 kilo, met een goed gezondheidsverleden, helderblauwe ogen en blond haar. In zijn profiel zei hij dat hij een sportman was, creatief, met een goed gevoel voor humor en een sterke persoonlijkheid, en dat zijn lievelingskleur groen was. Over twintig jaar hoopte hij een 'gelukkig, gezond gezin te hebben en waanzinnig veel geld te verdienen met doen waar hij plezier in had.'

'Dat beviel me wel,' zegt ze. 'Ik vond het ook leuk dat hij creatief was, omdat ik dat helemaal niet ben. Ik heb een exacte studie gedaan.'

'Het is een heel ander proces dan daten,' vervolgt ze. 'Daarbij kan het je niet echt schelen wat iemands bloedgroep is, en of zijn moeder diabetes had.'

Ze luisterde ook naar stemopnamen.

'Het was bijna te persoonlijk,' zegt ze. 'Maar aan de andere kant, ik zou geïnjecteerd worden met zijn sperma!'

Na vier maanden van inseminaties en een zwangerschap die eindigde met een miskraam, werd ze zwanger van haar dochter.

'Het was raar om geen seks te hebben en dan ineens zwanger te zijn,' vertelt ze me.

Op een vrieskoude dag in januari werd Ann door haar moeder en haar beste vriendin Karen naar het ziekenhuis gebracht. Susie werd om half acht 's ochtends geboren door middel van een keizersnede.

Anns verhaal, en met name haar beschrijving van het opgejaagde gevoel dat ze had toen haar relatie op haar achtentwintigste werd verbroken, bevestigen me in de overtuiging dat ik niet bepaald alleen sta in mijn ongerustheid ten aanzien van mijn voortplanting. Maar het idee om de vader van mijn kind te selecteren uit een lijst met fysieke kenmerken zit me ergens niet lekker. Natuurlijk, veel van de vrouwen op de SMC-bijeenkomst waren op deze manier zwanger geworden en dat had me toen helemaal niet gestoord. Maar nu ik geconfronteerd word met de feitelijke gang van zaken, realiseer ik me dat ik vind dat een kind moet worden grootgebracht door zowel een vader als een moeder, ook al blijken de kinderen van alleenstaande moeders volkomen gezond en gelukkig te worden. Ik ken de statistieken en weet dat veel Amerikaanse kinderen niet opgroeien in traditionele tweeoudergezinnen, maar mijn reactie op Anns verhaal dwingt me onder ogen te zien dat ik behept ben met de sociale waarden die mijn ouders me hebben ingegeven, en dat ik daar niet aan kan ontsnappen door het hele onderwerp puur verstandelijk te bekijken.

Als Susie de kamer uit is, vraag ik aan Ann en Tim of ze ooit naar haar biologische vader vraagt. Ann legt uit dat ze meerdere malen met haar dochter heeft gesproken over haar biologische vader en haar zijn donorprofiel heeft laten zien. Ze heeft het er met Susie over gehad dat ze haar creativiteit misschien wel van hem heeft geërfd.

Ann heeft zelfs andere moeders en een paar halfbroertjes en -zusjes van Susie ontmoet via de Donor Sibling Registry, een snelgroeiende internetgemeenschap die donoren en hun nakomelingen met elkaar verbindt. Een paar jaar geleden, voor ze getrouwd was, klikte ze op die site om te kijken of ze meer informatie kon vinden over Susies biologische vader. En inderdaad, zijn donornummer stond op de lijst, en hoewel ze geen direct contact met hem opnam, kwam ze erachter dat Susie een paar halfbroertjes en -zusjes had. Ze heeft nu kerstkaarten gestuurd naar een paar andere donorgezinnen. Maar Susie interesseert het niet zo, dus Ann doet geen moeite om met de andere gezinnen in contact te komen, afgezien van een kaartje met de feestdagen. Nu ze getrouwd is met Tim, heeft ze het gevoel dat dit Susies echte gezin is.

'Het is alleen maar een biologische band,' zegt ze over Susies relatie met de andere nakomelingen van haar spermadonor. 'Ik weet dat sommige mensen het zien als één grote familie, maar voor mij is familie een sociaal concept. Dit is nu mijn familie.'

Gezien mijn eigen fantasie over het vinden van mijn ware liefde nadat ik op eigen houtje een kind had gekregen, ben ik bijzonder benieuwd hoe Ann Tim heeft ontmoet.

Ann vertelt me dat ze na Susies geboorte met de hulp van haar werkgever en haar ouders een heel goede structuur had opgezet waardoor ze het als alleenstaande moeder kon rooien. Anns ouders woonden vlakbij en haar moeder had beloofd de kinderopvang op zich te nemen. Haar chef, een onlangs gescheiden alleenstaande moeder, was ook behulpzaam en maakte het haar mogelijk op flexibele tijden te werken. (Ann koos ervoor een deel van haar salaris in te leveren in ruil voor minder werkuren, zodat ze meer tijd met Susie kon doorbrengen.)

In haar eerste maanden als moeder voelde Ann zich vaak eenzaam. Maar toen Susie zes maanden werd, begon ze haar ouders te vragen om ook 's avonds te komen babysitten, zodat ze kon uitgaan met haar vriendinnen. Ann vertelt me dat de vrijheid die dat haar gaf een nog groter geschenk was dan de financiële bijdragen van haar ouders.

Zelfs wanneer haar ouders niet konden komen oppassen, begon Ann wat proactiever te worden met betrekking tot haar sociale leven. Ze vertelt me dat ze Susie vaak meenam naar etentjes en haar in de slaapkamer liet slapen terwijl zij bijpraatte met haar vrienden en vriendinnen. 'Ik was alleen bevriend met mensen die mijn situatie accepteerden,' zegt ze.

Ann was niet het type voor een kennismakingsadvertentie of een online datingsite. Op haar werk raakte ze echter nauw bevriend met haar nieuwe collega Tim. Hij was pas afgestudeerd en was zeven jaar jonger dan zij. Aanvankelijk hingen ze wat rond elkaars bureau en praatten ze over hun favoriete boeken, maar al snel gingen ze samen lunchen.

Na een paar maanden voelde Ann zich voldoende op haar gemak bij Tim om in te gaan op zijn uitnodiging om op een vrijdagavond naar een hockeywedstrijd te gaan. Een paar avonden later kwam hij bij haar thuis naar een film kijken toen Susie al naar bed was. De hockeywedstrijd op de vrijdagavond werd al snel een wekelijks uitje voor hen tweeën, totdat Tim zich op zekere avond tijdens de rust wat onhandig naar Ann omdraaide en haar vroeg of ze nu 'iets hadden'. Ze barstten beiden in lachen uit en bogen zich naar elkaar over voor een kus. Geen van beiden had verwacht dat uit hun vriendschap iets romantisch zou voortkomen.

'Ik denk dat ik erop voorbereid was nooit iemand te vinden,' zegt Ann.

Ze verloofden zich na een jaar en twee weken voor hun huwelijk kwam Ann erachter dat ze zwanger was van haar tweede kind. Ze was zesendertig jaar.

Ann vertelde haar ouders pas na de bruiloft over haar zwangerschap uit angst dat ze boos zouden zijn omdat Ann seks had gehad voor het huwelijk. Maar vlak na de bruiloft kondigden Tim en Ann aan haar familie aan dat ze zwanger was en dat Tim Susie zou adopteren. Susie noemt Tim nu 'papa' en volgens Ann kan ze zich nauwelijks herinneren dat hij er ooit niet was.

Susie komt weer de kamer in en valt ons in de rede. 'Waar hebben jullie het over?'

'Over toen ik een SMC was,' zegt Ann.

'Wat is een SMC?' vraagt Susie.

'Een Single Mother by Choice,' zegt Ann.

'Ik wil niet dat je dat nog eens doet,' zegt Susie.

'Ik ook niet,' zegt Tim tegen Susie.

'Tja, dat kan ook niet meer, want ik ben nu getrouwd!' zegt Ann. Ze draait zich naar mij toe: 'Susie in mijn eentje krijgen was zo'n belangrijk moment in mijn leven. Het is gek dat zij zich nu nauwelijks de tijd herinnert dat we met zijn tweeën waren.'

Als Susie weer weg is, vraag ik aan Tim hoe hij het ervaart dat hij geen biologische band met zijn dochter heeft. Hij zegt dat het feit dat Susies biologische vader een spermadonor was en niet Anns voormalige partner, het voor hem veel gemakkelijker heeft gemaakt de vaderrol op zich te nemen.

'Het ligt veel gecompliceerder als er een andere vader in beeld is,' zegt hij. 'Bij Ann wist ik dat ik echt Susies vader kon worden.'

Later die middag knijpen Ann en ik ertussenuit voor een lunch van vrouwen onder elkaar in een Italiaans restaurant in het centrum. Bij een bord pasta geeft Ann toe dat ze het niet wilde zeggen waar haar man bij was, maar dat het leven in veel opzichten makkelijker was toen ze nog een alleenstaande moeder was. 'Ik nam alle beslissingen in mijn eentje,' zegt ze. 'En ik had een baan en verveelde me niet zo.'

Nadat Ann en Tim waren getrouwd en hun zoon Sam was geboren, besloot Ann thuis te blijven met de kinderen. In veel opzichten vindt ze dat prettig: zo kan ze haar tijd doorbrengen met werk waarmee ze niets verdient. Op dit moment werkt ze als vrijwilliger voor een organisatie ter bevordering van natuurlijke bevallingen. Maar ze zegt ook dat de rol van thuisblijfmoeder haar niet meevalt.

'Toen ik pas had opgezegd, miste ik mijn werk. Ik miste mijn vrienden en voelde me heel eenzaam,' zegt ze. 'Ik ben niet in de wieg gelegd om de hele dag met treintjes en barbies te spelen. Soms heb ik het gevoel dat ik gek word.'

Ze vervolgt: 'Tegenwoordig weten de meeste mensen die ik ken niet eens dat ik een alleenstaande moeder was. Ik zie mezelf niet als een traditionele persoon, en het voelt raar dat een heleboel mensen me zien als iemand die ondergeschikt is aan haar man.'

En dan zegt Ann iets tegen me wat ik nooit zal vergeten: 'Eén ding dat ik heb geleerd, is dat er niet één juiste weg bestaat. Ik wil niet dat de mensen denken dat ik eerst een alleenstaande moeder was en mijn leven vervolgens een sprookjeseinde kreeg. Dat is gewoon beledigend. Het houdt in dat wat ik hiervoor had, niet genoeg of niet perfect was. Het ging hiervoor fantastisch, en het gaat nu ook fantastisch. Dit is het sprookjeseinde, deel twee.'

Mijn moeder heeft altijd een hekel gehad aan moederdag. Volgens haar is die feestdag verzonnen om kinderen een schuldgevoel te bezorgen en geld voor stomme kaarten uit hun zak te kloppen. Daarom heb ik haar nooit een moederdagkaart gestuurd, en als we elkaar die dag toevallig bellen, zorg ik ervoor niet over de feestdag te reppen. Maar deze moederdag is anders. Na al die maanden van onderzoek ben ik vol van het moederschap.

De volgende ochtend bel ik mijn moeder voor een praatje. We hebben een heel open relatie en ik verberg zelden wat er in mijn leven speelt. Ik vertel haar niet over mijn seksleven of echt intieme dingen, maar we staan dicht bij elkaar.

Tot nog toe heb ik mijn ouders niets verteld over mijn vruchtbaarheidsonderzoek. Het voelt te persoonlijk. Het is mijn beslissing, mijn toekomst, niet die van hen. Dit kind zal bestaan lang nadat zij zijn verdwenen, dus ik denk dat het feit dat ik het hun niet vertel, mijn manier is om te testen of dit iets is wat ik werkelijk alleen wil doen, en niet om hun een kleinkind te geven.

Aan de telefoon vraag ik of ik die avond kan komen eten.

'We vieren geen moederdag,' zegt mijn moeder nadrukkelijk.

'Nee, nee. Maak je geen zorgen,' zeg ik.

Ik tref mijn moeder die middag bij Fairway in de Upper West Side om boodschappen te doen voor het avondeten. Daarna rijden we naar mijn ouderlijk huis in Riverdale, een kleine buurt in de Bronx. Mijn achtenhalf jaar jongere broer Noah en ik besluiten om die avond te koken in plaats van mijn moeder. Hij grilt de steaks en ik maak een gerecht met geroosterde groenten. We zitten in precies dezelfde opstelling als altijd rond de keukentafel: mijn vader op de hoek links van mij, mijn broer rechts van mij en mijn moeder rechts van hem.

We praten een paar minuten over het nieuwe bedrijf dat mijn broer aan het opstarten is en over de naderende pensionering van mijn vader.

'Ik denk erover een kind te krijgen,' zeg ik.

Ik wil hun reacties peilen.

Ze kijken me alle drie geschokt aan.

'Maar heb je dan een vriend?' vraagt mijn moeder.

Ik lach. 'Maak je geen zorgen, ik ben niet zwanger – nog niet.'

Ik weet niet waarom ik ineens heb besloten het hun te vertellen. Ik denk dat hun goedkeuring een belangrijk onderdeel van mijn besluit is. En net als Ann zou ik hun hulp weleens nodig kunnen hebben als ik besluit er in mijn eentje aan te beginnen.

'Ik heb verschillende mogelijkheden onderzocht,' zeg ik. 'Ik heb besloten dat ik, als ik volgend jaar nog niet de juiste man heb gevonden – of misschien het jaar daarna – serieus ga nadenken over een kind krijgen in mijn eentje, met behulp van een spermadonor.'

Ik vertel over Ann. 'Haar ouders waren blij dat ze geen seks voor het huwelijk had gehad,' zeg ik.

Mijn vader lacht.

Dan vertel ik mijn ouders en broer over alles wat ik bij mijn onderzoek naar het alleenstaand moederschap heb uitgevonden.

'Maar als je op genetische eigenschappen kunt selecteren, kies je dan voor een joodse man?' vraagt hij nadat ik de procedure voor het kiezen van een spermadonor heb uitgelegd.

Mijn moeder is joods, zodat ik voor de joodse wet ook een joodse ben. Mijn vader is lid van de anglicaanse kerk en heeft blauwe ogen, al was zijn grootvader van vaderskant joods.

'Kun je het geslacht kiezen?' vraagt hij.

'Dat weet ik nog niet,' zeg ik. 'Ik begin me er pas in te verdiepen. Ik hoop dat ik de juiste man nog tegenkom. Maar als dat niet zo is, vind ik het fijn dat er een andere mogelijkheid is.'

'Wat als je een jongetje krijgt en hij geen vaderfiguur heeft?' vraagt mijn broer.

'Jij zou een vaderfiguur kunnen zijn,' antwoord ik.

'Ik ben te jong om vader te zijn,' flapt hij er heel kinderlijk uit. Hij denkt even na. 'Nou ja, ik denk dat een oom ook een soort vaderfiguur is. Maar luiers verschonen doe ik niet.'

'Ik heb genoeg vrienden en ik hoop dat ik ooit een man tegenkom,' zeg ik nog.

Mijn ouders verklaren zich bereid om te babysitten. Ze stellen niet te veel andere vragen. Ik merk dat ze respect proberen te tonen voor het feit dat dit míjn leven en míjn beslissing is. Mijn moeder laat me wel weten dat ze binnenkort met pensioen gaan en een beperkt inkomen hebben, zodat ik financieel niet al te zwaar op hen kan leunen, mocht dat nodig zijn.

Een leven als alleenstaande moeder is nou niet echt mijn droom, maar door het er met mijn familie over te hebben en te weten dat ik een plan B heb, voel ik me nu een stuk minder opgejaagd. Ik heb niet meer zo het idee dat de tijd tussen mijn vingers door glipt, maar eerder dat ik een alternatief heb gevonden waar mijn familie achter staat, mentaal en praktisch, mocht ik besluiten die weg te kiezen.

We zijn een paar minuten stil en dan draait mijn vader zich naar me toe. 'Bedankt,' zegt hij.

'Waarvoor?' vraag ik, in de veronderstelling dat hij me bedankt omdat ik hem heb verteld dat ik hem wellicht een kleinkind zal schenken.

Hij glimlacht. 'Bedankt voor het koken.'

4

Vrienden en vaderschap

Tijdens een lunch met een vriendin beschrijf ik mijn bezoek aan Ann in Iowa. Ik vertel haar dat het alleenstaand moederschap er voor mij zoveel aannemelijker door is geworden, met name omdat Ann het voor elkaar had gekregen in zo'n conservatieve omgeving. Ik weet dat het makkelijker zou zijn in New York, waar het wemelt van de niet-traditionele gezinnen. Maar ik voeg eraan toe dat ik me niet kan voorstellen zwanger te raken van een anonieme donor. Het lijkt me zo steriel. Dus ik vertel over mijn voorstel aan Will.

'Maar je bent met hem naar bed geweest!' zegt ze.

'Dat klopt,' antwoord ik.

'Waarom doe je dat dan niet nog eens, zonder anticonceptie?' stelt ze voor.

Eerst denk ik dat ze bedoelt dat ik hem erin moet luizen. Ik zeg tegen haar dat ik nooit zou willen dat hij de vader van mijn kind werd als hij dat niet wilde – of we nu iets hadden of niet. Wat zou het voor zin hebben een kind op de wereld te zetten door sperma te stelen van mijn vriend? Een man in een rol dwingen die hij niet wil vervullen is wel zo'n beetje de meest egoïstische weg naar het moederschap die ik me kan indenken. Als ik toevallig zwanger werd, of als we vreeën met het doel dat ik zwanger werd maar kozen voor een ander soort relatie dan een traditioneel huwelijk om het kind groot te brengen, zou het een ander verhaal zijn. Maar een man opzettelijk bedriegen, daar peins ik niet over.

Maar dan legt ze uit dat het makkelijker zou zijn om het gewoon met hem te doen als hij op mijn voorstel zou ingaan, en ik vraag me ineens af wat Wills beslissing zal zijn. Als ik thuiskom bel ik hem. Het ingesproken bericht op zijn mobiele telefoon laat me weten dat hij in een achtdaagse stilteretraite zit en eventuele telefoontjes zal beantwoorden zodra hij weer kan spreken.

Omdat het idee zwanger te worden van een anonieme spermadonor me niet aanstaat, ga ik op zoek naar alleenstaande moeders die zwanger zijn geworden van het sperma van een vriend, of althans iemand die ze kennen.

Via Jane Mattes ontmoet ik Sarah Hopkins*, een energieke consultant die in Atlanta woont. We mailen een paar keer heen en weer en Sarah vertelt me dat ze zich een paar maanden na haar zesendertigste verjaardag heeft laten insemineren met het sperma van een homovriend. Ze is nu ongeveer op de helft van haar zwangerschap.

Ik besluit dat ik Sarah wil spreken en niet alleen mailen; ik wil graag weten hoe ze tot haar beslissing is gekomen en hoe ze er zich persoonlijk over voelt. Ik vraag haar of we een afspraak kunnen maken voor een telefoongesprek en ze zegt dat ik zondagmiddag om twaalf uur precies kan bellen. Het is duidelijk dat ze een zowel drukbezette als zeer precieze persoon is.

Sarah neemt de telefoon op nadat die één keer is overgegaan. We babbelen een paar minuutjes over haar recentste project. Dan vertelt ze me hoe overwerkt ze is en hoezeer de zwangerschap haar uitput. Ze heeft een lage, hese stem, maar haar toon is ontwapenend nuchter. Dus ik barst los en vraag haar wat haar ertoe heeft gebracht om een alleenstaande moeder te worden.

Ze vertelt me dat ze al moeder wilde worden sinds ze op haar vierentwintigste afstudeerde aan de economische faculteit. Ze begon financieel en emotioneel plannen te maken voor het moederschap, met in haar achterhoofd de gedachte dat ze het misschien uiteindelijk in haar eentje zou doen.

Dat verbaast me. Ik vraag haar waarom ze al op zo'n jonge leeftijd overwoog in haar eentje een kind te krijgen.

'Ik ben altijd een realist geweest,' zegt ze. 'Veel van mijn vriendinnen houden geen rekening met de onmiskenbare mogelijkheid dat ze de ware niet tegenkomen. Je moet een plan A, maar ook een plan B en plan C hebben.'

Er is iets verontrustends aan haar verregaande rationaliteit. Ik zie dat Sarah precies heeft gedaan wat veel van de artsen met wie ik heb gesproken, aanraden: ze is op heel jonge leeftijd begonnen na te denken over haar vruchtbaarheid. Maar ik weet ook hoe ik op mijn vierentwintigste was: relaxed, vrij, open voor een wereld aan mogelijkheden. Misschien zou ik er nu beter aan toe zijn als ik tegen mijn dertigste al was begonnen mijn stappen in de richting van het moederschap te plannen, maar het is moeilijk om me te identificeren met Sarahs uitzonderlijke – en vroegrijpe – pragmatisme. Het lijkt me niet alleen onromantisch, maar bijna opzettelijk antiromantisch.

'Plan A was als twintiger de ware Jakob ontmoeten, verliefd worden en een traditioneel gezin stichten,' legt ze uit. 'Dat gebeurde niet.'

Na haar studie woonde Sarah een paar jaar samen met haar vriend. Ze hadden het over een toekomstig gezin, maar naarmate ze zich allebei specialiseerden in hun carrière, merkten ze dat ze niet langer bij elkaar pasten.

'Als je in de twintig bent denk je niet: dit is mijn laatste kans,' zegt ze.

Nadat ze was afgestudeerd, verhuisde Sarah naar Boston en stortte ze zich op haar carrière. Ze had in die periode een aantal relaties, maar toen ze aan belangrijke projecten begon te werken, werd haar baan interessanter en ontleende ze daar meer intellectuele voldoening aan. Al snel draaide haar leven om haar werk en bleef er niet veel ruimte over voor een relatie.

'Ik wilde nog steeds dat plan A lukte, dus ik wachtte,' zegt ze.

Sarah besloot een uiterste datum vast te stellen: als ze op haar dertigste nog steeds alleen was, zou ze in haar eentje een kind krijgen.

In de loop van de tijd ben ik ook meer een planner geworden en ik weet uit eigen ervaring dat mijn strakke agenda me soms heeft verblind voor mogelijkheden die goed voor me hadden kunnen zijn, dus ik vraag haar op de vrouw af: 'Denk je dat je misschien een kans met iemand over het hoofd hebt gezien?'

'Nee,' zegt ze afgemeten.

Sarah is stoer en onafhankelijk en ze houdt duidelijk wel van een uitdaging. In de loop van het gesprek kom ik erachter dat ze in haar eentje over de hele wereld heeft gereisd; ze heeft met een rugzak rondgetrokken en bergen beklommen in de meest afgelegen plaatsen. Dat vind ik wel leuk aan haar, en ik hoop dat onze gedeelde passie voor reizen me een ingang biedt om haar dichter te benaderen, een manier om onder haar dikke huid te komen. Ik vertel haar over mijn beklimming van een bergtop in de Himalaya toen ik eenentwintig was. Zij vertelt mij over angstaanjagende belevenissen tijdens het bergklimmen in India, jaren daarvoor, en we babbelen een tijdje over onze reiservaringen.

Sarah en ik hebben een heleboel gemeen – op papier althans lijken we als twee druppels water op elkaar. Ongetwijfeld hebben we als vrouwen van dezelfde generatie ongeveer dezelfde boodschap meegekregen over vrouwenemancipatie. Mijn ouders hebben me geleerd dat voor jezelf kunnen zorgen belangrijker was dan het vinden van een man. Te afhankelijk zijn is iets wat ik altijd heb gevreesd. Veel van de fijnste ervaringen in mijn leven heb ik in mijn eentje opgedaan. In theorie zou ik Sarah aardig moeten vinden en moeten bewonderen. Toch stoot ze me af. Ik ben vaak bang dat ik met mijn onafhankelijkheidsdrang overkom als te afwerend of te hard, waardoor ik mannen de boodschap geef: 'Ik heb jou niet nodig,' of 'Ik kan je in de steek laten.' Als ik dat gevoel bij Sarah al krijg na een paar minuten aan de telefoon, hebben de mannen in haar leven dat natuurlijk ook gevoeld. Ik vraag me af of de reden waarom ik Sarah niet mag, is dat ze staat voor een van mijn grootste angsten over mezelf.

Sarahs onafhankelijkheid blijkt echter niet voort te komen uit de feministische beweging. Ze vertelt me dat ze om een andere reden onafhankelijk is: ze moet wel. Ze heeft een heel afstandelijke relatie met haar familie, met name met haar moeder, en heeft daardoor niet het gevoel dat ze over een sterk vangnet beschikt.

Sarah is in de jaren zestig opgegroeid in een buitenwijk van Louisville. Zoals de meeste mensen in haar omgeving hadden haar ouders een traditionele relatie: haar vader werkte en haar moeder bleef thuis en voedde Sarah en haar oudere broer op.

Volgens Sarah had haar moeder eigenlijk nooit kinderen gewild, maar had ze in die tijd weinig keuze omdat dat nu eenmaal verwacht werd van getrouwde vrouwen in Louisville. Ze zegt dat haar moeder thuis geen steun ondervond van haar vader, die lange dagen maakte als bankier.

'Ze hield van mijn broer en mij,' zegt Sarah. 'Maar ze hield niet van het moederschap. Ze vertelde me een keer dat ze als ze het kon overdoen, geen kinderen zou hebben gekregen.'

Toen Sarah haar ouders vertelde dat ze van plan was alleenstaand moeder te worden, was haar vader teleurgesteld en bezorgd, omdat hij gelooft dat een vrouw een man nodig heeft. Maar Sarah zegt dat haar moeder dolblij was, ook al wist ze dat het niet gemakkelijk zou worden voor haar dochter. 'Ze zegt dat zij zich in veel opzichten altijd een alleenstaande moeder heeft gevoeld,' legt Sarah uit.

Ik krijg de indruk dat Sarah ervoor heeft gekozen zowel de rol van haar moeder als die van haar vader na te volgen. Net als haar vader is ze een workaholic geworden. Maar ze is ook op weg om haar moeders leven te herhalen, door de taak alleen op zich te nemen, zonder de hulp van een modern partnerschap, en zo loopt ze het risico in het sociale en emotionele isolement van veel alleenstaande ouders te belanden. Ik vraag me af of haar moeder dat inzag toen Sarah haar vertelde over haar besluit. Als zij als moeder zo had afgezien, waarom moedigde ze haar eigen dochter dan aan dit op het oog nog moeilijkere pad in te slaan?

'Ik wil een gezin,' zegt Sarah. 'Dit is uiteraard een minder aantrekkelijke keuze dan kinderen krijgen met de perfecte echtgenoot, dat weet ik wel.' Maar ze doet het liever alleen dan genoegen te nemen met iemand die niet perfect is. 'Er zijn genoeg vrouwen die gewoon een partner willen, maar ik ben liever alleen dan dat ik in een relatie zit met een man van wie ik niet hou.'

Dat kan ik volgen.

In 1998, vlak voor haar dertigste verjaardag, begon Sarah uit te kijken naar een biologische vader. Anders dan Ann Holland voelde ze echter niets voor een anonieme spermadonor. Daarom deed ze een beroep op haar vrienden Alix* en Ricky*, een homostel dat ze al jaren kende.

'In die tijd keek ik rond naar sperma van mijn mannelijke vrienden,' zegt ze. 'Mijn vriendin zei altijd: "Overal om je heen is sperma; je hoeft maar de kroeg in te gaan." Maar ik vond het moreel onjuist om lukraak met een man naar bed te gaan en zwanger te raken. Als ik een man was, zou ik het niet prettig vinden als iemand me op die manier gebruikte.'

Maar Ricky en Alix waren geschokt door Sarahs verzoek, vooral omdat ze Sarah te jong vonden om het alleenstaand moederschap te overwegen. Ze gaven haar nul op het rekest en raadden haar aan een relatie te zoeken. Aangezien haar carrière een hoge vlucht nam, besloot Sarah dat ze gelijk hadden. Ze nam de gok en verschoof haar deadline naar vijfendertig jaar.

Bijna vier jaar ging voorbij en Sarah had wel vrienden, maar kwam niet echt een geschikte man tegen. In 2001, vlak na de aanslag op het World Trade Center, bezocht ze haar gynaecoloog voor de jaarlijkse controle en kwam ze erachter dat ze een voorstadium van baarmoederhalskanker had. Al kon haar arts niet met zekerheid zeggen of zich al dan niet actieve baarmoederhalskanker zou ontwikkelen, toch had het nieuws ingrijpende invloed op haar plannen, omdat hij haar vertelde dat haar baarmoeder, afhankelijk van het verdere verloop, misschien zou moeten worden verwijderd. Hij zei haar ook dat ze maar beter zo snel mogelijk een kind kon krijgen.

Sarah beschouwde dit nieuws als een teken dat het tijd was om niet langer op de juiste relatie te wachten, maar gewoon zwanger te worden. Wat zij meemaakte is niet ongewoon: in haar boek *Single By Chance, Mothers By Choice* legt Rosanna Hertz, docent vrouwenstudies aan Wellesley College, uit dat veel vrouwen voor het alleenstaand moederschap kiezen na een 'katalytische' gebeurtenis zoals die van Sarah. 'Als ze over die drempel heen zijn, begrijpen ze dat het beter is de stap naar het moederschap te nemen dan te blijven stilstaan, al weten ze niet precies hoe het gaat uitpakken.'

Rond diezelfde tijd adopteerden Alix en Ricky een dochter. Sarah ging naar de babyshower en benaderde haar vrienden opnieuw voor het doneren van sperma.

'Oké, jongens,' zei ze. 'Jullie hebben je kind. Help mij nu met het mijne.' Alix en Ricky draaiden bij. Ze hadden zelf gekozen voor een open adoptie en waren van plan regelmatig contact te onderhouden met de biologische moeder van hun dochter. Ze wisten hoe gelukkig de draagmoeder hen had gemaakt door hun de kans te geven vader te worden, en ze besloten dat ze dat geschenk wilden doorgeven aan Sarah. Hun omgang met de draagmoeder had hun ook een beter idee gegeven van de rol die ze zouden kunnen spelen in het leven van Sarahs kind.

De vraag was dus wie van hen zijn sperma zou doneren.

Aanvankelijk vond Alix dat hij het niet moest zijn, omdat hij als kind ernstige acne had gehad en er hartziekten in zijn familie voorkwamen. Ricky heeft zwart haar, prachtige blauwe ogen, lange zwarte wimpers en een betere medische voorgeschiedenis. Maar toen bespraken ze regelmatig hoe hun moderne gezin eruit zou kunnen zien. Ze besloten het de vorm te geven van een open adoptie en namen verschillende scenario's door om tot een overeenkomst te komen.

'Stel nu dat ik een zoon krijg en als hij tien is besluit dat hij naar een militaire kostschool moet,' begon Sarah. 'Als hij jullie dan belt en zegt dat hij het er afschuwelijk vindt, vind ik dat jullie hem wel kunnen troosten, maar dat jullie geen rol kunnen spelen in de beslissing of hij op school moet blijven of naar huis mag komen.'

'Ik zou zeggen: "Heb je het tegen je moeder gezegd? Je moet dit met haar bespreken,"' zei Alix.

'Hoe zou je het over je hart kunnen verkrijgen hem niet onmiddellijk naar huis te laten komen?' antwoordde Ricky verbaasd.

Sarah wist meteen dat Ricky's uitgesproken meningen een potentieel probleem zouden kunnen vormen.

'Ik denk dat Ricky en jij met elkaar in de clinch komen te liggen,' zei Alix, die voor scheidsrechter speelde. 'Jullie lijken te veel op elkaar.'

Zodoende besloten de drie dat Alix de donor zou zijn. Sarah stelde een contract op dat inhield dat hij geen ouderrechten zou hebben. Dit soort contracten is niet bindend, wat betekent dat ze alleen een intentie aangeven. Dus als Alix ooit mocht besluiten de voogdij aan te vragen over zijn biologisch kind, zouden ze het contract als richtlijn kunnen gebruiken, hoewel de bepalingen ervan zouden kunnen worden weersproken in een rechtszaak. In Sarahs testament wordt haar goede vriendin Julie benoemd als wettelijk voogd. Als Sarah zou komen te overlijden, hebben Alix en Ricky geen ouderlijke rechten.

'Ze zouden als familie worden beschouwd, net zoals mijn intieme vrienden worden beschouwd als ooms en tantes,' zegt ze.

Toen de puzzelstukjes van Sarahs tocht naar het moederschap op hun plaats vielen, gaf ze het opbouwen van een eigen praktijk op en vestigde zich weer in Atlanta, waar ze een baan aannam bij een groot internationaal adviesbureau. Ze had het idee dat een baan bij een groot bedrijf haar meer zekerheid zou bieden.

'Vervolgens maakte ik een afspraak bij een vruchtbaarheids-arts,' vertelt ze.

Een paar weken eerder was Alix naar een vruchtbaarheidskliniek in Boston geweest. Sarah vertelt dat hij even in paniek raakte toen hij zag dat er alleen maar heteroporno lag in de kamer waar hij zijn donatie moest verrichten, maar toen haalde hij zich een bezwete Lance Armstrong voor de geest op weg naar de finish van de Tour de France en dat was voldoende. Alix' sperma werd vervolgens ingevroren, in een buisje verpakt en per koerier naar Sarahs arts in Atlanta gestuurd. Het kostte haar vier inseminaties om zwanger te worden.

Ze geeft toe dat ze, eenmaal zwanger, begon te treuren over het feit dat ze geen kind krijgt met een man van wie ze houdt. Maar dan rationaliseert ze het: 'Het is ook weer niet zo dat ik een man hebt die van me houdt maar die heeft besloten dat hij geen kinderen wil, zodat ik moet kiezen tussen mijn grote liefde en een kind.'

Ik besluit de duimschroeven een beetje aan te draaien. 'Jane Mattes vertelde me dat ze vrouwen adviseert om na te gaan wat hen belemmert in het aangaan van een relatie, voordat ze de keuze maken om in hun eentje een kind te krijgen,' zeg ik.

'O, ik ben in therapie geweest,' kaatst ze terug. 'Ik denk dat het goed is om je bewust te zijn van jezelf, je psychische pijnpunten te onderzoeken en te kijken hoe je een beter mens kunt worden. Ik weet wel zo'n beetje wat mijn problemen zijn. Dat wil niet zeggen dat ik ze heb opgelost. Ik heb besloten het partnergedoe te scheiden van het ouderschap.'

Maar dan wordt haar toon een beetje zachter en geeft ze toe dat het niet zo is dat ze geen intieme relatie met een man wil, maar dat ze ervoor terugschrikt.

Ze vertelt me dat ze geneigd is vluchtige relaties aan te gaan met mannen die niet op hetzelfde niveau zitten als zij, en met wie ze zich niets serieus kan voorstellen. 'Al ben ik graag bij ze en hou ik van ze, toch blijf ik ergens denken dat ze nooit echt beschikbaar zijn.'

Het verbaast me hoe resoluut Sarah zelfs in haar zelfkennis is, en vraag me af of ik haar te hard beoordeel. Mij heeft het een hele tijd gekost om zoveel van mezelf te begrijpen als ik nu doe; er is geen standaardschema dat op iedereen past. Misschien is het waar dat zij het ouderschap gewoon op de eerste plaats stelt, en ooit zover zal zijn dat ze een man kan vinden die beter voor haar is.

'Ik heb een tijd geprobeerd mezelf tot intimiteit te dwingen,' zegt ze. 'Maar nu voel ik me gewoon gelukkig en als het gebeurt, dan gebeurt het.'

Sarahs eerste drie maanden waren fysiek zo zwaar dat ze zich opnieuw afvroeg waarom een biologisch kind krijgen ook alweer zo belangrijk voor haar was.

'Ik was zo misselijk dat ik gewoon drie maanden lang naar mijn nietmachine heb zitten staren,' zegt ze als ik haar vraag naar haar nieuwe baan. Op zekere dag maakte ze op haar werk een vergissing met een PowerPointpresentatie en zei verontschuldigend tegen haar vrouwelijke collega dat ze zwanger was en niet helemaal helder kon nadenken.

'O, niet gepland dus,' zei de vrouw, die wist dat Sarah niet getrouwd was.

'Wél gepland, hoor,' zei Sarah.

De vrouw verontschuldigde zich gegeneerd. Maar Sarah vertelt me dat dit een van de zeer weinige keren was waarop ze het gevoel had dit ze veroordeeld werd voor haar keuze om single moeder te worden. De meesten van haar vrienden en collega's vinden haar besluit dapper en staan helemaal achter haar.

Eén ding is Sarah door alle fysieke uitdagingen van de zwangerschap wel duidelijk geworden: dat ze veel minder controle over haar leven heeft dan ze altijd dacht. Ze is tegen de grenzen van haar planzucht en rationele beslissingen opgelopen.

'Ik denk niet dat er een logische verklaring is voor het verlangen om kinderen te krijgen,' zegt ze. 'Je kunt de plussen en minnen keer op keer bij elkaar optellen, maar als je het probeert te analyseren, merk je dat het onmogelijk is om winst en verlies tegen elkaar af te wegen. Ik kan echt niet inschatten hoeveel slaap ik ga missen, of hoeveel geld ik ga besteden aan dit kind. Ik moet het maar nemen zoals het komt.'

'Ben je blij met de keuze die je hebt gemaakt?' vraag ik haar.

Ze antwoordt bevestigend. 'Een man tegenkomen kan naar mijn gevoel nog elke dag van mijn leven,' zegt ze. 'Maar een kind krijgen kan alleen nu, en ik weet dat ik geen tachtig wil worden zonder kind.'

Na mijn telefoongesprek met Sarah zit ik nog even te peinzen over de vraag waarom ik zo uitgesproken negatief op haar reageerde. Bij Ann McHolland had ik precies de omgekeerde reactie, ik vond haar heel inspirerend. Ik vraag me af of dat komt door haar 'tweede happy end'. Toen we elkaar ontmoetten, lag het alleenstaand moederschap al achter haar. Ze had een gedurfde feministische beslissing genomen, maar eindigde met een leven dat meer weg had van een schilderij van Norman Rockwell.

Sarahs beslissing om alleenstaand moeder te worden speelt zich echter op dit moment af, en dat is voor mij veel beangstigender. Ann omschreef haar jaren als alleenstaand moeder in een geïdealiseerde verleden tijd. Sarahs realiteit drukt me met mijn neus op de naakte realiteit van de keuze die ik overweeg.

Haar krasse taal verhult volgens mij ook het feit dat het alleenstaand moederschap werkelijk gecompliceerde vragen opwerpt over de vorm van hedendaags feminisme. In de versie van het feminisme waarmee ik ben opgegroeid, werden vrouwen geacht te vechten voor gelijkheid in hun relaties met mannen, niet de mannelijke soort helemaal los te laten. Het was niet de bedoeling om een ras van amazones te worden, of wel soms?

Ik vraag me af hoe progressief het alleenstaand moederschap eigenlijk is. In sommige opzichten lijkt het een stap terug te zijn. Sarahs moeder mag dan ongelukkig zijn geweest als huismoeder in Texas, maar ze had in elk geval financiële steun. Sarah moet beide rollen spelen: de alleenstaande moeder en de kostwinner. In de feministische *brave new world* die mij in mijn jeugd werd voorgespiegeld, was het de bedoeling dat mannen niet een kleiner, maar juist een groter deel van de opvoeding van hun kinderen op zich zouden nemen.

Wat me echter het meest dwarszit is mijn schuldgevoel ten opzichte van mijn vader. Ik hou zoveel van hem en ik ben hem zo dankbaar voor alles wat hij me heeft gegeven. Als ik besluit een kind te krijgen zonder een aanwezige vader, denkt hij dan niet dat ik zijn rol in mijn leven helemaal niet zo belangrijk vind? Ik kan me voorstellen dat hij waarschijnlijk trots op me zal zijn als ik besluit single moeder te worden en zal zeggen dat hij denkt dat ik er sterk genoeg voor ben. Maar ik ben bang dat hij ook af en toe midden in de nacht wakker wordt met de vraag wat hij verkeerd heeft gedaan, dat ik dit pad kies.

Terwijl ik nadenk over de belangrijke rol die mijn vader in mijn leven heeft gespeeld, komen er ook vragen op over de mannen die hun sperma doneren. In plaats van me te concentreren op mijn gevoel hierover of dat van mijn eventuele kind, besluit ik de zaak van de andere kant te bekijken. Waarom worden mannen spermadonor? Vergeten ze het zodra ze hun DNA hebben gedoneerd, of blijven ze zich afvragen of ze misschien ergens in de wereld zoons of dochters hebben rondlopen? Wat als hun biologische kinderen hen ooit willen opsporen?

Het blijkt dat veel alleenstaande moeders die voor een anonieme donor hebben gekozen met dergelijke vragen zitten, en velen gaan daadwerkelijk op zoek naar die mannen. Deze keuze verandert niet alleen de rol van de biologische vader, die ergens tussen een afstandelijke biologische band en een soort oomachtig stiefouderschap komt te liggen, maar breidt de kring van gezinnen met alleen een moeder nog verder uit. Het internet is een van de voornaamste katalysatoren van die verandering.

In 2000 bracht Wendy Kramer, een gescheiden moeder uit Boulder, Colorado, ongewild een revolutie teweeg onder donorgezinnen toen ze besloot dat ze meer informatie wilde over de spermadonor van haar zoon.

In 1989 besloten Wendy en haar echtgenoot, die met onvruchtbaarheidsproblemen kampte, gebruik te maken van een spermadonor. Het echtpaar koos een donor via de California Cryobank. Na de inseminatie had Kramer naar eigen zeggen nooit echt nagedacht over de gevolgen van haar keuze. Maar toen haar zoon Ryan negen werd, wilde hij weten waar hij vandaan kwam. Wendy kon niet tegen hem liegen. Hoe meer hij vroeg, des te meer moest ze te weten zien te komen over zijn donor. Haar spermabank wilde haar geen informatie over de man geven, maar ze vertelden haar wel dat haar zoon minstens drie halfbroers of halfzusjes had.

'Het is een wildgroei,' zegt Kramer als ik haar bel. 'Spermabanken werken hun medische informatie niet bij. Ze delen die informatie niet met de gezinnen; ze weten niet eens wie dat zijn.'

Zodoende besloten Kramer en haar zoon op zekere dag het heft in eigen handen te nemen en het via internet te proberen. Kramer begon een kleine Yahoo-lijst met een bericht dat als kop had: 'Donor 1058?' Daarin stond: 'Ik ben de moeder van een fantastische jongen van tien jaar. Ik weet dat hij minstens drie halfbroers of -zusjes heeft en hij zou graag willen weten waar ze zijn. Ik hoop dat deze lijst ook anderen kan helpen die op zoek zijn naar hun donorkinderen of naar halfbroertjes of -zusjes.'

Ryan werd via deze zoektocht door zijn biologische vader gevonden, maar over dat verhaal kunnen de Kramers niets kwijt, omdat Ryan anders geen relatie met hem kan onderhouden. Intussen zetten honderend andere nakomelingen van donoren de naam van hun spermabank en hun donornummer op de lijst. Sindsdien zijn duizenden personen aan elkaar gekoppeld.

De lijst is nu een website genaamd The Donor Sibling Registry, die is uitgegroeid tot een centraal punt voor het leggen van moderne familieverbanden. Door middel van DNA-tests en google-zoektochten proberen moeders en nakomelingen van donoren hun 'bio-vaders' te achterhalen. Vooralsnog zijn er geen privacywetten die biologische vaders tegen opsporing beschermen, al kan iedere donor natuurlijk weigeren om correspondentie van de moeders of hun kinderen te beantwoorden. Maar in feite zijn veel biologische vaders bereid om zich kenbaar te maken, wat de suggestie wekt dat althans een deel van de donoren lang na de donatie vaag nieuwsgierig blijft, zo niet meer dan dat.

Halfbroers en -zusjes, nakomelingen van donoren en donoren zelf ontmoeten elkaar nu en ontwikkelen hechte of minder hechte banden. Sommigen mailen elkaar foto's en medische informatie; anderen ontmoeten elkaar daadwerkelijk. De vrouwen van Single Mothers By Choice vormen zelfs online-subgroepjes, waarbij het donornummer als webadres wordt gebruikt. Het is een eigenaardig soort cyberpolygamie: sommige van deze grote families – wier enige band een biologische is – treffen elkaar voor familiepicknicks, sturen elkaar nieuwjaarskaarten en organiseren zelfs gigantische familievakanties, waarin halfbroers en -zussen met elkaar kunnen kennismaken en relaties kunnen opbouwen.

Wat voor Wendy Kramer begon als een klein projectje om de nieuwsgierigheid van haar zoon te bevredigen, is uitgegroeid tot een belangrijke bron voor vorming van en inzicht in een nieuw soort familie. Wendy Kramer is nu een nationale woordvoerster voor de rechten van donorkinderen en richt zich vooral op de organisatie van wat ze 'de chaotische en over het algemeen ongereguleerde spermadonorindustrie' noemt.

'Hier in de VS is die niet gereguleerd omdat het big business is,' zegt ze, 'maar in andere landen heeft men publiekelijk de vraag gesteld: wat is in het belang van het kind dat geboren wordt?'

Dat lijkt mij de kernvraag, en ik kan me niet voorstellen dat ik single moeder word voor ik daar een bevredigend antwoord op heb gevonden. Op dit punt denk ik dat ieder kind recht heeft op zoveel informatie over zichzelf en zijn oorsprong als het wil. Ook al blijkt uit onderzoeken en uit mijn gesprekken met mensen dat kinderen van alleenstaande ouders het niet slechter hebben dan kinderen met twee ouders, toch wil ik ervan op aan kunnen dat ik mijn kinderen met een goed gevoel kan vertellen waar ze vandaan zijn gekomen. Stel dat mijn moeder me had verteld dat mijn biologische vader een anonieme spermadonor was, hoe zou ik me daarbij hebben gevoeld? Dat is natuurlijk een niet te beantwoorden vraag – ik heb een echte vader, en ik kan me niet voorstellen dat dat anders zou zijn. Wij zijn de eerste generatie met deze mogelijkheden; we betreden een grotendeels nog niet in kaart gebracht terrein.

Ik moet mezelf er echter aan herinneren dat het moederschap per definitie een niet in kaart gebracht terrein is. Ieder kind is anders, elke relatie is anders. Zelfs onder ideale omstandigheden is de keuze voor het moederschap altijd een sprong in het duister.

Toen Richard Lawson*, een geluidstechnicus uit Zuid-Californië, in de jaren tachtig buisjes sperma afstond aan de California Cryobank, voorzag hij niet hoe zijn leven er jaren later uit zou zien. 'Ik was donor omdat ik met moeite de huur kon betalen en mijn gezin kon onderhouden. Dat was de reden, heel simpel,' zegt hij. 'Mijn vrouw maakte er weleens grapjes over dat er over achttien jaar iemand aan de deur zou kunnen komen.'

Dat grapje werd werkelijkheid.

In 2000 werd hij door de California Cryobank gebeld met de mededeling dat een jonge vrouw op zoek was naar haar biologische vader. Ze vroegen of hij het goed vond dat ze haar zijn adres gaven. Aanvankelijk was Richard stomverbaasd. Hij dacht een paar dagen na over de consequenties van een ontmoeting en besprak het met zijn vrouw.

'De onuitgesproken angst van veel spermadonoren is: "Stel dat een van mijn biologische kinderen in de problemen zit?" of: "Stel dat zijn of haar ouders wreed tegen hem zijn?"' zegt hij. 'Ik weet nog niet zo net of ik ze in een nare situatie zou kunnen laten zitten.'

Ten slotte besloten Richard Lawson en zijn vrouw dat het voor een jongere heel belangrijk is om te weten waar hij of zij vandaan komt, dus Richard besloot de bank het groene licht te geven.

Een paar dagen later kreeg hij een telefoontje van een slimme, montere meid die op slechts een uur afstand woonde. Zijn biologische dochter zat niet bepaald in de problemen. Ze was gelukkig en gezond, was net klaar met de middelbare school en zou in de herfst naar de universiteit gaan. Ze was gewoon nieuwsgierig naar haar biologische oorsprong.

Richard stemde in met een ontmoeting met haar en haar moeder in een plaatselijk winkelcentrum. 'Aanvankelijk was het heel emotioneel,' zei hij. 'En ook een beetje gênant. Daar sta je dan tegenover iemand die je alleen maar ontmoet omdat je genetisch aan haar gerelateerd bent.'

Het schokkendste aspect van de ontmoeting was het feit dat ze zo op elkaar leken. Verder was het een gewone kennismaking, waarbij ze over hun leven praatten en erachter probeerden te komen of ze gemeenschappelijke interesses hadden.

Inmiddels heeft Richard contact met nog twee andere kinderen, die hij zijn dochter en zoon noemt. Ze spreken elkaar regelmatig en gaan een paar keer per jaar bij elkaar op bezoek.

Hoewel Richard zegt dat hij zich niet de vader van deze kinderen voelt in de traditionele, alledaagse betekenis van dat woord, voelt hij wel een sterke band – al is dat niet dezelfde als zijn band met de kinderen die hij met zijn vrouw heeft grootgebracht. 'Ik heb een beschermend gevoel tegenover hen. Ik wil niet dat ze gekwetst worden,' zegt hij over zijn bio-kinderen. 'Maar er is een enorme kloof. Ik heb ze nooit als kind gezien. Ik heb ze nooit in bad gedaan. Je ontwikkelt toch vooral een band door feitelijk bij je kind te zijn.'

Het is dié liefde, het soort dat vorm krijgt door dagelijkse interactie en koestering, waar ieder kind recht op heeft. Natuurlijk krijgt niet iedereen die liefde, ongeacht de vorm van het gezin. Ouders overlijden, ouders gaan scheiden en verlaten het huis, en soms blijven ze wel maar zijn het gewoon slechte ouders. Soms compenseren andere mensen dat gemis: grootouders, ooms en tantes, goede bekenden, stiefouders en peetouders. Wie ben ik om te beweren dat ieder kind het verdient om vanaf het begin van zijn leven zijn of haar biologische vader te kennen?

Toch vraag ik me af wat er gebeurt wanneer het ontbrekende plotseling weer tevoorschijn komt. Welke invloed heeft het op het leven van zowel het kind als de moeder wanneer een biologische vader later alsnog ten tonele verschijnt? Als ik kies voor een anonieme donor, of zelfs voor een donor die bereid is zijn identiteit prijs te geven, hoeft de biologische vader nooit te weten wat hij mist – en hetzelfde geldt voor mijn kind. We zouden dat zo kunnen houden tot mijn kind achttien werd, of misschien voorgoed, als ik, en eventueel mijn kind, daarvoor zou kiezen. Maar met Will of een andere vriend als donor zou dat anders zijn. Stel dat hij na jaren afwezigheid zou besluiten dat hij een rol in ons leven wil spelen? Dan zou iedereen weten wat hij de hele tijd had gemist.

Deze vragen leidden tot een nieuwe zoektocht op internet. Al snel vond ik de New York Sperm Bank en belde ik de directeur, Albert Anouna. Omdat er zoveel alleenstaande vrouwen belden over spermadonatie, zette Anouna in 2005 een nieuw programma op dat donoren met een 'open identiteit' een stapje dichter bij de relatie bracht die ik zou kunnen hebben met Will als biologische vader van mijn kind. Met het oog op het toenemende aantal alleenstaande vrouwen dat een kind krijgt met een mannelijke vriend die niet haar liefdespartner is, besloot hij potentiële moeders de mogelijkheid te bieden al vóór de conceptie van hun nakomelingen hun donor persoonlijk te ontmoeten en spreken. 'Zo kun je vanaf het begin duidelijke keuzes maken,' zegt hij. 'De donor en de ontvanger kunnen informatie uitwisselen en verantwoordelijk zijn tegenover elkaar.'

Een van de eerste rekruten van Anouna was Luc*, een drieëndertigjarige biotechnologisch onderzoeker die met zijn vrouw in Parijs woont. Hij had op internet een artikel gelezen over het toenemend aantal alleenstaande vrouwen op zoek naar een spermadonor en over Anouna's nieuwe programma. Het artikel raakte een humanitaire snaar en hij besloot contact op te nemen met Anouna. 'Het was geen geldkwestie,' vertelt hij me aan de telefoon vanuit Parijs. 'Ik wilde helpen.'

Dat wil echter niet zeggen dat hij wil dat zijn potentiële nakomelingen hem beschouwen als hun 'papa', of hem zelfs zo noemen. 'Om vader te zijn moet er eerst een gezinsverband zijn met een vrouw,' zegt hij. 'De vader is degene die de kinderen opvoedt. Hij is degene die ze richtlijnen geeft voor het leven. Dat is iets anders dan je sperma geven aan een vrouw die geen kinderen kan krijgen, zodat ze toch die kans krijgt. Ik geef mijn genetisch materiaal om te helpen.'

In 2005 was Luc voor zaken in New York en hij besloot een afspraak met Anouna te maken om een eventueel donorschap te bespreken. Als hij in het programma zou worden opgenomen, zou Luc 500 dollar ontvangen als een vrouw zijn sperma kreeg, en nog eens 300 als hij haar persoonlijk zou ontmoeten. Bij die ontmoeting zouden hij en de ontvanger een contract afsluiten waarin hun afspraken over zijn toekomstige relatie met zijn nakomelingen werden vastgelegd.

Na de ontmoeting met Anouna ging Luc terug naar Parijs om het met zijn vrouw te bespreken. In die tijd waren zijn vrouw en hij aan het proberen om kinderen te krijgen, en ook om een kind uit Afrika te adopteren. De eerste vraag die zijn vrouw stelde, was hoe hij zich zou voelen als er ooit een kind zonder moeder aan de deur zou verschijnen en om zijn hulp zou vragen. 'Ik antwoordde dat ik hoopte dat dat niet zou gebeuren,' zegt hij. 'Als een van die kinderen naar me toe zou komen, zou ik hem of haar moeten vertellen dat er een contract was, en dat ik onmogelijk een vader voor hem kon zijn.'

Voordat hij zich helemaal op het donorschap zou kunnen storten, moest Luc echter nog geaccepteerd worden. De procedure hield een reeks genetische en bloedtests in die zes maanden in beslag nam. Sinds 2003 moet sperma dat door spermabanken wordt gebruikt voldoen aan FDA-vereisten. Het moet op hiv en andere besmettelijke en genetische ziekten worden getest, en afhankelijk van de kliniek moet de donor voldoen aan bepaalde vereisten ten aanzien van lengte en gewicht. Het sperma wordt ook getest op een goede mobiliteit en bestendigheid tegen invriezing.

Luc had ook een evaluatiegesprek met een psychiater; de potentiële ouders krijgen toegang tot deze evaluatie als onderdeel van zijn psychologische profiel. 'Dat was goed, omdat ik over mijn angsten met betrekking tot het donorschap kon spreken,' aldus Luc. De psychiater stelde vragen over allerlei zaken, van zijn seksuele geaardheid tot het tijdstip waarop hij 's ochtends wakker wordt, hoe hij ontbijt en of hij van reizen houdt.

'Hij wilde zien of ik evenwichtig was en niet een of andere gek die sperma wil doneren om een superieur ras te creëren of zo.'

De psychiater stelde hem ook veel vragen over zijn jeugd. 'Het was de eerste keer van mijn leven dat ik daarover praatte met een onbekende,' zegt hij. 'Ik heb hem dingen verteld waarover ik niet eens met mijn vrouw spreek.'

Tot zijn eigen verbazing vertelde Luc de arts dat zijn ouders voor zijn geboorte een dochter hadden gekregen die was overleden. 'Hij wilde weten of het verlies van dat kind verband hield met mijn interesse in het donorschap,' zegt hij. 'Ik kan dat niet uitsluiten. Misschien ontbrak er iets aan mijn leven; ik weet nog dat ik als kind mijn ouders om een zusje vroeg.'

Een paar maanden na zijn evaluatie werden Luc en zijn sperma opgenomen in het programma. Hij doneerde twintig buisjes sperma die direct werden ingevroren. Vervolgens kreeg Luc op zekere dag een telefoontje van Anouna, die hem vertelde dat Amy*, een van zijn patiëntes, geïnteresseerd was in zijn sperma. Anouna vertelde hem niet zoveel, alleen maar dat ze een arts uit West-Texas was die alleen woonde met haar zoon, en dat ze hem een broertje of zusje wilde geven. Anouna had haar het rapport van de psychiater gegeven, met een foto, een fysieke beschrijving en zijn medische voorgeschiedenis erbij, en ze wilde hem graag spreken.

'Hij vroeg me of hij haar mijn contactinformatie mocht geven,' zegt hij. 'Ik zei dat ze me mocht bellen of mailen.'

De twee raakten per e-mail in gesprek. Amy stuurde Luc een mailtje waarin ze vertelde hoe blij ze was dat iemand haar wilde helpen. 'Het is zo'n geschenk,' schreef ze, en ze stuurde hem een lange lijst vragen over zijn grootouders, van hun haarkleur en lengte tot hun karaktertrekken. 'We mailden zo'n tien keer over en weer,' vertelt Luc.

Anouna's programma is erop gericht dat de moeder haar potentiële donor voorafgaand aan de inseminatie persoonlijk ontmoet. Vanwege de afstand Parijs-Texas besloot Amy echter dat ze al genoeg informatie had om verder te gaan zonder een daadwerkelijke ontmoeting.

Amy vertelt me later dat Anouna's programma haar aansprak omdat ze zeventig pagina's informatie over Luc ontving. 'Ik zou je kunnen vertellen of hij liever pretzels eet of maïschips,' licht ze toe.

Nadat ook Luc verklaarde dat hij vertrouwen had in de regeling zonder persoonlijke ontmoeting vooraf, tekenden ze beiden een contract via de bank, waarin Luc ermee instemde zijn nakomeling in de toekomst te ontmoeten indien hij of zij dat wilde.

'Ik kon kiezen,' zei Luc. 'Ik zei: doe maar.'

Luc realiseerde zich echter pas wat de implicaties daarvan waren toen hij een paar maanden later door Central Park wandelde met de moeder van zijn kroost. Vier maanden na hun telefoongesprek kwamen Luc en Amy er al e-mailend achter dat ze in dezelfde week in New York zouden zijn. Ze spraken af op een zaterdagmiddag in Central Park, bij de ijsbaan. Omdat Amy hem wilde ontmoeten, ging Luc ervan uit dat de inseminatie succesvol was geweest. En dat klopte. Maar vanaf het moment waarop ze zich aan elkaar voorstelden, viel Luc van de ene grote verbazing in de andere.

'Je ziet er prachtig uit,' zei hij met een blik op haar buik.

'O, maar ík ben niet zwanger,' antwoordde Amy onmiddellijk. 'Dat is een draagmoeder in Californië.'

'Niet jij? Waarom niet?' vroeg Luc.

Amy legde uit dat ze een medisch probleem had waardoor het voor haar onmogelijk was zelf een kind te krijgen, maar dat haar eicellen wel bevrucht konden worden, en dat ze daarom had besloten een draagmoeder in te huren. Het inschakelen van een draagmoeder was in Texas niet toegestaan voor alleenstaande vrouwen, had Amy ontdekt. Zodoende had ze via internet een draagmoeder gezocht in Californië, waar het wel mocht. De twee vrouwen sloten een overeenkomst waarin stond dat de draagmoeder de baby zou dragen die was geconcipieerd met Amy's eicellen en Lucs sperma.

Het sperma was van New York naar Californië overgevlogen, waar Amy een ivf-behandeling had ondergaan. Twee embryo's uit haar eicellen en Lucs sperma werden vervolgens geïmplanteerd in de baarmoeder van de draagmoeder. Daarnaast had Amy acht embryo's laten invriezen en opslaan.

De draagmoeder was nu vier maanden zwanger.

'Hoe ga je dat uitleggen aan de kinderen?' vroeg Luc.

'O, gewoon,' zei ze. 'Als ze oud genoeg zijn om het te begrijpen, leg ik ze uit dat ze in Californië zijn geboren en een genetische vader in Frankrijk hebben.'

Luc nam genoegen met dit antwoord, maar hoe langer hij nadacht over de mogelijke consequenties, hoe meer hij het gevoel had dat zijn humanitaire impuls ietwat naïef was geweest.

'Ben je bereid hen in de toekomst te ontmoeten?' vroeg Amy.

'Waarom niet?' zei hij, niet zeker waar hij zich mee had ingelaten.

De ontmoeting in het park stelde hen in staat een morele overeenkomst te sluiten naast het niet-bindende wettelijke contract dat ze via de New York Sperm Bank hadden ondertekend. 'We besloten dat een eventuele ontmoeting met de kinderen in een park of een hotel zal plaatsvinden,' zegt Luc. 'Ik zal mijn vrouw vragen erbij aanwezig te zijn. Daar zou ik me prettiger bij voelen.'

Aan het eind van de ontmoeting schudden ze elkaar de hand en ging ieder zijns weegs. Maar er was iets wat Luc niet lekker zat: de extra ingevroren embryo's. Tijdens hun ontmoeting had Amy aan Luc gevraagd of hij er bezwaar tegen zou hebben als ze die aan andere vrouwen doneerde die er behoefte aan hadden. Tegenwoordig zijn er veel organisaties die 'adoptie van embryo's' aanbieden, ook al staat de American Society for Reproductive Medicine niet achter het gebruik van het woord 'adoptie' in de advertenties van deze bedrijven. (Veel van deze bureaus zijn in feite religieuze organisaties die tegen abortus zijn. Ze proberen te voorkomen dat de embryo's worden gedoneerd voor stamcelonderzoek of worden weggegooid.)

'Niemand heeft me voor dit soort situaties gewaarschuwd,' zegt Luc. 'Als ik de kans had gehad dit van tevoren in het contract vast te leggen, zou ik hebben gezegd dat ik niet wilde dat andere vrouwen toegang hadden tot die embryo's. Ik had liever gehad dat ze die beschikbaar had gesteld voor stamcelonderzoek of had weggegooid.'

Luc had zijn sperma aan Amy verkocht zoals iedere andere anonieme donor en juridisch gezien kan ze ermee doen wat ze wil. Maar zijn verhaal werpt wel de vraag op of dit soort donorschap met grotere betrokkenheid wellicht een nieuw soort contract vereist, dat de biologische vader ruimere rechten toekent bij het bepalen wat de moeder al dan niet met zijn sperma mag doen.

Vijf maanden na de ontmoeting van Luc en Amy in Central Park baarde de draagmoeder in Californië een twee-eiige meisjestweeling. Toen de tweeling twee maanden oud was, stuurde

Amy Luc foto's per e-mail. Een van de baby's had een olijfkleurige huid. In het bericht vroeg ze hem of hij wist waar die donkere huid vandaan kwam.

'Waarschijnlijk van mijn grootvader uit het zuiden van Frankrijk. Hij was altijd heel bruin,' schreef Luc terug. Amy stelde voor om met de tweeling naar Frankrijk te komen als ze een jaar waren, zodat ze de man konden ontmoeten aan wie ze hun leven dankten.

'Ze wil dat de meisjes me leren kennen, maar ze wil niet dat ze denken dat ik hun vader ben,' zegt hij. 'Dat is wel raar. We zullen wel zien als we elkaar ontmoeten.'

Hoewel Luc zichzelf ook niet in traditionele zin als de vader van de tweeling beschouwt, is hij wel van plan hun in de toekomst advies te geven als ze daarom vragen, en hun zijn fysieke affectie te tonen.

'Ze mogen me best knuffelen en bij me op schoot zitten,' zegt hij. 'Ik zal ze zo'n beetje zien als de kinderen van mijn vrienden, maar wel iets anders, omdat ze op mij lijken. Maar als het de verkeerde kant op gaat en ik merk dat de meisjes me als hun echte vader behandelen, zal ik dat een halt toeroepen. Dan zal ik tegen hun moeder zeggen dat ze hun moet uitleggen dat ze me niet "papa" kunnen noemen.'

Een paar maanden later werd de verstandhouding tussen Luc en Amy grondig verstoord toen Amy Luc een e-mail stuurde waarin ze meedeelde dat ze een echtpaar had gevonden dat de resterende embryo's wilde adopteren. Ze vroeg Luc of hij ermee instemde contact met het echtpaar te hebben.

'Ik heb de e-mail gewoon gesloten en er niet op gereageerd,' zegt hij. 'Ik heb geen zin om contact te onderhouden met tien andere gezinnen. Ik denk dat ik een beetje naïef ben geweest.'

De tijd zal leren wat de toekomst in petto heeft voor Luc, Amy en hun kinderen. Misschien zal Amy weer contact met hem opnemen als ze van plan is naar Parijs te komen, en misschien zal hij het gevoel hebben dat hij in verbinding met haar moet blijven.

Het lijkt me dat iedere nieuwe spermadonor en draagmoeder de morele code van hun relatie gaandeweg moeten ontwikkelen. Het besluit om met iemand anders een leven te creëren is altijd ingrijpend en persoonlijk, zelfs als het begint met een man die in een bekertje masturbeert. Ik realiseer me dat Will en ik, mochten we hiervoor kiezen, heel wat tijd zouden moeten steken in het doordenken van ons contract, en alle mogelijkheden met elkaar zouden moeten bespreken. Ik besef hoe slim het van Sarah was om mogelijke scenario's in een rollenspel door te nemen met de biologische vader van haar kind. Natuurlijk kun je de dingen maar tot op zekere hoogte plannen – of dat nu met een echtgenoot, een levenspartner of een biologische vader is. Net zoals er geen garantie is ten aanzien van het kind dat ontstaat, is er ook geen garantie met betrekking tot de vraag hoe welke relatie dan ook op de lange termijn zal uitpakken.

Will en ik zitten tegenover elkaar te ontbijten in een café bij mij in de buurt. Het is ongeveer zes maanden geleden dat ik hem de grote vraag heb gesteld en ik vraag me nerveus af wat zijn antwoord is. Na alles wat ik heb gehoord over gecompliceerde relaties en juridisch getouwtrek ben ik tot de conclusie gekomen dat een anonieme donor de helderste keuze is, zelfs als het betekent dat ik de vader van mijn kind niet persoonlijk van nabij ken. Maar hoewel ik zeer sceptisch sta tegenover alles wat komt kijken bij het alleenstaand moederschap met een bekende donor, wil ik toch graag dat Will me die mogelijkheid geeft.

Van de zenuwen trap ik af en toe per ongeluk onder tafel met mijn scherpe hak tegen Wills been. We kletsen wat, maar het is duidelijk waarom we hier zitten. Na tien minuten val ik stil.

'Eh,' zegt hij. 'Ik kan het niet.'

De moed zinkt me in de schoenen, ook al weet ik diep vanbinnen dat hij gelijk heeft. Maar in plaats van naar hem te luisteren, val ik hem in de rede en probeer ik hem af te kappen, alsof dit een uitmaakgesprek is en ik de rollen omdraai zodat ik de uitmaker ben en niet het lijdend voorwerp.

'Ik kan het ook niet,' zeg ik. 'Ik heb zitten denken over alle mogelijke gevolgen. Stel dat ik een kind zou krijgen en we in ons contract zetten dat jij geen enkele financiële of dagelijkse verplichting had, dat je alleen maar een zijdelingse rol zou spelen in het leven van mijn kind, maar dat je later van gedachten zou veranderen en meer betrokken wilde zijn? Stel dat ik verliefd werd op een man die ons kind zou willen adopteren, wat zou jouw rol dan zijn?'

Zo ratel ik een paar minuten door, tot ik merk dat Will duidelijk geïrriteerd is.

'Dit gaat niet alleen over jou,' bijt hij me toe. 'Je laat me niet eens uitpraten.'

Hij heeft gelijk. Ik houd mijn mond.

'Ik wil je graag helpen en ik gun het je echt,' zegt hij. 'Maar ik kan niet een kind op de wereld zetten en dan de rol spelen van een afstandelijke of zelfs geheime vader. Ik vind dat niet eerlijk ten opzichte van het kind.'

Hij vertelt me hoe belangrijk zijn relatie met zijn vader was en zegt dat hij zich niet kan voorstellen een kind op de wereld te zetten als hij niet de actieve vaderrol kan spelen. Zijn ouders gingen scheiden toen hij drie was en zijn moeder nam het grootste deel van de zorg voor hem op zich. Zijn vader woonde aan de andere kant van de vs. Het doneren van zijn sperma aan mij komt hem voor als een andere route naar dezelfde slechte situatie voor een kind.

'Het is niet zo dat je hebt besloten dat je verliefd op me bent en me vertelt dat je een kind van me wilt. Je vraagt me om mijn sperma.'

Hij gaat verder. 'Volgens mij creëer je door me dit te vragen een verwarrende situatie, in plaats van de uitdaging aan te gaan waarmee je geconfronteerd wordt: de juiste man zien te vinden om de vader te zijn voor je kind. Je bent bang dat je te laat zult zijn.'

Eerst wil ik in de verdediging gaan, maar dan realiseer ik me dat hij gelijk heeft. Ik maak me zorgen over de tijd, en ik probeer een alternatief te vinden voor hetgeen ik werkelijk moet doen, en wel: gericht gaan zoeken naar de juiste relatie.

Dan stelt hij me nog een vraag. 'Is dit allemaal jouw omslachtige manier om mij te vertellen dat je verliefd op me bent?'

Will heeft de neiging diep filosofische vragen te stellen.

'Nee, ik ben niet verliefd op je,' zeg ik eerlijk. Ik ben dol op Will, maar niet zoals bij andere vriendjes. In het verleden heb ik me daartegen verzet omdat Will en ik zo dicht bij elkaar staan dat het vaak lijkt alsof we stapelverliefd op elkaar zouden móéten zijn, al is dat niet zo.

'Weet je,' zeg ik met een glimlach, 'ik denk dat als je me je sperma had aangeboden, ik dat zo'n gulle daad zou hebben gevonden dat ik misschien wel verliefd op je was geworden.'

Hij lacht ook.

Ik ben opgelucht nu ik weet dat ik een klein stapje verder ben in mijn zoektocht en dichter ben bij wat ik zoek.

Wills beslissing en ons gesprek hebben me geholpen in te zien dat ik niet bereid ben om liefde los te koppelen van het moederschap. Ik ben er op dit punt van mijn leven nog niet aan toe om single moeder te worden. Ik moet nog groeien en ontdekken hoe ik romantische relaties beleef voordat ik klaar ben om mijn gezin te vormen. Misschien ga ik er anders tegenaan kijken als mijn vruchtbare tijd ten einde loopt. Maar nu ben ik opgelucht.

5
Zalig nietsdoen

Buiten vriest het, het is een van die februaridagen waarop de trottoirs van de stad schitteren en warmer lijken dan de lucht. Ik zit voor het raam van mijn appartement te staren naar de roze-met-oranje zonsondergang boven de glasrijke gebouwen van Hoboken, New Jersey. In de verte maakt een zwerm duiven een cirkelvormige duikvlucht boven de daken van de West Village. Het waait en het stukje Hudsonrivier dat ik vanuit mijn raam kan zien is bespikkeld met schuimkoppen.

Gewoonlijk hou ik van dit uitzicht, mijn portie van de wereld. Met name op dit tijdstip, als het gouden licht het fletsrode baksteen van het oude AT&T-gebouw verwarmt. Als ik bezorgd of verdrietig ben of een belangrijke beslissing moet nemen, maken licht en water me rustig.

Maar vandaag heeft het uitzicht geen kalmerende uitwerking. Ik ben gestrest en het is me allemaal te veel; mijn stukje van de wereld voelt krap en claustrofobisch. Een paar dagen eerder heb ik Will aan de telefoon gesproken en hem verteld hoe neerslachtig ik me voel. Niet vanwege de spermakwestie – daar ben ik vooralsnog wel zo'n beetje uit – maar omdat ik moe ben van al het gepieker over een gezin en de toekomst. Ik heb genoeg van het daten en van de druk die ik op mezelf heb gelegd om binnen afzienbare tijd een gezin te stichten.

Will voelde met me mee. Hij vertelde me dat hij over een

paar weken met twee vrienden naar het Península de Osa in Costa Rica zou gaan en nodigde me uit mee te gaan om er even uit te zijn. Maar ik vind het niet zo'n prettig idee om de enige vrouw te zijn in een groepje mannen; ik ben bang het vijfde wiel aan de wagen te zijn.

Als ik me zo verward voel, bel ik meestal mijn vriendin Mollie. Zij is de vriendin met wie ik het hardste kan lachen; we hebben een vergelijkbaar absurde kijk op de wereld. Zij is ook de vriendin die constant een ronde op me voor lijkt te liggen als het gaat om relaties. Terwijl ik al die tijd op zoek was naar liefde is Mollie getrouwd, gescheiden en weer verliefd geworden, tweemaal, geloof ik. Ze staat op het punt om met haar nieuwste liefde naar Nieuw-Zeeland te verhuizen, gewoon om eens te kijken hoe het leven als 'kiwi' bevalt. Mollies leefstijl herinnert je er continu aan dat huwelijk en geluk niet hetzelfde zijn. Mollies uitbundigheid komt van binnenuit, ongeacht de vraag of ze een relatie heeft of niet.

Een van mijn beste herinneringen met Mollie is een weekend dat we samen in het huis van haar ouders in Martha's Vineyard hebben doorgebracht. Op een middag gingen we in plastic kajaks naar haar lievelingsplek in de baai om bij eb strandgapers te zoeken. Mollie is een expert, ze haalde om de minuut een nieuwe strandgaper uit de grond, terwijl ik bovenkwam met niks.

'Ik vind er nooit een, ik vind er nooit een,' klaagde ik.

Aan het eind van de middag zat mijn bikini onder de zilte modder van de zee. We besloten naar huis te gaan. Maar net toen ik in mijn kajak stapte, trapte ik op iets hards. Ik bukte me, woelde rond in het zand en haalde de grootste strandgaper tevoorschijn die ik van mijn leven heb gezien.

'Mollie, kijk!' gilde ik terwijl ik een joekel van ruim twee kilo omhooghield.

'Wauw, je hebt de moeder van alle strandgapers gevonden,' zei ze met een uitgestreken gezicht.

We vielen in de modder van het lachen.

Mollie is een van die hypersensitieve mensen die altijd begrijpen in wat voor stemming ik ben zonder dat ik al te veel hoef uit te leggen. Dus vandaag bel ik haar op en zeg: 'Ik weet niet... Ik voel me zo beklemd en gestrest over de toekomst.'

Ze denkt een paar seconden na en antwoordt: 'Volgens mij moet je de dingen wat meer loslaten, gewoon leven en rustig zijn,' zegt ze.

Mijn eerste vraag is natuurlijk hoe ik dat voor elkaar moet krijgen. Rustig zijn is nooit mijn sterkste punt geweest, in feite is mijn hele persoonlijkheid daarmee in strijd. Als kind was ik al een waaghals en een avonturier. Volgens de theorie van mijn vader komt dat doordat ik als baby van zes maanden een keer midden in de nacht door mijn ouders uit bed werd gehaald om de eerste vlucht naar Puerto Rico te nemen. 'Je vond het fantastisch om wakker te zijn en ergens naartoe te gaan terwijl alle anderen in bed lagen.'

En zo ben ik al zolang ik me kan herinneren, gefascineerd door het onbekende. Een gletsjer beklimmen in de Trinity Alps in Noord-Californië, een kijkje nemen in een marmermijn in West-Portugal, kajakken op de zee van Cortez, kamperen tijdens een onweersbui op een zwart strand op het grote eiland van Hawaii of onder een roze parasol dansen in de Black Rockwoestijn van Nevada tijdens het Burning Man Festival – dat zijn de belevenissen waarbij ik me helemaal in mijn element voelde.

Sinds ik naar New York ben teruggekeerd om me op mijn carrière te richten, heb ik het gevoel dat ik die meer avontuurlijke kant van mijn persoonlijkheid uit het oog heb verloren, alsof dat iets is wat ik moet loslaten om serieuzer, gerichter en volwassener te worden. En al die tijd die ik heb verspild aan het zoeken naar de ware heeft ook niet geholpen. Daten met een vooropgezet plan is absoluut tijdverslindend.

Ik besef dat ze met 'rustig zijn' ironisch genoeg bedoelt dat ik opnieuw moet leren in het nu te leven en niet zo krampachtig te doen over de toekomst, alsof huwelijk en kinderen de enige weg zijn om in de ogen van mijn leeftijdgenoten een echte volwassen vrouw te worden. Ik zeg tegen Mollie dat ze gelijk heeft. Ik moet gaan genieten van het single-zijn, het zien als een positieve, vrije ervaring in plaats van erin vast te roesten en het mezelf kwalijk te nemen dat ik niet de dingen heb bereikt die worden gezien als de sleutel tot een gelukkig leven.

Trouwens, wie weet eigenlijk of die sleutel werkt? Het echtscheidingspercentage in Amerika is verbijsterend, en ik ken massa's vrouwen – vriendinnen, weduwen, gescheiden vrouwen – die in hun eentje volmaakt gelukkig lijken te zijn. Als Mollie me eraan herinnert dat zij na haar scheiding merkte dat trouwen om maar een gezin te kunnen vormen ook niet alles was, stuur ik het gesprek die kant op. Zelfs al denk je dat je de ware gevonden hebt, dan weet je nog niet of je leven daarna volgens plan verloopt, zegt ze.

Mollie heeft natuurlijk gelijk. Hoewel ik persoonlijk geloof dat het leven fijner is met een liefhebbende partner, schijnen een heleboel vrouwen daar anders over te denken – vooral nadat ze de verkeerde partner hebben gekozen.

Veel wijst er trouwens op dat het bereiken van een zogenaamd gelukkig leven – een monogame relatie en kinderen – wellicht helemaal niet zo gelukkig maakt. In zijn boek *Gross National Happiness* betoogt Arthur C. Brooks op basis van uitgebreid onderzoek en ingewikkelde rekensommen dat getrouwde mensen in het algemeen weliswaar iets hoger scoren dan ongetrouwde als hun wordt gevraagd of ze gelukkig zijn, maar dat het hebben van kinderen hen óngelukkiger maakt. 'Uit de gegevens blijkt dat het huwelijksgeluk een duikvlucht maakt als een stel dat voorheen kinderloos was hun eerste kind krijgt, en verder daalt tot rond de tijd dat het oudste kind naar school gaat.' Hij concludeert ook dat het geluk van een stel opnieuw keldert wanneer de kinderen in de puberteit komen en pas weer op het niveau van voor het ouderschap komt als de jongste het huis heeft verlaten. Zijn voornaamste bevinding is misschien wel dat mensen die besluiten geen kinderen te krijgen in hun latere leven even gelukkig zijn als de mensen die wel kinderen kregen – en geen spijt hebben van hun besluit.

Ik vertel Mollie dat dit doel waar ik zo door geobsedeerd ben misschien niet eens het antwoord is dat ik zoek, dat ik misschien gewoon mijn energie erop moet richten om nu gelukkig te zijn zoals ik ben.

Ik begin te denken dat een reisje naar Costa Rica misschien helemaal niet zo'n slecht idee is, en ik vertel Mollie over de uitnodiging.

'Doen!' zegt ze.

Misschien is dit mijn kans om tot rust te komen.

Een paar weken later landt mijn vliegtuig op een met gras begroeide landingsbaan in het stadje Puerto Jimenez aan de pacifische kust van Costa Rica. Will, zijn beste studievriend Dan* en Pete*, een nieuwe vriend van Will uit het retraitecentrum, komen me afhalen van het vliegveld. Will heeft zijn hoofd nu helemaal kaalgeschoren; kennelijk begint hij beter in zijn rol te komen.

Ik stap in de fourwheeldrive die ze hebben gehuurd. Uit de cd-speler schalt Mos Def, en we hobbelen over een oneffen zandweg langs velden vol palmbomen en grazende koeien het oerwoud in, tot we bij een huis komen. 'Welkom,' zegt Will en hij gebaart naar een groen gazon vol amandelbomen, felrode bloemen en een door palmbomen gevormde boog die een kijkje biedt op een zwart strand en het helderblauwe water van de Golfo Dulce.

Casa Bambu, een open, van zonne-energie voorzien huis van lokale bamboe, heeft een enorme keuken en aan de voorkant een met horren afgeschermde veranda waar een hangmat hangt. Het lijkt een beeld uit *The Swiss Family Robinson*. Ik heb mijn bagage nog niet neergezet of ik vlij me in de hangmat en kijk uit over het water. Ik hoor het leeuwachtige geluid van de brulapen en het gepiep en gesnerp van oerwoudinsecten, boomkikkers en ara's die in verre bomen zitten.

In de week die volgt ben ik urenlang alleen, ik banjer door getijdenpoelen met Al Green op mijn iPod of drijf op mijn rug in het water en kijk naar de lucht. Een middag breng ik samen met Will door met van een rots in zee springen vlak bij ons huis. Op een andere ochtend wekt zijn vriend Pete me om vijf uur en kajakken we naar het midden van de Golf om onze lunch te vangen.

Al dit speelse plezier herinnert me aan de tijd die ik als kind doorbracht met mijn vader. Toen ik klein was, hadden we samen een dagelijks ritueel dat we het 'doe-uurtje' noemden, als hij klaar was met zijn werk en zich helemaal wijdde aan een activiteit samen met mij. In een zomer leerde hij me vliegvissen achter ons huis.

'Langzaam binnenhalen,' zei hij altijd.

Op een middag haal ik de jongens over om te gaan surfcasten op een afgelegen strand een paar kilometer verderop. Als ik een enorme ruk aan mijn hengel voel, joelen en juichen de jongens terwijl ik het ding tussen mijn benen klem en mijn vangst langzaam binnenhaal. Maar de vis raakt los, en natuurlijk word ik vervolgens eindeloos geplaagd met de ontsnapte buit. Die avond, teleurgesteld omdat ik de vis niet mee naar huis kon nemen, heb ik inspiratie voor het koken van een enorme pan boeuf bourguignon. Ik bereid het gerecht met plaatselijke bramen en serveer het op een enorm palmblad. Terwijl we aan tafel zitten te eten en te lachen, realiseer ik me dat ik niet langer pieker over het vormen van een gezin. Zolang ik hier ben, zijn Will, Dan en Pete gewoon mijn gezin. Bij hen ben ik meer mezelf, mijn echte zelf, dan ik in lange tijd ben geweest. Ik ben moederlijk, verzorgend, sexy en *one of the guys* – alles tegelijk. Ik voel wat de Costa Ricanen omschrijven als *pura vida*: puur leven.

Mijn trip naar Costa Rica heeft mijn reislust gewekt. Terug in New York besluit ik een datevrije periode in te lassen. Ik sluit me niet helemaal af voor een relatie als die zich van nature ontwikkelt, ik probeer alleen niet zo krampachtig er een te krijgen. In plaats daarvan ga ik het komend jaar wijden aan *pura vida*. Ik realiseer me echter wel dat rust moeilijk te vinden is als je in New York woont, met alle sociale druk die daarbij hoort. Daarom besluit ik me deze lente te concentreren op het verwerven van meer reisopdrachten, waardoor ik uit mijn eigen wereldje gehaald word.

Aan het begin van de zomer maak ik plannen voor een reis naar Zuid-Afrika om over een nieuwe safarilodge te schrijven. Ik ben nog nooit in Afrika geweest. Ik was er het dichtst bij in de buurt toen ik een giraffe in een kooi in de Bronx Zoo zag, waar mijn vader me als kind in het weekend weleens mee naartoe nam. Giraffes vond ik prachtig. Ik was dan ook buiten mezelf van blijdschap toen een vriendin van mijn ouders me na terugkeer van een safari in Oost-Afrika belde om me te vertellen dat ze een giraffe als cadeautje voor me had gekocht en die zou meebrengen als ze de volgende keer bij ons kwam. Ik stelde me een giraffe voor die in de achtertuin zou wonen. Dagenlang had ik het erover dat ik hem zou uitlaten aan een heel lange lijn, hem vanuit de boomhut over zijn kop zou aaien en hem grote esdoornbladeren zou voeren.

Toen de vriendin met het cadeau kwam, was ik diep teleurgesteld. Het was een acht centimeter hoge speelgoedgiraffe van een soort Afrikaans gras, gevernist zodat zijn nek niet voorover viel. Uit beleefdheid speelde ik er een paar minuten mee. Ik liet hem mijn speelkamer rondlopen en deed alsof een kamerplant een grote Afrikaanse boom was. Maar de onbeweeglijkheid ervan was saai en al snel liet ik hem achter op een plank. Ik ging liever in mijn boomhut spelen dat ik mijn eigen echte giraffe knuffelde en te eten gaf.

In latere jaren ontwikkelde mijn idee van Afrika zich van het geboorteland van mijn fantasiegiraffe tot de fantasieën van anderen die er kleur en vorm aan gaven. Het was de plaats waar Peter Beard foto's nam van Turkanaherders die samenleefden met Nijlkrokodillen, waar in Ralph Lauren-advertenties elegante blanke mannen in kaki kleding hun in bont gehulde blonde echtgenotes meenamen op glamourvolle safari's.

Het was ook de plaats waar mijn heldinnen naartoe gingen. Op de middelbare school en de universiteit las ik *Out of Africa* van Isak Dinesen en hoorde ik over Dianne Fosseys werk met gorilla's en Jane Goodalls onderzoek onder chimpansees. Die vrouwen inspireerden mijn gevoel voor avontuur. Hun onaflatende toewijding aan hun zaak leerde me mijn passies te volgen. Deze vrouwen hadden intense liefdesaffaires, maar ze lieten zich door die relaties nooit verteren of beheersen. Hun liefdesleven werd altijd gevormd door hun eigen dromen en hun relatie met het land en de dieren. Afrika werd voor mij het symbool van de ultieme vrijheid en onafhankelijkheid.

Al voordat ik in september in Zuid-Afrika aankom, ontdek ik dat daar een revolutie gaande is in de rolverdeling tussen man en vrouw. In een land waar het vrouwen tot 1979 wettelijk verboden was om alleen een café binnen te gaan en mannen hun geen drank mochten schenken, runnen vrouwelijke ondernemers nu hun eigen bedrijven, creëren nieuwe banen en nemen het voortouw bij gemeenschapsprojecten in achtergebleven zwarte townships. Ik hoor daarover in het vliegtuig van New York naar Johannesburg, waar ik kennismaak met een spraakzame Zoeloevrouw die me vertelt dat ze samen met een blanke vrouwelijke partner haar eigen pr-bureau runt. Door hun toenemende economische onafhankelijkheid blijven veel vrouwen op zichzelf; trouwen en kinderen krijgen doen ze pas op latere leeftijd. De vrouw die ik spreek is midden dertig en single.

Na aankomst in Johannesburg maak ik in mijn hotel kennis met Erik, een gids van het Zuid-Afrikaanse bureau voor toerisme. Hij is roodharig en heeft de ietwat absurde formele manieren van een Monty Python-personage. Een paar dagen lang begeleidt hij me naar enkele restaurants in de stad, naar voormalige townships en naar het nieuwe apartheidsmuseum. Terwijl we rondrijden zie ik jonge meisjes, zwart en blank, die op voetbalvelden spelen. Het valt me ook op dat Zuid-Afrikaanse vrouwen westerse kleding dragen, zoals lage heupjeans.

Vanuit Johannesburg vliegen we naar Kaapstad, waar ik een paar dagen de stad verken en onder andere een fantastische middag bij de pinguïns doorbreng vlak bij Kaap de Goede Hoop. De volgende ochtend vliegen we heel vroeg naar Durban, waarna we een paar uur in zuidelijke richting rijden naar de Safari Lodge in St. Lucia, een natuurpark in een watergebied bij de Indische Oceaan. Daar ontmoeten we Hayden, een lange, zeer macho safarigids.

Een paar dagen na aankomst zit ik 's avonds laat in de bar van de lodge met Hayden en Erik. Aangeschoten als ik ben spreek ik met ze af dat ik de volgende dag meega op wandelsafari in het Hluhluwe Game Reserve, een plaatselijk wildpark vol olifanten, impala's, leeuwen en giraffes. Het park bevat bovendien het grootste aantal met uitsterven bedreigde zwarte en witte neushoorns van heel Afrika.

Het is een ongewone – en niet geheel veilige – manier om de wereld te bekijken. De meeste toeristen zien de Afrikaanse wildernis door de lens van een camera terwijl ze er in een jeep of minibus doorheen rijden. Wij gaan daarentegen te voet met een Zoeloe-spoorzoeker. We zullen in het voetspoor van dieren lopen, zoals traditionele jagers wier kennis van generatie op generatie wordt doorgegeven.

'Zo is er geen barrière tussen jou en de dieren,' legt Erik uit.

Ik ben nerveus, maar ik denk aan mijn giraffe. Nu kom ik in zijn achtertuin, zo dicht mogelijk bij dat ideaal van me, de vrijheid van Afrika.

De volgende dag vertrekken we bij dageraad en treffen we onze spoorzoeker, meneer Zwane, een Zoeloe, bij de ingang van het wildpark. Hij heeft een dikke ronde buik, wat volgens

Hayden onder Zoeloes een teken van welvaart en gezag is.

Het is een heldere dag en de zon begint de grond te verwarmen. Op het zuidelijk halfrond is de lente net begonnen en de eerste blaadjes verschijnen aan de paraplu-acacia's.

Erik overhandigt me een verklaring van afstand en vraag me die te tekenen. In de verklaring staat kort gezegd dat het park niet verantwoordelijk is als mij iets overkomt tijdens mijn safari.

'Bijvoorbeeld wanneer ik aangevallen word door een leeuw?' vraag ik.

'Ja,' zegt Erik eerlijk.

Ik zie er waarschijnlijk gespannen uit, want hij verzekert me dat mensenetende roofdieren gewoonlijk uit de buurt blijven van wandelsafari's. Ook vertelt hij me dat meneer Zwane de beste spoorzoeker in het gebied is en weet hoe hij ons van de wind af moet houden, zodat de dieren onze geur niet opvangen. Ik voel me gerustgesteld, maar dan zegt Hayden dat ik een dik jack aan moet trekken om beter beschermd te zijn tegen schrammen van takken – of erger.

Ik graaf in mijn reistas en trek mijn spijkerjack aan. Ik ben nerveus, maar ik besluit dat ik geen keuze heb en mezelf moet overgeven aan mijn lot. Als dit geen puur leven is, weet ik het ook niet meer. Ik weet dat ik moet ophouden alles de hele tijd onder controle te willen hebben.

Voordat we op pad gaan, vertelt meneer Zwane ons dat we, mochten we een dreigend dier zien, geen vin moeten verroeren. 'Wat er ook gebeurt, ren niet weg en kom niet te dichtbij,' zegt hij. Hij draagt ons ook op om te allen tijde absoluut stil te blijven. Dat wordt nog moeilijk: ik ben ongeveer even goed in mijn mond houden als in rustig zijn. Hij zegt dat we, als we iets tegen hem willen zeggen, tweemaal met onze tong moeten klakken.

'De Afrikaanse natuur is noch je vriend, noch je vijand, maar als je een fout maakt is ze meedogenloos,' zegt Hayden. 'Gewoonlijk zijn het de respectloze mensen die hun zelfbeheersing verliezen.'

We begeven ons op een smal pad dat is gemaakt door impala's, kleine antilopen met een roodbruine vacht en een verticale zwarte streep op het midden van hun rug. Het gras aan weerszijden van het pad staat vol gele en roze protea's, bloemen zo groot als een bierpul, die eruitzien als prehistorische speldenkussens. We lopen in stilte. Ik zorg dat ik vlak achter meneer Zwane blijf. Ik houd mijn blik gevestigd op zijn jachtgeweer en de grote gouden kogels in zijn munitieriem.

Af en toe stopt meneer Zwane even en wijst hij op verschillende soorten uitwerpselen van dieren op het pad. Hij fluistert de Zoeloewoorden en vertaalt ze dan in het Engels. *Indlulamithi*, giraffe. *Indlovu*, olifant.

Op zeker moment wijst Hayden naar een boom. Aan de takken ervan hangen honderden roodachtige vogelnesten die eruitzien als gebreide sokken. Hij zegt dat het mannetje de nesten bouwt; als het vrouwtje niet tevreden is, kan ze hem dwingen het nest opnieuw te bouwen, soms wel tien keer, net zolang tot ze het goedkeurt. 'Zo zou het bij mensen ook moeten gaan,' fluister ik hem schalks toe.

Hij kijkt quasi wanhopig omhoog. 'Mijn vrouw zou het daar volkomen mee eens zijn.'

Na ongeveer een uur bedaren mijn zenuwen. Het begint warm te worden en mijn gedachten dwalen af. Ik denk aan die leuke jongen met wie ik heb geflirt – en die ik graag had willen kussen – 's avonds bij een drankje in het hotel in Kaapstad, aan de mail die ik moet beantwoorden, rekeningen die ik moet betalen en hoe ver ik me voel van de drukke straten van New York.

Plotseling staat meneer Zwane stil, hij klakt met zijn tong en wijst naar voren.

'*Imkhomb*,' fluistert hij.

Ik kijk achter hem. Een kleine twintig meter van hem af staat een witte neushoorn in een open veld te grazen. Ik zie zijn dikke, prehistorische vel en zijn massieve hoorn en kijk dan naar de gouden kogels in de riem van meneer Zwane, die plotseling erg klein lijken. Ik verstijf.

De neushoorn voelt onze aanwezigheid en draait zijn kop onze kant uit.

'Heel agressief,' fluistert Hayden.

Mijn lichaam wordt helemaal slap en het lijkt of mijn ingewanden binnenstebuiten worden gekeerd. Mijn ademhaling is zo zwaar dat ik geen geluid van buiten meer opvang. Ik ben in mijn leven nog nooit zo bang geweest.

De neushoorn begint om ons heen te lopen. Af en toe stopt hij om met zijn hoef over de grond te schrapen, alsof hij op het punt staat ons aan te vallen. Meneer Zwane wijst de andere kant op en maakt met handgebaren duidelijk dat we met de wind mee moeten gaan.

Ik krijg een plotselinge, onweerstaanbare aanvechting om weg te rennen. Het is alsof het primitiefste gedeelte van mijn hersenen het heeft overgenomen en mijn lichaam opdracht geeft om te vluchten.

Hayden pakt mijn hand en trekt me naar zich toe. 'Rustig,' fluistert hij. 'Als hij aanvalt, in een boom klimmen.'

'Maar ik weet niet hoe dat moet,' fluister ik terug.

'Dat leer je wel.'

Ik kijk om me heen en zie geen boom die stevig genoeg is om in te klimmen. Ineens ben ik kwaad op dit stelletje macho's dat me in deze situatie heeft gebracht. Ik fluister dat ik terugren naar onze auto, waar het veilig is.

'Nee,' zegt Hayden met klem. 'Als je gaat rennen, komt de neushoorn achter je aan of stuit je op een andere.'

Ik wil tegen hem in gaan. Ik wil vluchten. Maar aanvallende neushoorns rennen sneller dan mensen en ik weet dat Hayden gelijk heeft. Ik kan niets anders doen dan me stilhouden. Ik vouw mijn trillende handen als in gebed.

Terwijl we langzaam van de wind af lopen, houd ik mijn adem in. Ik tril als een gek en blijf naar de massieve hoorn van het beest kijken tot ik zeker weet dat hij niet gaat aanvallen. Maar na zo'n vijf minuten pure paniek draaft hij weg en kan ik eindelijk ademhalen.

Als we in veiligheid zijn, vertelt Hayden me dat ik best trots mag zijn: 90 procent van de vrouwen geeft in een dergelijke situatie toe aan de aandrang om weg te rennen, en het is een teken van kracht dat ik dat niet heb gedaan.

We lopen verder. Mijn bonzende hart begint te kalmeren, maar ik voel me high van de adrenaline. Toch begin ik me al snel één te voelen met de Afrikaanse jungle. Terwijl we het spoor volgen, merk ik dat mijn ademhaling vertraagt en ten slotte gelijk opgaat met de wind. Geleidelijk aan word ik rustiger en dwaalt mijn blik vaker af van meneer Zwane. Op de heuvels verschijnen verschillende kleuren groen en dieppaars, en mijn ogen beginnen me voor de gek te houden, zodat bomen in de verte eruitzien als impala's en rotsen als slapende neushoorns.

We klimmen een heuvel op als meneer Zwane abrupt stopt en voor zich wijst. Ik volg de lijn van zijn vinger en zie een giraffe die rustig staat te kauwen op de bladeren van een acacia.

'Ik geef je een giraffe,' zegt meneer Zwane met een zwaar accent.

Zwijgend kijk ik naar de giraffe. Ik bewonder de elegante glooiing van zijn nek terwijl hij zich vooroverbuigt om bij de lagere takken te komen. Zijn gedessineerde vel heeft een gouden glans in de ochtendzon. Hij is zich totaal niet bewust van onze aanwezigheid.

Ik ben rustig.

Ik ben gelukkig.

Als ik thuiskom houd ik bewust op met praten en klagen over het feit dat ik single ben, en begin in plaats daarvan mijn reisverhalen op te dissen aan mijn vrienden. Ik merk dat onze gesprekken veranderen. In plaats van me te vragen: 'En, hoe gaat het met de liefde?' 'Wie is je nieuwste aanwinst?' willen ze weten: 'Waar ga je nu naartoe, globetrotter?'

Mijn volgende bestemming is Italië. Ditmaal is het eerder een hedonistische dan een avontuurlijke opdracht. Ik ga vier dagen doorbrengen op Villa Montagnola, een landgoed van ruim driehonderd hectare in Umbrië, de aardse provincie in Midden-Italië die het noorden met het zuiden verbindt. Hier runt het bedrijf Italian Days een paar retraite-oorden waar yoga gecombineerd wordt met Italiaans koken, twee van mijn grootste hobby's.

Italian Days is opgezet door Anastasia Bizzari, een hondsbrutale Italiaanse zakenvrouw van veertig die yogalerares is geworden. Een van de eerste dingen die ze bij de kennismaking tegen me zegt, is dat ze zo verzot is op authentiek Italiaans eten dat ze ooit een bol kwaliteitsmozzarella de Verenigde Staten in heeft gesmokkeld door de douanebeambte wijs te maken dat het haar siliconenborst was.

'De ayurveda legt de nadruk op puur voedsel,' legt ze uit. 'En dat geldt ook voor de Italiaanse keuken, die gebaseerd is op simpele natuurlijke ingrediënten. Een heel groot deel van het leven speelt zich af rond de bereiding van maaltijden, naar de markt gaan, contact hebben met andere mensen, en zodoende met jezelf. En net als bij het bereiden van een goede maaltijd, is mindfulness heel belangrijk bij yoga.'

Villa Montagnola is een met klimop begroeid landhuis waar een verre tak van de Medici's en de Borgia's huist. De Medici's waren de eerste mecenasfamilie tijdens de Italiaanse renaissance, en de Borgia's waren een andere adellijke familie die vooral bekend is geworden vanwege Lucrezia Borgia, een veertiende-eeuwse vrouw die legendarisch werd vanwege haar gebruik van vergif bij politieke intriges.

Vittoria Iraci Borgia, een verre nakomelinge en met haar bijna veertig jaar moeder van drie jonge kinderen, beheert de villa nu als een olijfolieboerderij. Vijfentwintig leden van haar uitgebreide familie wonen in de villa of gebruiken die als hun buitenverblijf. Anastasia en Vittoria zijn jeugdvriendinnen, en zo komt het dat deze villa de setting van Anastasia's retraites is geworden.

Mijn tijdelijke onderkomen is een voormalige opslagplaats voor tabak, waarvan een klein appartement is gemaakt met een raam dat uitziet op een bos van diepgroene cipressen, kronkelige vijgenbomen en bloeiende olijfbomen.

Ons groepje bestaat verder uit Lindsay Unger*, een nerveuze Parisienne die werkt in het George v-hotel in Parijs, Laura*, een wijnhandelaar uit New York, en Ann*, een verlegen administratief medewerkster bij een investeringsbank die een verjongende vakantie van haar man neemt. Verder zijn er nog Vittoria's moeder, Caterina Medici Tornaquinci, een plechtige matriarch die haar haar met een clip in een lage zilvergrijze paardenstaart draagt en ons uitsluitend in het Italiaans toespreekt, en Ippolita Medici Tornaquinci, Vittoria's grimmige, kettingrokende tante die in Florence lesgeeft in koken en etiquette.

Elke ochtend nadat ik wakker ben geworden loop ik over een zandpaadje naar de villa, beklim een wenteltrap, ga door een gang met fresco's van Romeinse godinnen en kom aan in een sobere kamer. Daar volgen we een intensieve yogales van twee uur onder leiding van Cathy*, een pittige voormalig schaatsster uit Long Island die door Anastasia werd gerekruteerd in de Reebok Club in New York. Na de yoga gaat onze groep naar de keuken voor een kookles onder leiding van Carmela, de chef-kok van het huis. Anastasia komt erbij en kletst maar door over het verband tussen koken en yoga.

'Koken vergt geduld,' zegt ze. 'Kijk naar Carmela. Ze stopt al haar energie in het kneden. Ze oefent geduld, en kijk: er is deeg. Ze wordt beloond.'

Het klinkt een beetje nep, maar naarmate de dagen verstrijken lijkt de yoga me in de keuken geconcentreerder te maken. Mijn zintuigen worden opener en alles begint beter te smaken. Ik krijg meer waardering voor de smaken in het voedsel, de details om me heen, zoals de geur van jasmijn en het verre geluid van kerkklokken dat de yogaruimte binnen drijft.

Het diner in de statige eetzaal vormt het hoogtepunt van elke dag. We kleden ons mooi aan en eten van elegant porselein. Op een avond hebben we een feestmaal dat drie uur duurt en begint met lasagne met tuinbonen. Cheryl* vertelt ons over haar avonturen in Zuidoost-Azië. Lindsay zegt dat ze overweegt weg te gaan uit Parijs en naar San Francisco te verhuizen om daar een evenwichtiger leven te gaan leiden. Ippolita vertelt me een verhaal over de keer dat ze zo boos was op een vriendje dat ze al zijn kleren uit het raam gooide.

In de volgende paar dagen begin ik me meer aanwezig te voelen in het hier en nu. Op een ochtend kijk ik toe terwijl Vittoria's dochters hun haren in een knotje binden en ze met glitter versieren als voorbereiding op een zwemdemonstratie. Op een middag wordt er gesproken over stemmers in Frankrijk en Nederland die de grondwet voor de Europese Unie afwijzen. Op de dag van Infiorata del Corpus Domini, waarop een Boheemse priester wordt vereerd door de straten te bestrooien met een tapijt van bloemblaadjes in fraaie patronen, zit ik in het stadje Torgiano te mijmeren met een perzikijsje.

In plaats van me te concentreren op wat ik niet heb, besluit ik te waarderen wat ik wel heb. Hier zit ik, in een adellijke villa in Umbrië, samen met een groep vrouwen van diverse generaties en geografische herkomst. Na mijn stoere avonturen is het echt fijn om me in deze vrouwelijke, koesterende zusterschap te bevinden, in de tuin te zitten, verhalen uit te wisselen en recepten te leren die in Vittoria's familie van generatie op generatie worden doorgegeven. We zijn niet zo bezig met mannen – we zijn even opgehouden hen te dienen, om dienstbaar te zijn aan onszelf en bijeen te komen als op een groot feest, waarbij we gemeenschappelijke dingen ontdekken, als een soort moderne familie.

Als de week voorbij is, ga ik een dag naar Florence alvorens terug te keren naar New York. Ik zet onmiddellijk koers naar het Uffizi-museum. Gezien mijn radicale mentaliteitsverandering lijkt het me goed om een tijdje stil te staan voor een paar renaissanceschilderijen. Zo staar ik op mijn laatste dag in Italië naar Cupido en Venus in Botticelli's *Geboorte van Venus*. Al kijkend merk ik dat ik begin te begrijpen naar wat voor soort liefde ik op zoek ben. Cupido, de aanbiddelijke boogschutter met zijn kleine vleugeltjes, symboliseert wellustige, aardse liefde – het soort liefde dat ik heb ervaren in al die prachtige, onstuimige relaties toen ik in de twintig was. Venus staat voor een nobeler en romantischer soort liefde, die niet gericht is op onmiddellijke voldoening. Haar liefde is edeler en berust op een wederzijds respect en vriendschap die primitief verlangen te boven gaat.

Op dat moment, terwijl ik kijk naar dit tijdloze meesterwerk, weet ik dat dit de liefde is die ik wil als basis voor mijn gezin. En ik weet dat het het waard is erop te wachten. Ik ga nog een tijdje langer rustig blijven zitten in plaats van me zorgen te maken over de toekomst. Ik besef dat ik dolverliefd ben op dit leven dat ik heb gekozen. Met nieuwe waardering denk ik aan mijn moeders advies: 'Vind je passie. Vind jezelf.'

6

Avontuurlijke single vr. zoekt lekker ding

Ik kom terug uit Italië met het vaste besluit te blijven zoeken naar ware liefde – en zodoende voorbij te gaan aan de deadline die ik voor mezelf op mijn zesendertigste had gesteld, wanneer ik werk zou gaan maken van het alleenstaand moederschap. Ik weet dat ik opnieuw een gok neem met mijn eicellen om mijn romantische droom te vervullen, en ik kom op het idee dat een huisdier me wat warmte kan geven en me door mijn incidentele eenzame buien kan helpen. De meesten van mijn vrienden vinden het een fantastisch besluit, maar een van hen reageert anders en houdt niet op met plagen. 'Ga je een pup als een baby met je meeslepen in een tasje?' vraagt ze zogenaamd vertederd.

Ik snap waar ze op doelt. Natuurlijk zou ik het hondje gebruiken om te voldoen aan mijn behoefte om iets te koesteren en om gezelschap te hebben. Maar wat is daar mis mee? Ik ben heus niet van plan om het gekke hondenvrouwtje te worden, het soort vrouw dat vijf gigantische honden in huis neemt en niet kan omgaan met echte mensen. Ik wil gewoon een beestje om voor te zorgen, om me 's ochtends wakker te maken en me in het hier en nu te houden.

Ik zeg tegen mijn vriendin dat ik beloof dat ik hem niet in een handtasje stop.

Al wil ik wachten op de liefde, dan toch zeker niet op een passieve manier. Ik besluit weer te gaan daten en op een raar moment van serendipiteit krijg ik een telefoontje van een redacteur van het tijdschrift *Outside*, die me vraagt of ik geïnteresseerd ben in een nieuwe, nogal uitdagende opdracht. Ze wil dat ik undercover ga om een nieuwe datingsite te onderzoeken met de naam Singleandactive.com.

Ik ben dol op sportieve activiteiten, en dit lijkt me een goede manier om plezier te maken en weer in het spel te komen. Ik ben wel een beetje bang dat mijn dates boomaanbiddende wietrokers zullen zijn, die me willen masseren met patchoeliolie. Maar ach, het is gewoon een opdracht, en wie weet leidt die er wel toe dat ik echt iemand leer kennen. Dus ik zeg tegen de redacteur dat ik het doe.

Eind oktober, een maand voor mijn zesendertigste verjaardag, log ik in op de site. Ik kies 'Cosmo Camper' als gebruikersnaam; dat lijkt me een goede manier om duidelijk te maken dat ik weliswaar van wandelsafari's in Zuid-Afrika, surfen en yoga hou, maar ook dol ben op kunstgaleries, martini's en stilettohakken. Ik schrijf: 'Tijdens een recente wandelsafari in Zuid-Afrika heb ik geleerd dat ik deel uitmaak van de 10 procent vrouwen die niet wegrennen als ze oog in oog staan met een witte neushoorn. Op mijn eenentwintigste maakte ik een bergtocht in de Himalaya tot bijna vijf kilometer hoog om mijn vriendje op zijn verjaardag een biertje te brengen.'

Om het af te maken laad ik een foto van mezelf in een snowboardjack aan de voet van Snowbird Mountain in Utah.

Binnen enkele dagen ontvang ik mijn eerste e-mail, van een New Yorker.

'Hou je van de trapeze?' vraagt hij.

In het verleden ben ik weleens door mannen gevraagd om met hen naar Playboy Channel te kijken of een rondje te maken door de vibratorafdeling van een seksshop, maar dit trapezeverhaal is nieuw – en redelijk bizar. Maar even later dringt het tot me door dat hij het letterlijk bedoelt. In de trapezeschool in

New York kun je gehuld in een veiligheidsharnas les nemen in de circuskunst van het vastpakken en loslaten. Het vermogen van een man om me op te vangen terwijl ik door de lucht vlieg, lijkt me een goede graadmeter voor zijn betrouwbaarheid, dus antwoord ik dat zijn trapezeplan leuk klinkt.

'Mag ik eerst een foto waarop iets meer van je te zien is?' schrijft hij terug.

Het zit me niet helemaal lekker dat hij mijn lichaam wil zien voor we elkaar ontmoeten, maar dan besluit ik hem een foto te sturen die tijdens mijn Costa Rica-trip is genomen, vlak nadat ik bijna die grote vis had binnengehaald. Ik draag een zonnehoed en een lichtblauwe bikini en houd mijn vishengel vast.

Hij schrijft niet meer terug. Misschien te suggestief?

In de weken die volgen komt er van alles voorbij: een jager uit Denver die in camouflagepak met een geweer poseert, een wandelaar uit Seattle die in plaats van een foto van zichzelf een foto van een prairiehond met een pruik op heeft geplaatst en een vliegvisser uit Colorado die me een kort mailtje stuurt en vraagt of ik op zijn profielpagina wil kijken, waarop een foto staat van de wijdopen bek van een grote vis.

'Denk je echt dat dit een vrouw aantrekt?' mail ik naar hem.

'Vind je dat geen uitnodigende, vochtige lippen?' schrijft hij terug. 'Als je lang genoeg kijkt, word je gewoon verliefd op dat schattige visje!'

Jakkes. Ik geef geen antwoord.

Daarna heb ik een lange mailwisseling met een arts in Kathmandu, die me vertelt dat hij me heeft gevonden door lukraak een postcode in te typen. Het schijnt hem niet uit te maken dat ik zo'n beetje overal ter wereld woon.

'Je profiel is fantastisch, daardoor werd ik tot je aangetrokken!' schrijft hij. Ik antwoord – hij is zo lief, hoe kun je daar nee tegen zeggen? – en vertel dat ik in mijn studententijd een maand in een dorp in Zuid-Nepal heb gewoond, waar ik leerde mediteren bij een heilige man.

'Je bent helemaal mijn type!' schrijft hij terug. 'Ik deed vroeger aan eenvoudige meditatie. Heb je gehoord van die jongen in Nepal die zes maanden in het bos heeft zitten mediteren zonder eten of drinken?' De arts klinkt me iets te enthousiast over dat idee. De film draait al in mijn hoofd: ik kom om van de honger op een afgelegen plek in de Himalaya, omringd door jaks en een mantra's zingend geraamte van een echtgenoot.

Dus ik besluit een beetje dichter bij huis te blijven.

Op een ongewoon warme winterochtend verschijnt er een berichtje in mijn inbox van een avontuurlijke skiër met als gebruikersnaam Rutabaga.

'Ik ski veel,' schrijft hij. 'Zullen we onze avonturen eens met elkaar doornemen bij een martini?'

Rutabaga stuurt twee foto's mee, op een ervan stuift hij een steile helling af. Ik kan zijn gezicht nauwelijks zien, maar het is een sexy actiefoto. De andere foto laat een ietwat kalende vent zien met een jongensachtig gezicht en charmante blauwe ogen. Ik mail hem terug dat die martini goed klinkt en stel voor elkaar de volgende avond te treffen in Raoul's, een no-nonsense tent in SoHo waar veel New Yorkse politici en journalisten komen.

Als ik arriveer zit mijn date aan de drukke bar op me te wachten. Hij draagt een fel oranje shirt dat schreeuwt: te lang vrijgezel. Ik zoek al naar een exitstrategie, maar besluit dat één drankje geen kwaad kan. Hij komt uit New Hampshire en heeft ooit als skileraar gewerkt in Colorado; nu is hij freelance filmeditor. Terwijl de martini naar mijn hoofd stijgt, begin ik me lichtelijk aangetrokken te voelen. Zijn armen zien er goed uit.

'Er is niets zo romantisch als wanneer de zon boven de rivier ondergaat en de lichtjes in de skyline van Manhattan gaan branden,' zeg ik, bedwelmd door de martini en door het idee dat deze avond een goede tekst gaat opleveren.

'Zullen we op de rivier gaan kajakken bij zonsondergang?' stelt hij voor.

Perfect.

Het blijft de hele week warm weer, tot er de dag voor onze afspraak een poolfront komt aanwaaien. Als ik bij de Manhattan Kayak Company aankom op een pier vlak bij de West Side Highway is het één graad onder nul, tot dusverre de koudste dag van het jaar. In plaats van voor een open haard verlangend in elkaars ogen te kijken bij een glas Irish coffee, zitten Ruty en ik te rillen in wetsuits en oranje reddingsvesten, met een wollen muts op. Terwijl Eric, de praatzieke grijze eigenaar van het bedrijf en onze gids, ons een beschrijving geeft van de rondvaart van anderhalve kilometer die we gaan maken in een dubbele kajak, van 23rd Street tot de terminal van de pont bij Port Authority op West 38th Street, bid ik dat we niet zullen omslaan.

We varen in noordelijke richting onder een onnatuurlijk oranje-met-rode lucht, nauwelijks vooruitkomend tegen een stroming van drie knopen. Ik zit voorin. Ruty zit achter me te hijgen en puffen om ons voorbij de pier van roestig bewerkt ijzer te sturen, waar vroeger het New Yorkse havendepartement zat.

'Toevallig valt het moment van de zonsondergang vandaag precies samen met het moment waarop de stroming het sterkst is,' brult Erik ons toe.

De stromingen zijn zo sterk dat ze ons achteruit trekken in een draaikolk die ons naar beneden dreigt te zuigen. Mijn date zegt geen boe of bah tegen me. Het is me niet helemaal duidelijk of dat komt doordat hij van het sterke, stille soort is, of dat hij zo bang en opgefokt is dat hij niets kan uitbrengen.

We zitten absoluut op een foute plek. Op het punt waar de rivier door een smalle opening moet bij de Verrazano-Narrowsbrug, botst hij met de Atlantische Oceaan, waardoor een sterke tegenstroom ontstaat. Deze dynamiek lijkt zich vlak onder ons af te spelen.

Mijn eerste gedachte is dat het misschien een goede test is voor ons potentieel.

'De dubbele kajak heeft een lange geschiedenis als huwelijksboot, maar ook als echtscheidingsboot,' vertelt Eric. 'Als degene voorin geen goede snelheid aanhoudt, is het voor degene achterin moeilijk om het tempo vast te houden. Je moet synchroon blijven. Je moet samenwerken als team.'

'Volgens mij is het te moeilijk!' roep ik.

'We moeten niet opgeven!' zegt Ruty, die zijn stem lijkt te hebben teruggevonden.

Eric wijst ons iets aan wat hij 'het ferrynest' noemt, een technisch uitdagende roeisprint van ruim tweehonderd meter dwars door de grootste doorvaarroute voor ferry's tussen Manhattan en New Jersey. Om niet in iemands kielzog terecht te komen, of erger nog, tegen een van die reusachtige boten aan te knallen, moet je de oversteek van dit traject zorgvuldig timen.

'Slechts een man of zes lukt het die oversteek tijdens het spitsuur te maken,' verkondigt Eric vrolijk.

Ruty en ik doen ons best, we zigzaggen door de overblijfselen van een oude steiger in de vorm van houten pylonen.

'Pas op links!' schreeuwt Erik.

Ik kijk naar links en zie een enorme golf, het kielwater van een gigantische ferryboot die op de zijkant van onze boot af stormt. Even raak ik in paniek, ik zie de koppen in de *New York Post* al voor me: 'Alleenstaande kajakster dood na botsing tijdens internetdate'. 'Ze had een betere man kunnen krijgen,' zeggen getuigen.

Ik peddel er stevig op los aan de rechterkant, Ruty doet hetzelfde en we keren de kajak net op tijd om het naderende water tegemoet te gaan en er zachtjes overheen te glijden. De kapitein van de veerboot steekt een hand op om aan te geven dat hij ons heeft gezien.

'Dit begint leuk te worden,' zegt Ruty.

Een uur geleden leek het grijze fort van de ferryterminal onmogelijk ver weg, maar nu hebben we het bereikt. Eric gebaart dat we moeten omkeren, terug naar het kajakbedrijf. We koersen in zuidelijke richting, komen in een snelle stroming terecht en glijden moeiteloos over het water. De lucht heeft een dieppaarse gloed gekregen. Het gitzwarte water weerkaatst flikkerend het licht van het Empire State Building en de chromen piek van het Chrysler Building. Ook al zijn we slechts een paar huizenblokken verwijderd van het verkeerslawaai van Times Square, rond onze boot heerst een absolute stilte.

Weer op de kade worden we gefeliciteerd door Eric: 'Jullie hebben goed samengewerkt.'

Ruty lacht naar me en vraagt of ik zin heb in een drankje.

Al hebben we ons avontuur tot een goed einde gebracht, de adrenalinestoot heeft niet bepaald romantische gevoelens in me wakker gemaakt. Hij is aardig, maar saai, en daarbij vind ik het moeilijk echt contact met hem te maken terwijl mijn journalistieke ik de hele tijd zit te denken aan de fraaie tekst die dit afspraakje kan opleveren. We hebben echter wel een prestatie neergezet, dus me dunkt dat we een martini verdienen om het te vieren.

We keren terug naar Raoul's, waar een stel vrienden van me zit te eten. Maar na een paar glazen wijn begint Ruty me ronduit te irriteren; kennelijk is hij beter van de roeiriem dan van de tongriem gesneden. Ons afspraakje bereikt een dieptepunt als hij onder tafel aan mijn billen komt. Ik vuur een gemene blik op hem af en die komt kennelijk aan, want de volgende ochtend krijg ik een mailtje: 'Ik heb erg genoten van onze kajaktocht, maar ik geloof niet dat het voldoende klikt voor een relatie.'

Op 25 november word ik zesendertig. In plaats van een spermabank bel ik een hondenfokker in het noorden van de staat. Ik ben van plan een roodbruine King Charles-spaniël aan te schaffen, omdat ik dol ben op hun grote bruine ogen. Ik noem haar alvast Nellie, naar Nellie Bly, een van mijn favoriete avonturiersters. Bly was een journaliste die in de jaren twintig voor de *New York World* werkte. Ze werd beroemd doordat ze een geestesziekte voorwendde om opgenomen te worden in het krankzinnigengesticht voor vrouwen op Blackwell's Island, om vervolgens de brute en lakse behandeling van de patiëntes door de staf aan de kaak te stellen. In 1888 opperde Nellie bij haar uitgever het idee om een reis rond de wereld te maken, in navolging van het boek *Rond de wereld in tachtig dagen* van Jules Verne. Een jaar later verliet ze New York voor een reis van 40.062 kilometer die tweeënzeventig dagen, zes uur, elf minuten en veertien seconden duurde, waarmee ze het wereldrecord verbrak.

De hondenfokster vertelt me dat ze net een nest puppy's heeft en dat ik mijn hondje halverwege mei kan komen ophalen, zodra ze is gespeend. Van mijn broer krijg ik met kerst een schattige groene halsband met riem.

Een week na mijn verjaardag krijg ik via Singleandactive.com een e-mail van een man die vindt dat ik er leuk uitzie. Hij schrijft dat hij dol is op bergbeklimmen, skiën en fietsen. Ik stuur een flirtbericht terug ter begroeting. Een paar uur later stuurt hij een wat uitgebreider mailtje, waarin hij zichzelf omschrijft als 'een redelijk succesvolle, bereisde, cultureel overontwikkelde doctor in de wiskunde'. Hij laat weten dat zijn meest recente odyssee een tocht naar de SAC-bergbeklimmershut Blümlisalp in de Zwitserse Alpen betrof.

Het kost me moeite me voor te stellen dat ik in een alpenhut opgesloten zit met een door en door rationele en ietwat aanmatigende doctor, maar ik ben wel nieuwsgierig. Dus ontmoet ik de wiskundige op een zonnige zaterdag en maken we een wandeling langs de rivier, vlak bij mijn appartement. Zijn naam is Art en hij is een benige man met dunner wordend donkerbruin haar. Hij praat het grootste deel van de tijd over zijn baan, het voorspellen van de aandelenkoersen bij een hedgefonds in Manhattan.

Ik voel me niet fysiek aangetrokken tot Art, hij is te verstandelijk en te mager, en ik denk niet dat het maken van baby's voor ons is weggelegd. Maar hij lijkt me wel aardig, dus als hij me mailt en vraagt of ik op een donderdagavond met hem mee wil naar een klimhal, zeg ik ja. Eerst vertel ik hem echter dat ik slechts eenmaal eerder heb geklommen. Ik was toen elf en was op kamp in Vermont. Op het kritieke moment – toen ik achterover moest leunen en moest abseilen vanaf de top van een zes meter hoge rotswand – kreeg ik een enorme paniekaanval. Ik heb daar een uur gestaan voor het me lukte om me te laten zakken.

'Dus je hebt moeite met vertrouwen?' vraagt Art.

Als ik geen antwoord geef, stuurt hij er nog een mailtje achteraan. 'Ik klim al twee jaar, dus ik ben ervan overtuigd dat het prima zal gaan onder mijn middelmatige begeleiding,' schrijft hij. 'Maar zorg wel dat je tetanusvaccinatie up-to-date is.'

We treffen elkaar in een klimhal in de Upper West Side, een kale aangelegenheid met een hippe uitstraling en een klimwand die is aangebracht in een voormalige squashzaal.

Art komt laat aanzetten en biedt niet aan de 15 dollar voor mijn klimsessie te betalen. Wel heeft hij een flesje water voor me. De ruimte dreunt van de industrial rock en af en toe een Santana-melodietje. Een stuk of twintig yogameisjes en duffe klimfanaten hangen uitgestrekt aan gemodelleerde plastic neprotsen die gammel aan de muren vastzitten. Ik vraag me af of hij dat van die tetanusprik serieus bedoelde.

Art zegt dat hij me zal zekeren en overhandigt me een klimgordel. Zodra ik die rond mijn middel heb gegord, pakt hij hem aan de voorkant beet en rukt hem strak, zodat mijn heupen tegen hem aan stoten. 'Oké, klimmen!' zegt hij, en hij wijst naar een klimwand van vierenhalve meter. Ik voel me alsof ik in een Franse SM-film zit.

Ik grijp een lagere rots vast en begin te klimmen, en ik kom vrij gemakkelijk tot halverwege. Ik kijk naar beneden en lach naar hem om zijn goedkeuring te ontvangen. Ik heb al voor mezelf uitgemaakt dat ik hem niet echt aardig vind – tot dusver heeft hij alleen over zichzelf gepraat, was hij te laat en ook nog gierig. Maar van klimmen lijkt hij wel iets te weten, dus ik besluit hem als een coach te zien, zij het een ietwat sadistische.

'Laat me niet vallen!' roep ik naar beneden.

'Dat zal ik zeker niet doen, ik wil mijn lidmaatschap niet kwijt!' brult hij.

'Dus dit draait om jou,' zeg ik terwijl ik op een klein groen voetsteuntje stap en mezelf boven op de wand hijs.

'Het hele leven draait om eigenbelang!' schreeuwt hij terug.

Art heeft iets van een robot. Als ik weer beneden ben, vertelt hij me over zijn klimschema. Driemaal per week komt hij te voet hiernaartoe vanuit zijn kantoor in het centrum, hij klimt een paar uur lang, kuiert dan naar de Taco Express op 9th Avenue hier om de hoek, bestelt een burrito met kip – altijd dezelfde soort – en eet die thuis op. Hij houdt van klimmen omdat dat puur fysiek is, het tegenovergestelde van zijn ingewikkelde analytische werk.

'Bij klimmen gaat het erom op het moment zelf in je lichaam te zitten,' zegt hij.

Daar kan ik over meepraten, en ik vraag me af of ik misschien te veel afstand houd en mezelf niet overgeef aan deze ervaring. Maar dan gebaart hij dat ik hem moet volgen naar een gedeelte dat 'de grot' heet, en wordt het me duidelijk dat het probleem niet bij mij ligt.

De grot bestaat uit een stel matten die onder een hellend plafond liggen, waaraan rotsen zijn bevestigd. De bedoeling is dat je op de mat vlak onder het laagste deel van het plafond gaat liggen, een rots vastpakt en de helling beklimt naar het hogere gedeelte van het plafond – en dat alles terwijl je ondersteboven hangt.

We liggen even naast elkaar op de matten. 'Het heeft me zes maanden gekost om dit onder de knie te krijgen,' zegt hij terwijl hij zich vastklinkt en moeiteloos de helling op klautert.

Ik zie hoe hij druipt van het zweet en walg bij het idee dat hij op mij zou klimmen. Dan probeer ik het zelf en lukt het me niet eens om mezelf op te trekken op de eerste rots. Nu ik zie hoe moeilijk deze oefening is, ben ik onder de indruk van zijn behendigheid. Die valt echter in het niet bij zijn totale gebrek aan sociale vaardigheden.

Ten slotte komt er een eind aan de marteling en we trekken ons trainingspak weer aan om te vertrekken. Het is voor ons beiden duidelijk dat er geen tweede date komt, maar desalniettemin besluit ik hem te vergezellen tijdens zijn loopje naar de burrito-snackbar.

Terwijl we in de rij staan, opper ik de suggestie dat hij een wat rationelere vrouw zou moeten zoeken. In werkelijkheid denk ik: iemand net zo egocentrisch en robotachtig als jij, maar ik heb geen zin om hem te provoceren.

'Ik denk dat ik welbeschouwd op zoek ben naar een vrouwelijke versie van mezelf,' zegt hij. 'Dat is mijn ondergang, want hé, zoals ik is er geen tweede.'

Ik krimp ineen en maak beleefd dat ik wegkom.

Eind december ben ik het sportieve daten zat. Ik heb vijftig mailtjes beantwoord, maar ben met niemand in contact gekomen die ook maar in de verste verte als mijn wederhelft klinkt. Ik ben ervan overtuigd dat al die avontuurlijke mannen meer om hun sport geven dan om vrouwelijk gezelschap. Het enige wezen waar ik tegenaan wil kruipen, is mijn toekomstige pup.

Het voordeel van al dat datinggedoe is echter dat ik me totaal in mijn element voel. Ik houd mijn conditie op peil, ik ga uit, ik flirt en over het algemeen heb ik die onverklaarbare uitstraling waardoor mannen om je heen draaien zodra je je verlooft of op een feestje verschijnt met een nieuwe lover aan je arm. Noem het kismet, noem het feromonen. Hoe dan ook, het werkt.

Dan, midden in de winter, word ik gebeld.

'Hallo. Mijn naam is Jacob*,' zegt een jongensachtige stem aan de andere kant van de lijn. Hij vertelt me dat hij mijn naam en telefoonnummer heeft gekregen via een dating- en netwerksite voor afgestudeerden aan elite-universiteiten. Daar had ik me jaren geleden ingeschreven, maar niemand van die site had ooit contact met me opgenomen en ik was het totaal vergeten. Ik realiseer me dat het profiel dat hij heeft gezien al heel oud moet zijn.

Jacob vertelt me dat hij architect is, zesendertig jaar, opgeleid aan een Ivy League-universiteit, joods, en New Yorker van geboorte. Hij is opgegroeid in Mamaroneck aan de zuidkant van Long Island, niet ver van waar ik als kind woonde. Ik voel direct zijn warmte terwijl we babbelen over de plaatsen waar we hebben gewerkt en erachter komen dat we allebei in Californië hebben gewoond. Hij vertelt me dat hij onlangs zijn krachten heeft gebundeld met een bekende architecte en dat ze hun eigen firma hebben opgezet. Ze zijn bezig met een belangrijk gebouw in een van de betere wijken.

Nog tijdens ons telefoongesprek mailt Jacob me een foto van zichzelf. Ik smelt helemaal weg bij zijn prachtige groene ogen en dikke zwarte haar.

Ik probeer me te herinneren wat ik in mijn profiel op die site had gezet, en zelfs welke foto ik had gebruikt. Dus ik vraag hem wat hem aantrok in mijn profiel.

'Nou, ik vond je foto leuk, en wat je schreef,' zegt hij.

'Wat in het bijzonder?' vis ik.

'Je schreef: "32-jarige, zeer knappe journaliste zoekt slimme, ambitieuze man die niet bang is om de liefde vooruit te laten zwemmen." Je doelde zeker op de beroemde uitspraak van Woody Allen, dat liefde als een haai is, die je vooruit moet laten zwemmen omdat hij anders doodgaat, of niet?'

'Ja.' Ik herinner het me weer.

'Nou, dat klinkt niet slecht,' zegt hij. 'Ben je komende donderdag vrij?'

Ik heb reuzeveel zin om hem te ontmoeten, maar ik realiseer me dat het een ramp zou kunnen worden als we elkaar zien en hij erachter komt hoe oud de foto bij mijn profiel is. Ik kies voor volledige openheid en leg uit dat ik zesendertig ben en dat het profiel van een paar jaar geleden is.

Hij is even stil. 'O, oké,' zegt hij. 'Dan bel ik je donderdag.'

Die donderdag spreken we af in de Olde Castle, een Ierse pub in de theaterwijk. Wanneer hij het café binnen komt, loopt hij onmiddellijk de stoel naast de mijne omver en lacht. Duidelijk geen single-and-active-jongen, maar hij zit goed genoeg in zijn vel en herstelt zich snel.

‘Dat was een fraaie binnenkomer, niet?’ zegt hij met zoveel zelfspot dat ik moet lachen.

We kletsen wat bij een glaasje Schotse whisky en komen erachter dat we wel duizend dingen gemeen hebben – we houden allebei van reizen en skiën. En ondanks zijn onhandige binnenkomst is hij ook dol op buitensportactiviteiten – hij vertelt me dat hij ooit de Mount Kilimanjaro heeft beklommen. Ook al hebben we elkaar via internet ontmoet, toch hebben we een aantal gemeenschappelijke kennissen, waardoor ik me direct meer bij hem op mijn gemak voel dan gewoonlijk bij een eerste afspraakje.

In de loop van de avond raak ik steeds gecharmeerder. Hij is geweldig vrolijk en positief, net een personage uit een tienerfilm uit de jaren vijftig. Anders dan de meeste New Yorkers die ik ken komt hij niet blasé of cynisch over. De manier waarop hij vol passie over zijn carrière spreekt, staat me aan. Ik vind het prettig dat hij een hechte band met zijn familie heeft; net als de mijne zijn zijn ouders al veertig jaar getrouwd. Het succes van het huwelijk van zijn ouders schijnt hem echter niet onrealistisch te maken. Later op de avond vertelt hij me dat hij gek is op films, maar niet gelooft in ‘filmliefde’.

‘Een huwelijk is hard werken,’ zegt hij.

Dat klinkt me als muziek in de oren. Mijn instinct vertelt me dat Jacob mijn nieuwe liefde wordt, maar terwijl de romantische fantasieën zich in mijn hoofd beginnen te ontvouwen, dwing ik mezelf daarmee op te houden.

Nadat we samen een groot bord nacho’s hebben leeggegeten, zegt hij dat hij weer aan het werk moet, maar hij biedt aan met me mee te lopen naar de metro. Voor het metrostation buigt hij zich voorover om me te omhelzen, hij voelt warm en sterk. Ik neem wat afstand en kijk hem aan en iets in zijn ogen inspireert me om hem te kussen. Het duurt kort en ik schaam me voor mijn assertiviteit, maar hij glimlacht alsof hij het leuk vond. Hij zegt dat hij me zal bellen en ik hol de trap af naar het perron.

Wees rustig. Blijf in het moment, denk ik.

De volgende ochtend krijg ik een mailtje van Jacob, die vraagt of ik zaterdag met hem wil afspreken. Tijdens het eten in mijn favoriete hamburgertent in de West Village praten we verder over de band met onze familie. We zijn het erover eens dat die hechte band prachtig is, maar soms ook wel beklemmend. We hebben allebei het idee dat we naar Californië zijn gegaan om er wat afstand van te nemen.

Ik heb me nog nooit zo snel op dezelfde golflengte gevoeld met een man; ik vertel hem dingen die sommige intieme vrienden niet eens van me weten. Dan, als de avond tegen het einde loopt, vertelt hij me zonder omwegen dat hij 'binnen afzienbare tijd' wil trouwen en kinderen krijgen. De manier waarop hij over de tafel zijn hand uitsteekt, me aankijkt en mijn hand op een dwingende manier vastpakt terwijl hij dit zegt, bevalt me. Ik probeer niet in zwijm te vallen.

'Je bent heel knap,' zegt hij en hij staart me aandachtig aan. 'Gewoon sexy. Je hebt zo'n prachtige glimlach.' Ik geneer me en voel me bijna opgelaten onder zijn indringende blik. Niemand heeft me ooit zo aangekeken.

Ik neem zijn hand en pak mijn spullen, en hij staat ook op. Buiten op straat kust hij me vurig en ik voel de vlinders al in mijn buik.

'Je bent zo'n warme persoon,' zegt hij.

Bij mijn appartement aangekomen vraag ik of hij binnenkomt en we belanden op de bank. Hij probeert die avond niet om gemeenschap met me te hebben en ik ben blij om de puberale onschuld van het hele gebeuren.

Bij ons derde afspraakje neemt hij me mee naar een appartement dat hij misschien wil kopen. Het is op een hoge verdieping en heeft een mooi uitzicht over een parkje. Ik denk aan de mannetjesvogel die ik in Zuid-Afrika een nestje zag maken in de hoop dat zijn vrouwtje het zou goedkeuren. Ik keur het goed.

In mijn hoofd begint de film te draaien – ditmaal kan ik het niet tegenhouden. Ik zie Mollie voor me die als mijn getuige speecht op onze bruiloft. 'Mollie, ik vind er nooit een, ik vind er nóóit een,' zal ze zeggen terwijl ze mijn stem imiteert, waarna ze alle gasten zal vertellen hoe ik ten slotte toch mijn enorme strandgaper vond – juist toen ik was opgehouden met zoeken.

Op ons vierde afspraakje besluiten Jacob en ik geen romantische afspraakjes met anderen meer te hebben. Het is tijd om mijn lidmaatschap van SingleAndActive stop te zetten, mijn artikel te voltooien en het in te leveren. Ik besef dat de website me misschien niet direct naar de juiste man heeft gebracht, maar me wel het zelfvertrouwen heeft gegeven om deze fantastische band met Jacob te ontwikkelen. Ik zie dat een les die ik tijdens mijn reizen heb geleerd ook geldt bij het daten: soms moet je de concrete wereld door een andere bril bekijken voor een nieuw emotioneel perspectief.

Rond Valentijnsdag beginnen Jacob en ik plannen te maken voor een reis naar Los Angeles in maart. We praten over fietstochten over het strand en wandelingen in de bergen van Santa Monica. Het enige probleem aan die reis, vertel ik hem, is dat ik tegen die tijd mijn puppie heb, dus dat ik iemand moet zoeken die voor haar wil zorgen terwijl wij weg zijn.

Als ik hem dit vertel, betrekt zijn gezicht een beetje.

'Had ik je niet verteld dat ik een pup krijg?' vraag ik.

'Had ik je niet verteld dat ik allergisch voor honden ben?' antwoordt hij.

7

Het instantgezin

De volgende dag haal ik diep adem en bel de fokster. Ik vertel haar dat ze iemand anders moet zoeken voor de pup. Ze is erg teleurgesteld en bezorgd, want de hond begint al ouder te worden en het zal moeilijk worden hem bij iemand anders onder te brengen. Ik voel me rot, net een moeder die zojuist afstand heeft gedaan van haar kind. Maar ik beredeneer mijn beslissing: ik ben nu bijna iedere nacht samen met Jacob – hoe zou ik dan een pup in huis kunnen halen terwijl ik weet dat hij er de hele nacht van zou liggen hijgen en snotteren? Dat kan ik hem niet aandoen en het zou een flink obstakel in onze prille relatie kunnen worden. Zodoende besluit ik Nellie op te offeren en Jacob voorop te stellen.

Ik weet dat ik de juiste beslissing neem. Het is meer dan vier jaar geleden sinds Alex het uitmaakte in The Cloisters, en eindelijk heb ik een man gevonden die bij me lijkt te passen. Jacob is fantastisch en ik ben ongelooflijk gelukkig. Hij is de perfecte combinatie van vriend en minnaar en ik voel me helemaal mezelf bij hem. Hij is een van de eerste mannen met wie ik iets heb die mij en mijn werk echt waardeert. Ik kan me maar al te veel vriendjes herinneren die een glazige blik in hun ogen kregen als ik ze over mijn nieuwste opdracht vertelde, maar als ik met Jacob praat over de artikelen waaraan ik werk, luistert hij aandachtig en zegt dan hoe sexy hij het vindt dat ik schrijf.

Jacob snapt ook mijn gevoel voor humor. Op een avond maak ik tijdens een etentje met een paar stijve bankiersvrienden van hem een opzettelijk provocerende opmerking over het feit dat Manhattan iets van zijn ongepolijste charme heeft verloren omdat het er, met al die ultramaterialistische beleggingsbankiers, te duur is geworden voor artiesten en schrijvers. Die opmerking valt als een baksteen; ik heb Jacobs vrienden duidelijk tegen de haren in gestreken.

'Rachel port de boel graag op!' zegt hij glimlachend en tegelijkertijd krijg ik een trap onder tafel. Terwijl we na het etentje naar huis lopen, geeft hij me op mijn kop omdat ik hem in verlegenheid heb gebracht, maar dan pakt hij me vast, kust me en zegt dat hij mijn non-conformisme heerlijk vindt.

Ik ben dol op Jacobs energie en zijn gevoel voor humor. Ik ben dol op zijn rare liefde voor stripboeken, die hij als een tiener op een stapel naast zijn bed legt, en op het feit dat zijn morele universum is gevormd door superhelden. Aan de oppervlakte kan hij een beetje geremd overkomen, maar als we alleen zijn ontspant hij zich en wordt hij heerlijk speels. Hij weet de meest banale klusjes leuk te maken door alles te veranderen in een filmscène: hij brengt de personages die we zien tot leven door ze een stem te geven en zich voor te stellen wat voor persoonlijkheid ze hebben. Soms heft hij zelfs een lied aan als in een musical.

Ik ben veel introverter dan hij – een groter deel van mijn leven speelt zich af in mijn eigen hoofd. Ik zal eerder dan de gemiddelde voorbijganger verwijzen naar een boek of film. Toen ik mijn omschrijving van mijn ideale partner opstelde, zei ik dat ik een man wilde die me aanvulde. Dat doet Jacob. En soms draagt hij ook een coltrui.

In het paasweekend, eind maart, stel ik hem voor aan mijn ouders, broer, oom en tante tijdens een diner in het Boat House in Central Park.

'Hij is geknipt voor je,' fluistert mijn oom.

En dat is precies wat ik ook voel, alsof al die tijd van zoeken naar en werken aan het leven dat ik voor mezelf wilde, me eindelijk heeft gebracht naar de juiste relatie, de ware liefde. Het was het wachten waard.

Aan het einde van de zomer staat Jacob op het punt om in het appartement te trekken dat hij me in het begin liet zien. Ik ben er behoorlijk zeker van dat hij de ware is. Naar mijn gevoel gaat het niet te snel – ik ben bijna zevenendertig en ik heb genoeg slechte relaties achter de rug om te zien hoe goed deze is. Ook al zijn we pas zes maanden samen, het is serieus tussen Jacob en mij. We spreken elkaar dagelijks, we kennen elkaars vrienden en plannen onze activiteiten zo dat we elkaar zo vaak mogelijk kunnen zien.

Al snel nadat het aanraakte, besloot ik mijn fantasie niet met me op de loop te laten gaan, maar op dit moment heb ik niet het gevoel dat ik dat doe. Jacob heeft me verteld dat trouwen en een gezin stichten ook voor hem prioriteit heeft en op onze leeftijd lijkt het niet te vroeg om na te denken over hoe dat eruit zou kunnen zien. Er doen heel wat verhalen de ronde over stellen van onze leeftijd die binnen een jaar na hun kennismaking trouwen en snel daarna kinderen krijgen. Of zelfs daarvoor: pas nog stond in *The New York Times* een artikel met als kop 'Daar komt de moeder-in-spe'. Voor stellen van achter in de dertig komt de baby op de eerste plaats, en het huwelijk op de tweede. 'Bruiden maken niet alleen geen geheim van hun zwangerschap, ze pronken er zelfs mee, noemen het kind in hun huwelijksbelofte en toosten erop, en ze dragen een bruidsjurk die hun buik mooi laat uitkomen. Kortom: ze weigeren af te zien van een traditionele bruiloft, alleen maar omdat er zichtbaar een baby in aantocht is,' aldus journaliste Mireya Navarro.

Een paar jaar geleden zou ik nog de spot hebben gedreven met deze instantechtparen – hoe zouden deze verbintenissen ooit echt kunnen zijn? Die vrouwen wilden natuurlijk met alle geweld een kind krijgen en namen genoegen met de eerste de beste man die langskwam. Nu zie ik dat anders. Wat Jacob en ik hebben ís echt, en ik heb er hard genoeg voor moeten knokken. Ik heb van al mijn mislukte relaties een heleboel over mezelf geleerd en weet nu ook beter wat ervoor nodig is om een relatie goed te houden. Jacob is niet zomaar iemand die op het juiste moment op de juiste plaats was. Ik heb er hard voor gewerkt om dit punt te bereiken.

Mijn pragmatische inslag vertelt me echter dat ik eerst eens wat beter moet kijken naar 'het instantechtpaar' voor ik die optie zelf al te serieus overweeg. Als ik mijn moeder vertel wat ik voor Jacob voel, raadt ze me aan te gaan praten met Jane Harnick, de dochter van haar vriendin Barbara Barrie. Mijn moeder vertelt me dat Jane haar echtgenoot Adam heeft leren kennen toen ze achtendertig was. Ze was binnen een jaar zwanger.

Een paar dagen later ga ik theedrinken bij Jane en Adam. Ze wonen in een klein tweekamerappartement in de Upper West Side. Barbara is er ook.

'Ik was weer eens gedumpt,' begint Jane haar verhaal over hoe ze Adam leerde kennen.

Jane, een aardse roodharige vrouw die er ontspannen bij zit, is fotoredacteur bij een modebedrijf. Ze vertelt dat ze tegen haar zevenendertigste, na tien jaar daten in New York, zo'n beetje een vleesgeworden Cathy-strip was: ze werd aan de lopende band aan de kant gezet door emotioneel onbereikbare mannen en dreigde te oud te worden voor kinderen.

Janes moeder bood haar een weekendcursus daten aan. Jane ging erheen, kwam tot bepaalde inzichten (ze moest bijvoorbeeld ophouden zich aangetrokken te voelen tot emotioneel terughoudende mannen zoals haar vader) en ging weer online. Ditmaal besloot ze internetdaten als een project te zien. Ze stelde zelfs een deadline vast. Als ze op haar achtendertigste nog niet de juiste man had gevonden, wilde ze in haar eentje een kind krijgen.

'Ik beloofde haar te helpen,' zegt Barbara.

Elke avond zat Jane achter haar computer, soms tot drie uur 's nachts, verwoed te mailen naar iedere man die er ook maar enigszins veelbelovend uitzag. 'Het was echt een bliksemcampagne,' zei ze. 'Ik zei de hele tijd bij mezelf: "Nog eentje, nog eentje," tot ik er helemaal doorheen was.'

Gedurende twee maanden had Jane twee à drie afspraakjes per week. Toen kreeg ze op een zaterdagmiddag een picknickafspraak in Central Park met Adam, een hartelijke, grappige zevenendertigjarige pr-directeur bij ABC Sports. Hij was vijf jaar daarvoor gescheiden en woonde met zijn hond in een studio in de Upper East Side. Jane mocht hem onmiddellijk.

'Hij bracht het juiste soort eten mee,' zegt ze. 'Hummus, brood en kaas. Mango's en avocadosalade. Ik was onder de indruk. Ik vroeg hem of hij kinderen wilde. Ik wilde er geen doekjes om winden.'

De relatie kwam snel van de grond.

'Vlak na onze eerste ontmoeting stopten we met de anticonceptie,' zegt Jane.

'Na jullie eerste ontmoeting?' roept Barbara uit. Ze draait zich om naar Adam. 'Maar je had haar nog niet eens ten huwelijk gevraagd!'

'We probeerden niet actief om zwanger te worden,' licht Adam toe. 'We besloten min of meer: als het gebeurt, gebeurt het.'

Zeven maanden later trokken Adam en zijn hond Vinnie bij Jane in. In februari waren ze verloofd.

Jane vertelt me dat Adam een openheid had die ze niet eerder bij een man had meegemaakt, en dat ze al snel wist dat hij bij haar paste. Vanwege hun leeftijd en hun levenservaring – Adam had een huwelijk achter de rug en had veel geleerd van zijn fouten – vielen de stukjes al snel op hun plaats.

Zeventien maanden na hun eerste afspraakje liep Jane, acht maanden zwanger, in een witte bruidsjurk van elastische jersey, maatje 46, naar het altaar. Het dochtertje van Jane en Adam, Roxie, is nu tien maanden oud. 'Het zou helemaal ideaal zijn geweest als we meer tijd hadden gehad voordat ze geboren werd,' zegt ze. 'Nu zijn we zo druk en moe dat het moeilijk is om tijd voor elkaar te maken.'

Maar de tijd waarin ze zich eenzaam, ongerust en voortdurend afgewezen voelde, heeft plaatsgemaakt voor een gevoel van comfort en stabiliteit. 'Nu gaat de baby om zeven uur slapen, waarna Adam en ik iets eten en naar bed gaan. Heel opwindend.'

Ze zijn van plan hun tweejarig huwelijk te vieren met een huwelijksreis naar Parijs. 'Adam bezweert me dat Roxie ons nog zal herkennen als we terugkomen,' zegt Jane met een glimlach en ze kijkt naar haar man. Ze slaat quasi wanhopig haar blik ten hemel. 'Ik ben natuurlijk als de dood dat ze dan haar eerste stapjes gaat zetten en we dat zullen missen.'

Ik ga weg met een optimistisch gevoel: misschien is mijn verlangen om snel stappen te nemen met Jacob niet overhaast, maar gewoon lekker pragmatisch. En logisch voor een vrouw van mijn leeftijd. Jane en Adam zien er als stel zo vanzelfsprekend uit, ze lijken echt verliefd op elkaar. Ik vraag me af of je naarmate je ouder wordt en jezelf beter kent, sneller ziet wat goed voor je is. Voor Jane en Adam kwam het besluit om zich snel te binden en een kind te krijgen kennelijk niet voort uit wanhoop of labiliteit. Eerder het tegendeel: het was een stap vol vertrouwen in een stabielere toekomst.

Die avond heb ik een afspraak met Jacob en zijn zus Allison*. Hij noemt Allison zijn beste vriendin, dus ik vind het nogal wat dat hij me aan haar wil voorstellen. Het klikt direct tussen Allison en mij. Ze organiseert tentoonstellingen in een kunstgalerie. Ze heeft een dikke bos kastanjebruine krullen en een schelle, hoge stem die in strijd lijkt met haar sterke persoonlijkheid. Als Jacob bijvoorbeeld een best terechte opmerking maakt over de service in het restaurant, werpt ze hem een veelbetekenende blik toe die hem meteen het zwijgen oplegt. Zij is duidelijk de diplomate van het gezin.

Na het eten heb ik eigenlijk zin om Jacob te vertellen over

mijn ontmoeting met Jane en Adam. Maar ik weet dat het misschien zou overkomen alsof ik hem onder druk wil zetten, dus zie ik ervan af. Wees rustig, zeg ik bij mezelf. Of doe op zijn minst alsof – ik ben stapel op Jacob, en ik kan mijn fantasieën bijna niet in bedwang houden.

Hoewel er nooit op grote schaal onderzoek is gedaan naar het succespercentage van instantechtparen, wekken de beschikbare gegevens de suggestie dat het spoedhuwelijk voor veel mensen prima werkt. Ted Huston, hoogleraar psychologie en menselijke ecologie aan de universiteit van Texas heeft sinds 1979 168 huwelijken gevolgd. Uit zijn gegevens blijkt dat relaties waarin een stel zich binnen negen maanden verlooft een grotere kans hebben na zeven jaar nog te bestaan. 'Verliefdheid in het begin zorgt ervoor dat mensen het langer samen uithouden wanneer het huwelijk in de problemen komt,' concludeert hij.

Uit onderzoek blijkt ook dat langdurig samenwonen voor het huwelijk het risico op echtscheiding vergroot. Een onderzoek uit 2002, uitgevoerd door demografen van de universiteit van Pennsylvania, wees uit dat hoe langer een stel voor het huwelijk had samengewoond, hoe gelatener ze tegen een mogelijke echtscheiding aankeken en hoe minder enthousiast ze waren over trouwen en kinderen krijgen.

Hoezeer ik me ook gesteund voelde door Janes succesverhaal en hoeveel vertrouwen het me ook heeft gegeven in mijn eigen relatie, ik besef dat ik het aan mezelf verplicht ben ook kennis te nemen van de minder positieve kant van het instanthuwelijk. Een vriendin brengt me in contact met Joanne*, een kennis van haar wier instantgezin uit elkaar viel.

Joanne, moeder van twee kinderen, woont in Brooklyn. Als ik haar opbel vertelt ze dat ze op haar zesendertigste was getrouwd, een huis had gekocht en haar dochter kreeg binnen anderhalf jaar na haar kennismaking met haar echtgenoot, een succesvolle documentaireproducent. Ze had haast om te trouwen en dacht dat hij de ware was. Ze kreeg haar zoon zestien maanden na de geboorte van haar dochter. 'De beslissing om snel kinderen te krijgen was niet toevallig,' zegt ze. 'Ik wist dat ik moeder wilde worden, maar het was mijn man die erop aandrong.'

Hoewel Joanne zich liet meeslepen, vertelt ze me dat ze eigenlijk wel wist dat het te snel ging, dat ze zichzelf bijna aanpraatte dat ze van deze man hield, omdat ze haar zinnen had gezet op het bereiken van de drie-eenheid man, huis en kinderen. Maar een jaar na de geboorte van hun tweede werd haar man afstandelijk en kregen ze ruzie over van alles, van de opvoeding van de kinderen tot wie er moest koken. Door de realiteit van hun problemen vergaten ze hun vroegere verliefdheid, en uiteindelijk verliet hij haar voor een andere vrouw.

Terugblikkend zegt ze dat ze waarschijnlijk te snel getrouwd is. 'Op papier leek het te kloppen, maar ik ging te veel op in alles wat ik aan het vergaren was. Als we het wat rustiger aan hadden gedaan en langer verkering hadden gehad, zou ik bepaalde trekjes bij hem hebben gezien die wel tot problemen moesten leiden.' Toch is ze dankbaar dat ze haar kinderen heeft en ze zegt dat ze opnieuw zo'n snelle beslissing zou nemen. 'Het is altijd een risico, en nu ben ik wijzer door wat ik de eerste keer geleerd heb.'

Joannes verhaal maakt me nieuwsgierig naar de keerzijden van het instantgezin, dus bel ik mijn vriend Rob Stein, een huwelijks- en gezinstherapeut in Manhattan. Rob ziet in zijn praktijk een heleboel instantgezinnen en tijdens een lunch vertelt hij me dat die huwelijken bijzonder kwetsbaar kunnen zijn, ongeacht de leeftijd van de echtgenoten.

'Als je een wat wankel zelfbeeld hebt en dat probeert op te

lossen door snel te gaan trouwen en een kind te krijgen, begin je eerder aan de relatie te twijfelen zodra er moeilijkheden komen,' zegt hij.

Ik vraag door. Hij zegt dat stellen vaak 'sprookjesachtige verwachtingen' hebben en elkaar in de verliefdheidsfase beloften doen waar ze later op terugkomen. Zo zegt de man bijvoorbeeld in de roes van de prille liefde tegen de vrouw dat hij een gelijkwaardige rol wil spelen in de opvoeding van de kinderen. Maar als het eenmaal zover is en de kinderen geboren zijn, voldoet hij niet aan de verwachtingen; de wrok groeit en er komen barstjes in een fundament dat bestaat uit de oorspronkelijke fantasie die het stel bij elkaar heeft gebracht.

Een ander veeg teken is het volgens hem als iemand nooit een serieuze relatie heeft gehad en dan ineens in het huwelijksbootje springt. Hij vertelt me over een man die het schijnbaar perfecte huwelijk van zijn ouders wilde nadoen met de eerste de beste vrouw op wie hij verliefd werd. Hij vroeg haar snel ten huwelijk, en zij stemde in. Maar naarmate ze langer samen waren en te maken kregen met de scherpe kantjes van echte intimiteit, waarbij pijn en blauwe plekken komen kijken, werd hij bang dat het ideaal niet werkte en begon hij uit angst de relatie te saboteren.

'Weer een andere fout is je binden uit angst,' zegt Rob. 'Iemand kan besluiten te trouwen uit opgejaagdheid – babypaniek, omdat je vriendin of je zus getrouwd is, financiële onzekerheid – of uit een gevoel van onveiligheid. Wat gebeurt er vervolgens als de angst wegzakt en je achterblijft met een niet bepaald ideale relatie?'

Naar aanleiding van mijn gesprek met Rob probeer ik te achterhalen of ik zelf in een van de door hem omschreven valstrikken dreig te trappen. Ik weet dat ik vreselijk romantisch kan zijn en al snel luchtkastelen bouw. En fantasieën over mijn toekomst met Jacob heb ik zeker. Maar die vormen beslist niet de basis van onze relatie. We weten allebei dat het huwelijk niet makkelijk is, dat je er hard aan moet werken. We zijn het erover eens dat het erom gaat iemand te vinden van wie je zoveel houdt dat je dat werk er graag voor over hebt. En het is niet bepaald zo dat Jacob en ik ten opzichte van elkaar in een soort belachelijke fantasiewereld leven. We hebben nog niet echt over onze toekomst gesproken of elkaar beloften gedaan. We leven met de dag, we leren elkaar steeds beter kennen en genieten van elkaar.

Toch stemmen Robs opmerkingen over angst me tot nadenken. Natuurlijk is het zo dat ik me zorgen maak over mijn biologische klok en ik moet oppassen dat ik me door die bezorgdheid niet tot overhaaste stappen laat pushen. Ook moet ik ervoor waken dat die bezorgdheid me niet blind maakt voor waarschuwingssignalen. Het is waar dat Jacob niet veel langdurige relaties heeft gehad. Hij heeft nog nooit met iemand samengewoond en hij had zijn laatste serieuze relatie, die maar een jaar duurde, toen hij in de twintig was. Maar als hij zegt dat zijn relatie met mij de meest serieuze is die hij ooit heeft gehad, zie ik dat als een enorm compliment. Jacob is een bijzonder kritische persoon; ik kan me goed voorstellen dat hij niet gemakkelijk iemand heeft kunnen vinden die aan zijn wensen voldeed. Tenslotte heb ik datzelfde probleem gehad.

Het zal niemand verbazen dat de biologische tijdsdruk een grote rol speelt in het besluit van veel stellen om een instantgezin te stichten. Maar naarmate ik met meer stellen spreek, kom ik erachter dat dat niet de enige factor is waardoor deze stellen snel tot daden komen. Veel van deze mannen en vrouwen hebben naarmate ze ouder werden hun ideeën over wat liefde is of zou moeten zijn simpelweg geherdefinieerd, of althans toegespitst. Na tien of meer jaar daten zien ze niet langer het nut van een lange verkering: je wéét gewoon of het werkt of niet. Pragmatisme heeft de plaats ingenomen van vurige passie, terwijl deze stellen hun praktische wens vervullen om over te gaan naar de volgende levensfase.

Bela Schwartz en June Zimmerman, een ander instantechtpaar dat ik via een vriendin leer kennen, zijn een goed voorbeeld van deze pragmatische insteek. Zeven jaar geleden werd Bela, een financieel leidinggevende met een babyface, veertig en keek hij terug op tien jaar lang veertien uur uur per dag werken, doordeweeks en in het weekend. 'Ik zei bij mezelf dat het tijd werd om volwassen te worden en een leven op te bouwen, kinderen te krijgen en, je weet wel, me te settelen,' legt hij uit.

Zes maanden later had hij verkering met June, een sportieve roodharige vrouw die in een kleine studio in het centrum woonde en met moeite als freelance medisch journaliste het hoofd boven water hield. 'Ik wilde een thuis,' aldus June. 'Ik wilde niet langer afgaan op het toeval, of op het idee dat je voorbestemd bent om de ware tegen te komen. Als je over de veertig bent en geen relatie hebt, krijg je het gevoel dat je misschien wel de rest van je leven alleen blijft.'

Ze geeft toe dat er ook sprake was van biologische tijdsdruk. Dus toen ze een afspraakje had met Bela, de eerste man die ze ontmoette via Match.com, besloot ze zich anders op te stellen. June geeft toe dat ze vanwege haar diepe verlangen naar een gezin minder selectief was dan gewoonlijk. 'Tien jaar daarvoor zou ik waarschijnlijk niet hebben gereageerd als er in het profiel New Jersey stond. Daar zou ik mijn neus voor hebben opgehaald.'

Na zes maanden vroeg Bela June ten huwelijk. June maakte direct een afspraak met een vruchtbaarheidsspecialist. Ze was bijna veertig. 'De arts zei tegen me dat de bel voor de laatste ronde had geklonken en dat ik maar beter onmiddellijk kon beginnen,' zegt ze. Direct na de bruiloft kreeg June haar eerste ivf-behandeling en werd ze zwanger van haar zoon.

Op een klamme dag in augustus komen June en Bela, nu allebei achtenveertig jaar, aan bij een speeltuin in de buurt, ze pakken hun spullen uit de auto en gaan onder een eikenboom zitten. Hun vijfjarige zoon Isaac rent naar de speeltoestellen. Ze hebben nu drie kinderen – hun vlasblonde tweeling, Alysia en Margarita, werd via ivf geboren toen June vijfenveertig was.

Terwijl de kinderen rustig sap drinken uit een kartonnetje, mijmert June over de pro's en contra's van haar instantgezin. 'Een echt nadeel is wel dat je niet tien jaar de tijd hebt gehad om je relatie te laten groeien en geen basis hebt waarop je kunt terugvallen,' zegt ze. 'Wij hebben geen herinnering aan een leven met zijn tweetjes. Eigenlijk zouden we wat meer tijd met zijn tweeën moeten inplannen!'

June wijst er echter ook op dat zij en Bela, omdat ze niet jarenlang samen zijn geweest voor ze kinderen kregen, als stel niets anders kennen dan het leven als gezin. 'Wij hoeven niet te rouwen over de vrijheid die we zijn kwijtgeraakt, omdat we die nooit hebben gehad.'

In een weekend nodigt Jacob me uit om met zijn ouders iets te gaan drinken in een Italiaans restaurant in de Upper West Side. Ik ben opgewonden, want dit wordt onze eerste kennismaking; ik begrijp dat dit voor Jacob een serieuze stap is.

Al meteen ben ik weg van Jacobs ouders. Ze hebben een soort informele, landelijke elegantie. Zijn moeder is een hartelijke, ietwat excentrieke sociaal werkster; ze draagt een jasje met veren en een aparte antieke broche. Ze stelt me veel vragen over mijn carrière, maar ik merk dat ze zich probeert in te houden zodat ik me niet ongemakkelijk ga voelen. We praten even over mijn leven in Californië en over een artikel dat ik zojuist voor de *The New York Times* heb geschreven, over een antropoloog die onderzoek doet naar de chemie van liefde. Zijn vader is wat stiller en terughoudender; een ondernemer die kunstvoorwerpen uit de jaren twintig verkoopt. Hij zegt niet veel en lijkt de dingen van een afstandje te bekijken. Het is me duidelijk dat Jacobs moeder de bindende factor van dit gezin is.

Na het eten lopen Jacob en ik terug naar zijn appartement. Hij zegt dat zijn ouders zichtbaar dol op me zijn; toen ik naar de wc was had zijn vader gezegd dat ik een leuke meid leek. Ik vertel hem dat ik zijn ouders aardig vond, omdat ze me sterk aan mijn eigen ouders deden denken. Ze hebben me duidelijk geaccepteerd als een belangrijke persoon in Jacobs leven.

Onze relatie raakt in een versnelling nu we meer bij elkaars familie betrokken raken. Jacob neemt me regelmatig mee voor etentjes bij zijn ouders en al snel ben ik van de partij bij de meeste familiebijeenkomsten. Ik vergezel hen naar theatervoorstellingen, naar feestjes met hun vrienden en naar het etentje om te vieren dat Jacob eindelijk de koop van zijn nieuwe woning heeft gesloten. Een toekomst samen begint onvermijdelijk te lijken. Mijn familie heeft hem al min of meer geadopteerd, en zijn familie mij. Als we vierentwintig waren zou ik zo niet denken, maar in het licht van onze leeftijd ligt de gedachte aan een toekomstig huwelijk voor de hand.

Dan word ik op een ochtend wakker in Jacobs appartement met het besef dat ik een paar dagen over tijd ben. Als ik naar de winkel sjok om een zwangerschapstest te kopen, voel ik me licht verontrust, maar dat is geen onbekend gevoel. In mijn jongere jaren heb ik ook een paar van die trillende sessies op de wc meegemaakt, biddend dat er geen twee rode lijntjes op de zwangerschapstest zouden verschijnen.

Ik had geluk: die lijntjes verschenen nooit. Maar als dat in die fase van mijn leven wel was gebeurd, zou ik zeker voor een abortus hebben gekozen. Net als zoveel van mijn liberale, agnostische, progressieve vriendinnen die wel een abortus hebben ondergaan toen ze in de twintig waren, zou ik een angstaanjagend, pijnlijk rouwproces hebben doorgemaakt. Maar net als zij zou ik mijn besluit uiteindelijk van de rationele kant hebben bekeken en mezelf hebben voorgehouden dat ik uiteindelijk alleen maar een betere moeder zou worden als ik wachtte met kinderen krijgen tot ik stabieler en zekerder was.

Maar deze ochtend is het anders. Terwijl ik op de uitslag zit te wachten, voel ik geen paniek. In plaats van te bidden dat ik geen twee rode lijntjes zie, hoop ik ergens dat het wel zo zal zijn. Als de test negatief is, ben ik eerder teleurgesteld dan opgelucht.

'Deze keer niet,' zeg ik met een flauw glimlachje tegen Jacob als ik uit de badkamer kom. Ik wil eerst zijn reactie zien voor ik hem mijn eigen gevoelens toon.

Jacob ziet er gespannen uit. 'Maar als je wel zwanger was geweest, had je het toch zeker laten weghalen, hè?' vraagt hij. 'We kunnen onmogelijk zo vroeg in onze relatie een kind krijgen.'

Zijn vraag is als een klap in mijn gezicht. Ergens snap ik wel dat dit een normale reactie is als je pas zes maanden bij elkaar bent en dat ik in een andere levensfase op precies dezelfde manier zou hebben gereageerd. Maar nadat ik met zoveel stellen heb gesproken die het gewoon wísten toen ze de juiste persoon tegenkwamen, vraag ik me toch af of ik de sterkte van onze relatie totaal verkeerd heb ingeschat – althans van zijn kant.

Ik merk dat ik ook diep teleurgesteld ben in Jacob. We zitten in zoveel opzichten op één lijn en hij begrijpt mij beter dan wie dan ook. Waarom begrijpt hij dan niet dat een abortus terwijl ik bijna zevenendertig ben heel, heel moeilijk voor mij zou zijn? Ik heb hem al zo vaak verteld hoe belangrijk een gezin voor me is en ik voel me ontzettend in de steek gelaten door die afwerende reactie van hem. Ik vraag me af of dit aangeeft dat hij het soort persoon is dat altijd eerst aan zichzelf en aan zijn eigen wensen denkt.

Maar ik zeg niets en knik alleen maar.

'Ja, natuurlijk,' zeg ik automatisch.

Als ik later die dag nadenk over ons gesprekje, besluit ik extra zorgvuldig te zijn met de anticonceptie. Ik ben klaar om een kind te krijgen en mijn biologische klok tikt steeds luider en doordringender. In deze fase van mijn leven is het uitgesloten dat ik een abortus zou kunnen ondergaan.

Jacob en ik gaan een weekendje naar de Berkshires met een paar vrienden van hem. Die avond belt mijn moeder om me te vertellen dat mijn negentigjarige grootmoeder Mimi is gevallen en haar heup heeft gebroken. Ze ligt in het ziekenhuis en moet worden geopereerd. Ik weet dat een operatie op die leeftijd een groot risico inhoudt, dus ik vraag Jacob of hij me naar het ziekenhuis wil brengen.

Ik kom precies op tijd aan om nog even met mijn grootmoeder te kunnen spreken voor ze de operatiezaal in gaat. Ik laat haar een foto van Jacob zien, omdat ik weet dat de gedachte aan mij met een man van wie ik hou haar kracht zal geven. Al sinds ik klein was heeft ze het erover gehad hoe gelukkig ze zou zijn op mijn bruiloft. Ze kijkt naar de foto en glimlacht me veelbetekenend toe.

Mimi overleeft de operatie, maar twee dagen later weigert ze te eten en wil ze ook niet aan het infuus. Binnen een week zakt haar bloeddruk en begint haar lichaam het te begeven. De arts stelt voor dat we haar naar een hospice brengen en beginnen met afscheid nemen.

Op de ochtend dat Mimi overlijdt, belt mijn moeder me in tranen op. Ik lig in bed met Jacob, en terwijl hij me omhelst voel ik hoe de generaties opschuiven. Binnenkort is het de beurt aan mijn moeder om de grootmoeder te zijn en ben ik de moeder. Maar terwijl de tranen over mijn wangen rollen en Jacob me zwijgend over mijn hoofd streelt, vraag ik me af hoe lang dat nog zal duren.

8
Wachten op het hoge woord

Op een frisse zondagochtend eind november word ik wakker met een verdrietig gevoel. Het is de dag na mijn zevenendertigste verjaardag, en romantisch als ik ben had ik gehoopt dat Jacob me een verlovingsring zou geven. In plaats daarvan gaf hij me een mooie sjaal en een kasjmier trui en ging hij mee uit eten met mijn familie. Toch ben ik een beetje teleurgesteld en voel me ietwat bezorgd, omdat ik weer een jaar ouder ben.

Jacob slaapt nog, dus sta ik op, zet een kop koffie voor mezelf en ga zitten met de krant. Mijn mobiele telefoon piept. Ik zie dat het een bericht is van Jacobs zus Allison. Later die week hebben we een etentje en ze stuurt me de namen van een paar restaurantjes die haar leuk lijken. 'PS: heb je Modern Love gezien?!' schrijft ze aan het eind van haar bericht.

Allison is een jaar ouder dan ik en een paar maanden geleden, vlak voor haar achtendertigste verjaardag, heeft ze het na een jaar uitgemaakt met haar vriend, die niet met haar wilde trouwen. Ze zit in de put omdat ze echt van hem hield, maar ook omdat ze zich zorgen maakt over haar vruchtbaarheid. Omdat Allison en ik zozeer in dezelfde positie zitten, hebben we het vaak over het problematische daten in New York en de druk van onze biologische klok. Het is dan ook niet gek dat ze me wijst op de column 'Modern Love' van die ochtend, in het leefstijlkatern van *The New York Times*. Hij is getiteld: 'In de greep van de anticonceptie van Moeder Natuur zelf.'

'Ik weet niet hoe het mogelijk is dat ik zo oud ben geworden zonder kinderen te krijgen,' zegt journaliste Wendy Paris in de openingsregel. 'Toen ik achtentwintig was en mijn nichtje van eenendertig haar eerste kind kreeg, dacht ik: "Zo lang wacht ik zeker niet." Maar vervolgens ging mijn vrije, carrièregerichte leventje nog een decennium door.'

Vervolgens beschrijft Paris haar latere huwelijk en haar eerste zwangerschap op haar achtendertigste, wat 'naar mijn gevoel nog steeds te vroeg was'. Aan dat gevoel kwam echter een einde toen ze twee weken later een miskraam kreeg. Paris schrijft dat ze op dat moment bewust het besluit nam zich door deze miskraam niet van haar stuk te laten brengen en het gewoon opnieuw te proberen. Ze was niet van plan uit te groeien tot een van die geobsedeerde 'oudere grotestadsvrouwen met een zelfstandig beroep die gewend zijn de factoren voor hun succes in eigen hand te hebben.'

Acht maanden later werd ze opnieuw zwanger. Er volgde opnieuw een miskraam. Ten slotte schreven Paris en haar echtgenoot David zich in bij een vruchtbaarheidskliniek en begonnen ze aan 'een naar mijn gevoel eindeloze cyclus van tests en afspraken, vastbesloten om al het mogelijke te doen om te slagen. Ineens kijk ik heel anders naar die neurotische would-be moeders op wie ik vroeger zoveel kritiek had. Obsessieve waakzaamheid is een natuurlijke reactie op het schokkende besef dat je het niet voor het zeggen hebt.'

Door haar ervaringen begon Paris anders te denken over wachten met kinderen krijgen. Een paar weken later hoorde ze zichzelf op een feestje een vriendin aanraden om 'gericht te zoeken naar een echte partner en liever vroeg dan laat een gezin te stichten. Je hoeft niet net als iedereen te doen,' zegt ze. 'Het is in feite veel moeilijker om een gezin te stichten als je ouder bent.'

Het antwoord van haar vriendin is een zin die ik ook duizenden malen gehoord heb: 'Ik heb een vriendin die zojuist zwanger is geworden op haar tweeënveertigste.'

Door het artikel wordt mijn raderwerk natuurlijk in gang gezet. Het liefst zou ik gillend de slaapkamer in rennen om tegen Jacob te zeggen dat we onmiddellijk aan de slag moeten voor een nieuwe generatie. Ik ben immers zojuist zevenendertig geworden! Maar ik weet dat dit wel het laatste is waar onze relatie behoefte aan heeft. Het is een stressvolle tijd. Jacob is nog maar net verhuisd en we werken allebei erg hard. En hoewel hij me begint te betrekken bij de inrichting van zijn appartement en het 'thuis' noemt – zoals: 'ik zie je thuis'– zijn er nog wel een paar hobbels te nemen.

Ik begin een paar minder leuke karaktertrekjes bij hem te zien, en hij bij mij. Na de eerste maanden van verliefdheid begin ik een beetje met mijn voeten op de grond te komen. Een van mijn beste vriendinnen, misschien wel de meest intuïtieve persoon die ik ken, had een paar weken eerder iets gezegd over de manier waarop Jacob glimlacht, met zijn lippen op elkaar; die wekte bij haar het vermoeden dat hij niet eerlijk was en ze vroeg zich af wat hij verborg. Ik verdedigde hem natuurlijk. Maar misschien ging ik na haar opmerking meer op zijn gedrag letten, want bepaalde gewoontes van hem begonnen me daarna te irriteren. Bijvoorbeeld dat ik hem soms wil omhelzen, maar hij me dan wegduwt als een mokkend kind. Toen hij dat een keer deed, was ik merkbaar van mijn stuk. Hij verklaarde dat hij altijd zo was geweest, dat hij zich nooit helemaal op zijn gemak had gevoeld bij het openlijk uiten van zijn gevoelens, en dat een vroeger vriendinnetje van hem altijd moest huilen als hij dat deed. Ik ben enigszins opgelucht nu ik weet dat het niet door mij komt, maar het voelt evengoed als een afwijzing.

Ook begint me duidelijk te worden dat Jacob en ik verschillend denken over wat we voor elkaar zouden moeten zijn. Een paar maanden na het overlijden van mijn grootmoeder zei hij dat hij vond dat ik te zeer aan hem hing en dat hij daar gestrest door raakte. Ik probeerde hem uit te leggen hoeveel mijn oma voor me had betekend, dat ik in de rouw was en me nogal kwetsbaar voelde, maar hij zei dat ik in de weken na haar dood te veel van hem had verwacht, bijvoorbeeld dat hij me regelmatig belde, zelfs wanneer hij op zakenreis was; meer emotionele steun dan hij kon geven. Op het moment zelf irriteerde dat gesprek me, en ik zit er nog steeds mee. Als we samen zouden leven, zouden we onvermijdelijk veel hardere klappen te verwerken krijgen dan de dood van een grootouder – kon ik erop rekenen dat hij die klappen samen met mij zou opvangen?

Jacob en ik hebben onlangs een paar goede gesprekken gehad, en we willen proberen elkaar meer tegemoet te komen. Ik weet dat ik zijn behoefte aan ruimte en privacy meer moet respecteren en hij is het ermee eens dat hij meer moet proberen mij geborgenheid te bieden. Ik heb al gemerkt dat hij probeert zich wat aanhankelijker te gedragen. En ik probeer niet boven op hem te zitten.

Er hangt echter nog steeds een heikele kwestie tussen ons in. Al zijn we nu bijna een jaar samen, Jacob en ik hebben nog steeds niet 'Ik hou van je' tegen elkaar gezegd. Ik ben van nature ongelooflijk spontaan en als ik verliefd ben, zoals met Alex, heb ik de neiging dat rond te bazuinen. Ik bén verliefd op Jacob, maar ergens wil ik mezelf beschermen omdat het hoge woord er bij hem nog niet uit is. Ik weet dat Jacob een rationeel type is – hij zegt zelden iets zonder er eerst diep over te hebben nagedacht. Ik stel mezelf gerust met de gedachte dat 'ik hou van je' voor Jacob een andere betekenis heeft dan voor mij; een keer liet hij zelfs doorschemeren dat hij de woorden pas wilde uiten als hij er zeker van was dat hij zich volledig aan me wilde binden.

Zodoende zoek ik in andere dingen een bewijs dat onze relatie in de richting van een huwelijk gaat. Bijvoorbeeld het feit dat hij me uitnodigt voor een surpriseparty ter gelegenheid van het veertigjarig huwelijk van zijn ouders. Die avond zit ik naast zijn moeder in een Italiaans restaurant in Westchester en stellen zij en Jacob me voor aan hun vrienden. Op zeker moment slaat zijn moeder haar arm om me heen en stelt ze me voor aan een van haar beste vriendinnen. 'Dit is mijn...' ze aarzelt, alsof ze meer zou willen zeggen dan 'Jacobs vriendin'. Maar voor ze dat kan zeggen kijkt haar vriendin me aan, glimlacht en zegt: 'Ik weet wie jij bent...'

Op dit soort momenten ben ik er zeker van dat ik een werkelijk belangrijk, en misschien wel permanent, onderdeel ben van Jacobs leven. En ik besef dat ik het vooralsnog daarmee moet doen. Aangezien hij me al heeft laten weten dat ik hem verstik, moet ik hem nu echt niet onder druk zetten om meer zekerheid te krijgen over onze toekomst.

Dus op deze ochtend, de dag na mijn zevenendertigste verjaardag, leg ik de krant neer, haal ik diep adem en zeg ik tegen mezelf: pura vida. Dan ga ik naar de slaapkamer en kruip weer in bed, zodat ik er ben om naar Jacob te glimlachen en goedemorgen te zeggen als hij wakker wordt.

Ik weet dat ik het rustig aan moet doen met Jacob, maar het valt bepaald niet mee om niet na te denken over het krijgen van kinderen met hem, en zodoende over mijn leeftijd. Ook al wijst alles erop dat mijn vruchtbaarheid nog meewerkt, toch is het moeilijk om hier luchtig mee om te gaan, vooral als ik de angstaanjagende verhalen van andere vrouwen hoor en lees. Ik ben me bewust van elke maand die voorbijgaat en ik vraag me af hoe lang we kunnen wachten voordat we gaan proberen om zwanger te worden, zelfs als we besluiten ons aan elkaar te binden.

Het artikel van Wendy Paris heeft me in het bijzonder bang gemaakt voor een miskraam. Dat is een gevoelig onderwerp voor me, omdat ik de pijn van het verlies van een zusje heb meegemaakt toen mijn moeder achtendertig was en ik zeven. Ze was zwanger van een meisje; mijn vader en zij hadden haar al voor haar geboorte Rebecca Lillian genoemd. Haar tweede naam was een eerbetoon aan degene die haar peetmoeder zou zijn geweest, Lillian Hellman.

Op 2 december 1976 besloot de arts van mijn moeder de bevalling op te wekken omdat ze twee weken over tijd was. Eerst schreef hij echter een vruchtwaterpunctie voor – een relatief nieuwe procedure in 1976 – om er zeker van te zijn dat Rebecca echt klaar was om geboren te worden, dat haar longen genoeg ontwikkeld waren.

Kort na de vruchtwaterpunctie merkte een verpleegkundige dat ze Rebecca's hartslag niet meer hoorde. Mijn moeder werd vliegensvlug naar de operatiezaal gebracht voor een keizersnede, maar het was te laat. Rebecca had bloed verloren, en haar navelstreng zat rond haar nek. Mijn kleine zusje leefde slechts een paar minuten nadat ze uit de baarmoeder van mijn moeder was gehaald.

Een vruchtwaterpunctie wordt gewoonlijk uitgevoerd met behulp van een naald geleid door ultrasone golven. Bij mijn moeder werd de test echter blind uitgevoerd, zonder ultrasone golven, omdat de artsen haast hadden. Achteraf denken de artsen dat de naald de placenta misschien heeft verschoven, waardoor de navelstreng op de verkeerde plaats terechtkwam. Maar niemand weet dat met zekerheid.

Toen mijn vader die avond terugkwam uit het ziekenhuis, vroeg ik hem of ik een broertje of een zusje had. Hij sloeg zijn ogen neer, legde zijn hand op mijn hoofd en vertelde me dat mijn kleine zusje was gestorven.

In de volgende weken denk ik lang na en lees veel over de gevaren – én de voordelen – van een zwangerschap rond mijn veertigste. Ik ken de cijfers: op vijfendertigjarige leeftijd wordt ongeveer 66 procent van de vrouwen binnen een jaar zwanger. Op veertigjarige leeftijd is dat 44 procent.

Hoewel die statistieken me enigszins geruststellen, wil ik eigenlijk van vrouwen zelf horen hoe het is om op oudere leeftijd moeder te worden. Ik wil weten met welke dilemma's ze werden geconfronteerd en welke beslissingen ze hebben genomen. Waren ze bang voor de mogelijkheid van een miskraam of een afwijking? Hadden ze het gevoel dat ze genoeg energie hadden om als veertiger, vijftiger jonge kinderen groot te brengen? Zijn ze blij dat ze hebben gewacht, of hadden ze liever eerder kinderen willen krijgen? Hoe combineerden – of combineren – ze hun carrière met hun gezin?

Positief is dat ik bij iedere vrouw die ik spreek een stemmetje ontdek dat zegt: ik ben zo blij dat ik heb gewacht. Ik ben nu zelfverzekerder en sterker als moeder. Dat is ook wat mijn moeder zei over de geboorte van mijn jongere broer Noah op haar veertigste.

In 1995 publiceerden onderzoekers aan de Leicester University in Engeland een longitudinaal onderzoek over een periode van vierenhalf jaar. Het verslag van het onderzoek, getiteld 'The Leicester Motherhood Project', wees uit dat de persoonlijkheid van vrouwen die het krijgen van kinderen bewust uitstellen, verschilt van die van vrouwen die op jongere of gemiddelde leeftijd moeder zijn geworden. Ze hebben vaak zelf een moeder gehad die later aan kinderen begon en hebben zich vaak zelf ontplooid alvorens moeder te worden.

Mijn moeder is niet de enige oudere vrouw die me geruststelde. Op een borrel bespreek ik dit onderwerp met een vriendin van mijn familie, en zij vertelt me dat hoogpresterende vrouwen al generaties lang kinderen krijgen als ze over de veertig zijn. Ze adviseert me om Ruth Gruber te bellen.

Zij kreeg in 1940 op haar eenenveertigste haar eerste kind en heeft daar nooit een punt van gemaakt. Gruber promoveerde op de romanschrijfster Virginia Woolf toen ze twintig was en won vervolgens een beurs van de Guggenheim Foundation om het leven van vrouwen onder het fascisme en communisme in Oost-Europa te bestuderen. Toen ze in de dertig was, werd ze de eerste buitenlandse journalist die toestemming kreeg om naar Siberië te vliegen om gevangenen te interviewen in de Sovjetgoelag van Stalin. In 1944 werd ze door minister van Binnenlandse Zaken Harold Ickes aangesteld als zijn bijzonder medewerker. In die periode reisde ze over de hele wereld, onder meer als gezant om joodse vluchtelingen uit Duitsland te begeleiden naar de Verenigde Staten.

'Ik had het heel druk,' zegt Gruber, die nu zevenennegentig jaar is.

Op haar veertigste werd ze verliefd op Philip Michaels, een advocaat en sociaal activist. Ze trouwden al snel.

'Ik wist altijd al dat ik kinderen wilde,' vertelt ze. Ondanks waarschuwingen van haar arts over het risico van geboorteafwijkingen probeerde ze zwanger te worden, en na maanden slaagde ze erin.

'In plaats van kinderen met het downsyndroom kreeg ik twee doodgewone kleine joodse genieën,' zegt ze.

Achteraf denkt ze dat ze er goed aan heeft gedaan te wachten tot ze ouder was. 'Ik denk dat ik beter begreep wie ik was en wat het leven je voorschotelt. Veel van mijn vriendinnen hadden er spijt van dat ze niet een stevige carrière hadden neergezet voor de rest van hun leven. Ze hielden altijd het gevoel dat ze iets hadden gemist.'

Verschillende recente onderzoeken ondersteunen Ruths mening. Brian Powell, socioloog aan de Indiana University, vertelde me dat hij er door zijn onderzoek achter is gekomen dat kinderen van oudere ouders een stuk beter af zijn. Aangezien we in een cultuur leven waarin jeugd hoog gewaardeerd wordt en zodoende wordt aangenomen dat jongere ouders meer energie voor hun kinderen hebben, verbaasden die gegevens hem. Powell dacht dat hij zou ontdekken dat er bepaalde voordelen voor oudere ouders waren, en andere voor jongere.

'We dachten dat er meer spanning zou zijn tussen het hebben van meer energie en meer middelen,' zegt hij. 'Maar oudere ouders blijken op bijna elk onderzocht gebied meer betrokken te zijn bij het leven van hun kind. Ze besteden niet alleen meer geld aan hun kinderen, maar ook meer tijd. Ze zitten eerder in de ouderraad van school en gaan vaker naar ouderavonden en ze kennen vaker de vriendjes van hun kinderen en de ouders van die vriendjes.'

In haar onderzoek uit 2005 kwam Sara McLanahan, sociologe aan de Princeton University, tot dezelfde conclusie. Ze constateerde dat gezinnen waarin de moeder de grootste economische onafhankelijkheid heeft – de hoogstopgeleiden met het hoogste inkomen, de vrouwen die het krijgen van kinderen uitstellen – blijkbaar de meeste tijd doorbrengen met hun kinderen.

'Die moeders laten zien hoe het moet,' zegt ze. 'Niet als alleenstaand moeder, maar door het realiseren van stabiele huwelijken die zijn gebaseerd op een gelijkmatiger verdeling van verantwoordelijkheden als ouder.'

Deze bevindingen gaven me een gevoel van rust. Misschien is het toch niet zo'n ramp om later te beginnen – tenminste als mijn biologie meewerkt, of ik besluit om voor een alternatieve weg te kiezen. Deze extra jaren waarin ik me op mijn carrière en mijn financiën heb gericht, zullen me helpen een betere moeder te zijn. Ik heb geen spijt meer van mijn jaren van verkenning en zelfontplooiing, maar zeg bij mezelf dat die mijn kinderen ten goede zullen komen. Ik heb een stabieler nest gebouwd.

Hoe waar dat ook moge zijn, er kleven reële gevaren aan een zwangerschap op gevorderde leeftijd. We weten met zekerheid dat het risico op chromosoomafwijkingen na de vijfendertig toeneemt, en dat het risico op een miskraam tot 20 procent stijgt. Op veertigjarige leeftijd is het risico op een miskraam gestegen tot 33 procent. Deze cijfers liegen er niet om, en veel vrouwen van eind dertig, begin veertig die zwanger worden hebben een zeurstemmetje in hun hoofd dat zegt: ik ben hier te oud voor. Het is te riskant.

Toch zijn deze zorgen niets vergeleken bij hoe het vroeger was.

Toen ik bij Jane Harnick en Barbara Barrie op de thee was, vertelde Barrie me dat ze stond te kijken van het verschil tussen de zwangerschap van haar dochter toen die negenendertig was en haar eigen zwangerschap op zevenendertigjarige leeftijd. Toen Barrie in 1965 zwanger was van haar zoon, spraken zij en haar vriendinnen, ook oudere moeders, alleen op fluistertoon over hun angst.

'Wij hadden geen vruchtwaterpuncties, vlokkentesten of echo's. [De vlokkentest of chorionvillusbiopsie (CVS) wordt doorgaans rond de tiende week van de zwangerschap uitgevoerd. Er worden wat cellen uit de placenta genomen en getest op genetische ziekten.] Ik kan me niet herinneren dat de baby, mijn man of ik op gevaarlijke ziekten werden getest,' vertelt ze. 'We probeerden niet over de consequenties na te denken. We moesten het er maar op wagen. En bidden.'

Technologische en medische vooruitgang hebben de verloskunde sindsdien ingrijpend veranderd. Voordat Janes baby werd geboren, kon ze het hartje horen kloppen en had ze uitsluitsel over het geslacht en de genetische gezondheid van het kind.

Zelfs met betere testen en meer informatie blijven zwangerschappen op hogere leeftijd echter bijzonder stressvol. Het Leicester Motherhood Project onthulde dat oudere moeders vanwege de hogere kans op een miskraam bij vijfendertigplussers halverwege de zwangerschap minder gevoelens van gehechtheid ervaren ten opzichte van hun ongeboren kind, al verdwijnt dat gebrek aan binding tegen het eind van de zwangerschap. Moeders boven de vijfendertig zijn ook bezorgder als hun kinderen jong zijn en zijn banger dat hun zwangerschap misloopt.

Ik kom meer te weten over wat er omgaat in een ouder echtpaar dat probeert een kind te krijgen als ik op een middag op theevisite ga bij mijn vrienden Tamara* en Sam*.

Tamara, die net de eerste drie maanden van haar eerste zwangerschap achter de rug heeft, is een eigenzinnige, onconventionele vrouw uit Long Island met een rustige uitstraling. Ze is negenendertig en heeft bijna haar eerste boek af. Sam is een gespierde, hartelijke voormalige oorlogscorrespondent uit

Noord-Illinois. De twee waren nog maar een paar maanden getrouwd toen ze erachter kwamen dat Tamara zwanger was.

Het verhaal van Sam en Tamara klinkt bekend. Ze studeerden allebei rechten en kwamen elkaar vervolgens drie jaar geleden opnieuw tegen in New York. Ze waren allebei midden dertig, hadden beiden hun juridische carrière opgegeven en waren schrijver geworden. Tamara was vijfendertig en was drie jaar daarvoor gescheiden. Ook al had Tamara binnen een jaar geweten dat dat huwelijk geen goede keuze was geweest, toch was het voor haar moeilijk geweest ermee te breken, juist omdat ze bang was haar kans op het moederschap mis te lopen.

'Ik was doodsbang dat ik in mijn resterende vruchtbare jaren niemand zou tegenkomen van wie ik genoeg hield,' zegt ze. 'Ik ging naar de dokter om mijn eierstokken te laten testen. Ik verdiepte me in het invriezen van eicellen. Ik informeerde bij Single Mothers By Choice.'

Terwijl ze dat zegt, begin ik te lachen omdat ze me mijn eigen verhaal vertelt. 'Knapte je af op dat singlemoedergedoe?' vraag ik.

'Op dat moment wel, ja,' zegt ze. 'Ik heb een vriendin, een briljante universitair medewerkster met groot psychologisch inzicht. Ik ging met haar eten toen ik helemaal in de put zat. Ze opende mijn ogen voor het idee dat het ook prima is om geen kinderen te krijgen. Ze zei: je gebruikt dit als een manier om jezelf te straffen. Ik denk dat ze het ook over de maatschappij had, en dat het krijgen van kinderen gezien wordt als de enige manier voor een vrouw om zich te manifesteren.

Die ideeën kwamen echt aan,' vervolgt ze. 'Ik geloof dat ik pas daarna zover was dat ik een punt achter mijn huwelijk kon zetten. Tot dan toe leek het me té veel om zonder kind weg te lopen uit een huwelijk. Ik had het idee dat het leven zonder kinderen grijs en koud zou zijn, maar toen begon ik op een of andere manier te begrijpen dat ik er totaal naast zat en dat ik alle vrijheid van de wereld had.'

Eenmaal weg uit haar huwelijk, kwam Tamara tot zichzelf

in haar nieuwe leven als single vrouw in New York. Op een avond ging ze naar een feestje en kwam daar Sam tegen, die een jaar ouder was dan zij. Het was een afscheidsfeestje voor Sam, die naar Irak ging om verslag te doen van de oorlog. Hij was single en had de afgelopen tien jaar van zijn leven gewerkt als VN-soldaat en verslaggever in oorlogsgebieden als Somalië en Rwanda. Hoewel de gedachte aan een vaste relatie en een gezin altijd al door zijn achterhoofd speelde, was hij meer met andere dingen bezig. Maar zijn ontmoeting met Tamara veranderde alles, vertelt hij. De twee spraken elkaar heel kort, maar Sam wist onmiddellijk dat zij de ware was.

'Ik vertrok de volgende dag en stuurde haar een e-mail uit Koeweit in de trant van: zullen we iets afspreken als ik terugkom?' zegt hij. 'En toen begon ik me anders te gedragen dan ik ooit had gedaan in het veld, namelijk heel voorzichtig. Ik denk dat ik door mijn leeftijd en omdat ik wist dat ik normaal gesproken al een beetje oud was om te trouwen, anders tegen de dingen begon aan te kijken.'

Toen Sam een maand later ongedeerd terugkwam uit Irak, kreeg het stel al snel een hechte relatie. Ze waren ruim twee jaar bij elkaar toen ze zich verloofden, en vanaf dat moment begonnen ze onmiddellijk te proberen zwanger te worden.

De eerste zwangerschap, een paar maanden voor onze ontmoeting, eindigde in een miskraam, maar Tamara bleef optimistisch; het stel droogde hun tranen en begon het na een paar maanden opnieuw te proberen. Sam is door alles echter nog steeds behoorlijk van slag.

'Ik heb al seks sinds mijn zestiende en iedere keer dacht ik dan: God, laat haar niet zwanger worden,' zegt hij. 'En dan neem je eindelijk deze beslissing en boem! Het is precies omgekeerd. Iedere keer denk je: ik hóóp dat we zwanger worden.'

De bron van zijn gespannenheid verraste me. Het was niet de kans die Tamara had om zwanger te worden op haar leeftijd, maar zijn eigen vruchtbaarheid. Op een dag googelde hij op 'boven de veertig' + 'vader' + 'geboorteafwijkingen' en vond meer dan een half miljoen links over toenemende kans op afwijkingen, van downsyndroom tot dwerggroei.

Het eerste onderzoek waar zijn oog op viel was een vruchtbaarheidsonderzoek onder een Israëlisch militair bestand van mannen. De onderzoekers kwamen erachter dat kinderen van mannen die op veertigjarige of oudere leeftijd vader werden, een grotere kans hadden op een autistische afwijking dan kinderen met een vader van onder de dertig.

'Ik wist niet wat ik las,' zegt hij. 'Want dit was niet zoiets als – en God zegene al mijn feministische zusters – een of ander feministisch schotschrift. Dit kwam rechtstreeks van het Israëlische leger.'

Sam vond ook een aantal andere onderzoeken. Een ervan, uitgevoerd aan de School for Public Health van de universiteit van Californië, onthulde dat nakomelingen van mannen van vijfenveertig tot vijftig jaar mogelijk een grotere kans hebben om ter wereld te komen met autisme of schizofrenie. Uit een ander Israëlisch onderzoek bleek dat het risico op schizofrenie voor kinderen van vaders die jonger dan vijfentwintig jaar waren 1 op 141 was. Voor vaders tussen de dertig en vijfendertig was dat 1 op de 99, en voor kinderen van vaders van vijftig jaar en ouder 1 op de 47. Ook zijn er recente onderzoeksgegevens waarin de leeftijd van de man wordt gezien als de oorzaak van miskramen in de eerste drie maanden.

'Ik ken een heleboel jongens die zeggen dat het beter is om ouder te zijn, met een veel jongere vrouw, en dat daar voor de man geen nadeel aan verbonden is. Nu weet ik dat dat niet waar is,' zegt Sam.

In een artikel in *The New York Times* uit 2007 over deze nieuwe gegevens omtrent de mannelijke vruchtbaarheid schreef Roni Rabin dat deze onderzoeken er weleens toe zouden kunnen leiden dat 'de datingfase tussen man en vrouw een gelijkwaardiger karakter krijgt.' Ze citeert ook Pamela Madsen, directeur van de American Fertility Association: 'De boodschap aan mannen is: "Hallo, wakker worden! De bal ligt niet meer alleen bij de vrouw, maar ook bij jullie. Om een baby te maken heb je twee mensen nodig, en mannen die vader willen worden moeten wakker worden, zich informeren en hun verantwoordelijkheid nemen."'

Harry Fisch, directeur van het Male Reproductive Center in het New York-Presbyterian Hospital/Columbia University Medical Center en auteur van *The Male Biological Clock*, vertelde me dat de kwaliteit van het sperma van een man vanwege mitose ofwel celdeling afneemt naarmate hij ouder wordt. Ook al maken mannen voortdurend nieuw sperma aan, de cellen die het sperma produceren vermeerderen en delen zich ook voortdurend. Elk van deze vermeerderings- en delingscycli creëert nieuwe mogelijkheden voor het ontstaan van afwijkingen in de oorspronkelijke genetische code. Mitose komt ongeveer 20 maal per jaar voor en neemt toe tot 380 maal per jaar als de man dertig is, en tot 610 maal per jaar op veertigjarige leeftijd. Dus mannen gaan er met de jaren misschien wel gedistingeerder uitzien, maar de realiteit is dat hun zilveren zwemmertjes elk jaar wat trager worden.

'Ik besefte dat het mijn eigen schuld was,' vervolgt Sam, 'want ik ben al over de veertig en ben er niet eerder aan begonnen. Het is niet een straf van God of zo. Ik heb het zelf verbruid.'

Die spijt verbaast me, vooral van een man. Want hoe vaak ik me ook voorhoud dat ik een geluksvogel ben dat ik zoveel vrijheid heb gehad toen ik in de twintig en dertig was, toch koester ik beslist ook de nodige zelfhaat en neem ik het mezelf kwalijk dat ik zo oud ben geworden zonder kinderen te krijgen.

'Zie jij het als iets wat je hebt verbruid?' vraag ik.

'Nou, ik heb er wel spijt van dat ik het allemaal niet eerder voor elkaar heb gekregen. Ik heb het gevoel dat ik in deze situatie ben beland doordat ik fouten heb gemaakt... Ik heb gewoon te lang gewacht.'

Het is verfrissend om te horen hoe gevoelig dit ligt bij Sam. Hij legt niet de hele verantwoordelijkheid voor hun latere zwangerschap bij Tamara, maar neemt zelf een groot deel van die verantwoordelijkheid op zich. Ik vraag me toch af of Jacob zo'n zelfde mate van volwassenheid zou kunnen opbrengen. Er was die korte stilte tijdens ons eerste telefoontje, toen hij hoorde dat ik zesendertig was en niet tweeëndertig. Maar sindsdien is onze leeftijd nooit meer ter sprake gekomen. We hebben het er zelfs over gehad hoeveel mensen van in de veertig we kennen die kinderen krijgen. Aan de andere kant reageerde hij behoorlijk bot op die dreigende zwangerschap. Het levert duidelijk stress op om op latere leeftijd aan kinderen te beginnen en ik vind dat zowel Jacob als ik dat moeten beseffen als we een gezamenlijke toekomst overwegen.

Toen Tamara voor de tweede maal zwanger werd, bleef ze kalm.

'Ik maakte me niet echt zorgen over problemen met de baby,' zegt ze. 'Ook al was het risico groter omdat we ouder waren, toch had ik het idee dat de statistieken in ons voordeel waren en dat alles in orde zou zijn. En zo niet, dan zouden we het opnieuw proberen.'

Sam en Tamara spraken van tevoren af dat ze het kind zouden laten weghalen als uit de tests bleek dat de baby een genetische afwijking had. Toch was in elk geval voor Sam het wachten op de testresultaten een bezoeking. Hij vergelijkt de lange uren in de wachtkamer van de gynaecoloog met het passeren van een militair checkpoint als VN-soldaat en correspondent. 'Je bent volkomen passief,' zegt hij. 'Er is niets meer wat je kan doen. Dat gevoel van erop of eronder herinnerde me eraan hoe het was bij die checkpoints, met een gedrogeerd kind met een AK47 voor mijn neus. Je moet er maar op vertrouwen dat je erdoorheen komt.'

Checkpoint twee was de echo in de tiende week om de hartslag te controleren. Checkpoint drie was een afspraak met de genetisch adviseur na twaalf weken en een hele serie bloedtests voor controle op genetische aanleg en chromosoomafwijkingen. Checkpoint vier was de beslissing of ze al dan niet hun verhoogde risico op het downsyndroom onder ogen moesten zien door tussen de tiende en dertiende week de vlokkentest of in de vijftiende tot de achttiende week de vruchtwaterpunctie te laten doen. Sam vond de logica onmenselijk: 'De vlokkentest vindt eerder in de zwangerschap plaats, wat inhoudt dat de zwangerschap eerder wordt beëindigd als het resultaat slecht is,' licht hij toe. 'Maar de vlokkentest brengt een hoger risico op een miskraam met zich mee dan een vruchtwaterpunctie.'

Sam en Tamara besloten de vruchtwaterpunctie pas in de zeventiende week te laten uitvoeren. Daarna besloten ze in de twintigste week een extra test te laten uitvoeren die vaak wordt aanbevolen aan ouders van hogere leeftijd: de structurele echo, die de foetus niet alleen controleert op structurele misvormingen, maar ook kijkt naar aanwijzingen voor foetaal downsyndroom. Bij afwezigheid van dergelijke tekenen in een scan gemaakt na de eerste drie maanden daalt het risico op downsyndroom 60 tot 80 procent.

Veel mensen die gebruikmaken van ivf, om diverse vruchtbaarheidsredenen of om embryo's te creëren die voor later gebruik worden ingevroren, kunnen tegen betaling ook een extra test laten doen, de 'pre-implantatie genetische diagnose', waarbij een embryoloog een proefembryo test op verschillende genetische afwijkingen, zoals cystische fibrose en bepaalde geslachtsgebonden ziekten. De gebruikelijkste afwijking waar artsen naar kijken is aneuploïdie, een afwijkend aantal chromosomen, wat vaak tot een miskraam leidt. Andere veelvoorkomende afwijkingen zijn monogene afwijkingen waarbij beide ouders drager zijn, zoals de ziekte van Tay-Sachs, de ziekte van Canavan, downsyndroom of cystische fibrose.

Een paar dagen na mijn bezoek belt Tamara me om me te laten weten dat het tweede trimester van haar zwangerschap erop zit en ze nu weet dat ze een gezonde jongen verwachten. Ik vraag hoe ze nu aankijken tegen de voordelen van het later beginnen met een gezin, met het oog op de risico's en de zorgen die met die keuze gepaard gaan.

Tamara, die feitelijk al veel eerder kinderen had kunnen krijgen met haar eerste echtgenoot, is heel blij dat ze dat niet heeft gedaan: 'Ik heb nu ervaren hoe het is om een slechte relatie te hebben, om alleen te zijn en te denken dat ik misschien nooit meer een kind zou krijgen, en ook hoe het is om op oudere leeftijd een goede relatie te hebben,' zegt ze. 'Een slechte relatie hebben is absoluut het ergste. En ik weet dat als mijn ex en ik samen een kind zouden hebben gekregen, het nog veel erger was geweest, en niet beter, zoals sommige mensen zeggen. Ik denk dat ik me nog veel meer gevangen zou hebben gevoeld.'

Sam heeft meer twijfels. 'Ach, natuurlijk ben ik heel blij hoe het allemaal heeft uitgepakt, al denk ik nu wel steeds dat we een minder grote kans hebben op een tweede,' zegt hij.

'En als je op je negenentwintigste beter geïnformeerd was geweest over de mannelijke vruchtbaarheid?'

Hij aarzelt niet: 'Dan was ik eerder begonnen.'

Na mijn gesprek met Sam en Tamara dringt het tot me door dat ik het onderwerp 'de toekomst' in ieder geval met Jacob moet aankaarten. Ik ben me ervan bewust dat onze relatie pas negen maanden oud is, maar we wonen al praktisch samen en stemmen ons leven en onze activiteiten op elkaar af. Als ik vijf jaar jonger was zou ik waarschijnlijk langer wachten voor ik hierover begon. Maar nu moet ik proactief zijn om niet de kans op een kind mis te lopen. Als onze relatie geen toekomst heeft, weet ik dat liever zo snel mogelijk, zodat ik mijn steeds kostbaarder tijd niet verspil. En als onze relatie in de richting van huwelijk en kinderen gaat, kunnen we niet onbeperkt wachten voor we dat gaan plannen.

Een paar weken later grijp ik dus een gelegenheid aan om het onderwerp ter sprake te brengen. Op een ochtend liggen we in bed in Jacobs nieuwe appartement. Ik bekijk de huwelijksannonces in *The New York Times* en zie een foto van een vriendin van me. Jacob slaapt nog half, maar als hij zich omdraait en goedemorgen zegt, lees ik hem het berichtje voor. Haar nieuwe man en zij zijn precies even oud als wij en ze zijn getrouwd nadat ze pas acht maanden bij elkaar waren. Hij vuurt een veelbetekenende blik op me af en loopt zijn werkkamer in. Dat doet hij altijd als hij een moeilijk gesprek wil vermijden. Ik sta op en ga achter hem aan.

'Je zet me te veel onder druk,' zegt hij met zijn rug naar me toe. 'Ik ben er nog niet aan toe om me te binden.'

Ik zeg tegen Jacob dat het me spijt als hij het gevoel krijgt dat ik hem te veel push. Als ik nog twintig was geweest, had ik alles misschien gewoon op zijn beloop gelaten. Maar ik leg hem uit dat ik op mijn leeftijd bewuster over mijn beslissingen moet nadenken om niet bij voorbaat de mogelijkheid van kinderen uit te sluiten nu ik nog vruchtbaar ben. Dan houd ik erover op, met het gevoel dat ik gezegd heb wat ik moest zeggen.

Nadat ik er echter nog een paar dagen over heb nagedacht, besluit ik dat het laatste woord hierover nog niet gezegd is. We moeten dit onderwerp in alle openheid bespreken. Zodoende vertel ik Jacob op een avond tijdens het eten over een aantal feiten waar ik tijdens mijn onderzoek achter ben gekomen. Ook vertel ik hem over de dood van mijn zusje, mijn angst, en over hoe belangrijk het voor me is om moeder te worden. Dan stel ik voor dat we voor de dag dat we een jaar bij elkaar zijn, wat over drie maanden is, beslissen of we binnen afzienbare tijd willen gaan trouwen met de bedoeling om een gezin te starten, of niet. Zo niet, zeg ik, dan zal ik gezien mijn leeftijd serieus moeten gaan nadenken over alle andere mogelijkheden die ik heb onderzocht.

'Oké,' zegt hij na een lange stilte. 'Ik denk dat dat een verstandig besluit is.'

Het is geen gemakkelijk gesprek, maar ik ben blij dat ik deze grenzen heb gesteld. De komende drie maanden kan ik me tenminste concentreren op leven in het heden.

9

Loslaten

Ik ben nooit erg religieus geweest. Mijn ouders vonden het belangrijker om me groot te brengen met 'waarden' dan me te onderwerpen aan een gemengde religieuze opvoeding met de geloven die ik geërfd heb: het joodse van mijn moeder en het anglicaanse van mijn vader. We vieren een mengelmoesje van feestdagen: in december steken we kaarsjes aan op een menora die we neerzetten op de schoorsteenmantel en zitten we rond een kerstboom.

Jacob is opgegroeid in een conventioneel joods gezin en heeft nooit een kerstboom gehad. (Hij gaf ooit toe dat hij dol was op mijn 'sjikse'-kantje, waarna hij meteen opbiechtte dat zijn moeder ooit stiekem een kerstcadeautje voor hem had gekocht omdat hij zich buitengesloten voelde op school.) Het betekent dan ook veel voor me dat hij, na enig tegenstribbelen, bereid is om kerstavond bij mijn familie door te brengen, omdat hij weet hoe belangrijk dit soort tradities voor mij is. Ik zie het ook als een positief teken voor onze relatie; na een paar woelige weken gaat het veel beter tussen Jacob en mij. Ik ben nog steeds niet helemaal zeker, maar ik heb meer vertrouwen in onze toekomst.

Op kerstavond is het heel gezellig. We zitten rond de boom en drinken warme chocolademelk, en mijn oom speelt jazzy kerstliedjes op de gitaar. Mijn moeder doet zoals gewoonlijk mee met een tikje ironie. Ik geloof dat Jacob zich daardoor meer op zijn gemak voelt. Hij geeft tegen mij zelfs toe dat hij het leuk vindt dat alle pakjes in grote opwinding direct worden opgemaakt, in plaats van verspreide cadeautjes in de loop van de zeven dagen van Chanoeka. Die avond vertelt hij mijn vader dat hij zo met me kan lachen; mijn vader zegt dat dat de cruciale factor in zijn eigen huwelijk is geweest. Samen kunnen lachen, zelfs als het echt tegenzit, heeft zijn relatie met mijn moeder steeds nieuwe kracht gegeven.

Een paar dagen later vieren Jacob en ik samen oudejaarsavond. Ik heb een flinke kou te pakken en kan nauwelijks mijn bed uit komen. Jacob komt naar me toe en is zo lief om Milanese kip voor me te maken terwijl ik lig te snotteren en dwars door het grote moment heen slaap. We blazen elkaar een nieuwjaarskusje toe, omdat ik hem niet wil aansteken. Niet de meest romantische oudejaarsavond, maar ik vind het lief dat hij de avond toch bij mij heeft doorgebracht, al ben ik ziek. Het geeft me een vertrouwd, veilig gevoel, en dat is bijna nog romantischer dan de hele avond dansen op een spetterend feest.

Januari is een moeilijke maand voor ons – althans voor mij. Ondanks de fijne feestdagen zet Jacob nog steeds geen stap in de ene of de andere richting. Ik word met de dag gespannener, maar waak ervoor hem niet onder druk te zetten. Ik weet dat hij aan het nadenken is, dus houd ik me gedeisd terwijl ik zie hoe hij zijn blik afwendt telkens wanneer er een reclame op tv komt met een bruiloft of een trouwring erin.

In de laatste week van januari besluit ik echter dat ik niet langer in stilte kan afwachten. We zitten elk aan een kant op de bank in de schaars verlichte huiskamer van zijn nieuwe appartement als ik van wal steek. Ik vertel hem dat ik besef dat hij het erg druk heeft, maar dat hij het onderwerp van onze toekomst uit de weg lijkt te gaan.

'Ik weet het,' zegt hij. En dan komt hij ervoor uit dat hij het echt niet weet. Hij is er niet zeker van of hij de rest van zijn leven met mij wil doorbrengen. Mijn hart bonkt als een gek.

'Ik hou van je,' zegt hij.

Het is de eerste keer in ons jaar samen dat hij deze woorden uitspreekt.

'Ik wou dat het niet zo was,' zegt hij.

Nu ben ik totaal in de war.

Dan zegt hij dat het idee zich aan mij te binden hem afschrikt, dat bepaalde aspecten van onze dynamiek hem bang maken. Ik vraag hem wat precies, maar hij antwoordt dat hij het niet echt kan uitleggen, al vindt hij wel dat we op dit punt van onze relatie meer in een verliefdheidsroes zouden moeten zitten; hij vindt het een slecht teken dat we zo vroeg in onze relatie al een paar grote hobbels hebben moeten nemen. Ik ben het niet met hem eens. Tenslotte zegt de manier waarop we door ruzies heen komen veel over de vraag of we bij elkaar passen, en dat is al een paar keer goed gegaan. Ik zeg tegen hem dat een van mijn vrienden me pas verteld heeft dat hij in het begin veel vaker ruzie had met de vrouw met wie hij nu getrouwd is, maar dat ze naar elkaar toe zijn gegroeid doordat ze leerden hoe ze compromissen konden sluiten.

Terwijl ik dat zeg, overvalt me een gevoel van paniek. Het lijkt een beetje op het gevoel dat ik had toen ik voor die neushoorn stond in Afrika. Ik voel me in mijn leven bedreigd. Ook denk ik dat hij misschien iemand anders is tegengekomen, dat hij gewoon smoesjes verzint om tijd te rekken terwijl hij uitvist of een andere vrouw beter voor hem zou zijn.

'Is er een ander in het spel?' vraag ik.

Hij zegt van niet en is zelfs boos dat ik dat vraag.

Nu ben ik ook boos. Al mijn angsten – over mijn leeftijd, mijn vruchtbaarheid, mijn twijfels, zijn afstandelijkheid en vooral mijn teleurstelling over zijn ambivalentie – komen eruit in een kakofonie van tranen en beschuldigingen.

Jacob reageert op zijn beurt. Hij zegt dat ik door een deadline te stellen 'een pistool tegen zijn hoofd houd'. Hij noemt me 'wanhopig' en 'hysterisch'. 'Toen ik aanvankelijk op je profiel reageerde, dacht ik dat je tweeëndertig was!' zegt hij verwijtend, ook al is dit sinds de eerste keer dat we elkaar aan de telefoon hadden nooit meer ter sprake gekomen. 'Volgens mij is een kind krijgen voor jou belangrijker dan een relatie met mij,' gaat hij verder. 'Ik ben alleen maar de vent die op het juiste moment voorbijkwam om je er een te geven.'

Dat spreek ik tegen. Ik zeg tegen hem dat ik ook om andere redenen meer zekerheid wil, dat ik van hem hou om hemzelf, om het soort leven dat we samen zouden kunnen opbouwen, om de manier waarop we samen kunnen lachen. Ik wil hem niet alleen maar omdat ik een vader voor mijn kinderen wil. Maar mijn leeftijd is een keiharde realiteit, leg ik uit. Mijn vruchtbare tijd begint op zijn eind te lopen en hoe langer ik wacht, hoe moeilijker het wordt om kinderen te krijgen. We hebben allebei vanaf het begin gezegd dat kinderen belangrijk voor ons zijn en als hij dat serieus neemt, dan moet hij ook de kwestie van mijn vruchtbaarheid serieus nemen.

Hij zegt dat hij zou willen dat we onze relatie gewoon met de dag konden beleven in plaats van zo gericht te zijn op de toekomst. Volgens hem heeft alle research voor mijn boek mijn babypaniek gevoed en die zet onze relatie te zeer onder druk.

'Je laat onze relatie niet op een organische manier groeien,' klaagt hij. 'Ik heb het gevoel dat ik geen vrije wil heb.'

Ik vertel hem dat ik mijn organische koers heb gevolgd sinds ik ben afgestudeerd. Nu moet ik nadenken over de toekomst. Ik móét praktisch zijn – dat is wel het tegenovergestelde van hysterie, zeg ik.

'Ik heb al die vrijheid gehad om het zover te schoppen in mijn carrière, en ik heb mezelf eindelijk gevonden,' leg ik uit. 'En daardoor heb ik ook jou gevonden. Maar nu heb ik geen controle over mijn vruchtbaarheid! Het is om te huilen!' Ik schreeuw het uit. Misschien heeft hij gelijk, misschien ben ik hysterisch – per slot van rekening betekent *hystera*, de Griekse oorsprong van het woord, baarmoeder. En daar draait dit toch allemaal om?

'Dat is de wrede grap die Moeder Natuur met vrouwen uithaalt,' zegt hij een beetje rustiger.

'Wat kan ik voor je doen?' zegt hij na lange minuten van stilte, alleen onderbroken door mijn gekwelde tranen. Maar hij blijft aan zijn kant van de bank zitten terwijl hij dit zegt en komt niet naar me toe om me vast te houden.

'Je zou wat meer met me kunnen meeleven,' zeg ik. 'Je zou kunnen proberen te begrijpen hoe moeilijk dit allemaal voor mij is.'

Jacob legt zijn hoofd in zijn handen. Als hij opkijkt, zegt hij dat hij meer tijd nodig heeft. Hij zegt dat hij mijn tijd niet wil verspillen, maar er ook achter moet zien te komen wat hij zelf wil.

'Ik wil het juiste doen,' zegt hij. En dan, zachter: 'Ik ben bang.'

We komen die avond niet tot een conclusie. Ik zeg tegen Jacob dat hij meer tijd kan nemen, in het besef dat liefde wederzijds respect vereist – ik moet ook rekening houden met zijn tijdlijn.

De volgende dag besluit ik een superklus aan te nemen voor de multimediaserie waaraan ik werk voor MSN Money, een artikel over luxereizen naar India; mijn vriendin Abby zal het filmpje erbij maken. Onderdeel ervan is een week safari, en dan een week in een superluxueus ayurvedisch wellnesscentrum. Door op reis te gaan geef ik Jacob wat ruimte en tijd om na te denken en krijg ik zelf de kans om te kijken hoe het zonder hem is. Het is een ander soort geloofsdaad – ik moet een sprong maken in het onbekende en erop vertrouwen dat hetzij Jacob, hetzij iemand anders me aan de overkant opvangt.

Voor mijn vertrek breng ik een bezoek aan mevrouw Schiffman en vertel haar hoe het ervoor staat. Ze stelt direct voor dat ik mijn eicellen laat invriezen of, nog beter, Jacob vraag om samen met mij embryo's in te vriezen. We zouden schriftelijk kunnen overeenkomen dat ik ze niet gebruik als onze relatie strandt. Het zou een manier zijn om mijn biologische zorgen te verlichten en tegelijkertijd wat druk van onze relatie af te halen.

Het is geen slecht idee, maar ik besluit dat dit niet het moment is: ik wil Jacobs verwarring niet extra bezwaren met dit element, en ik wil een man die zich niet eens aan mij kan binden, niet betrekken in zo'n heftige en nogal kille juridische onderhandeling met betrekking tot onze relatie. Hij denkt sowieso al dat ik alleen maar bij hem wil zijn omdat ik een kind wil; het lijkt me niet zo tactvol om hem nu te vragen of ik een paar buisjes sperma van hem mag lenen in afwachting van zijn antwoord.

Een paar avonden voor mijn vertrek zitten Jacob en ik in een rustig hoekje van het vegetarisch restaurant in de West Village waar we altijd naartoe gaan als we iets belangrijks te bespreken hebben. Maar ditmaal heb ik geen zin in weer een zwaar gesprek. Ik wil alleen maar van zijn gezelschap genieten. Ik wil proberen me te herinneren waardoor we überhaupt verliefd op elkaar zijn geworden.

Tijdens het hele etentje zit hij me aan te kijken, niet zozeer op een romantische, eerder op een peinzende manier. Het doet me denken aan hoe hij een paar weken eerder keek, toen hij moest kiezen tussen blauwe en paarse handdoeken voor zijn badkamer. Zijn blik geeft me een vreemd gevoel, maar het is toch prettig om gewoon samen te zijn.

Aan het eind van de maaltijd, terwijl hij de rekening betaalt, zegt hij dat hij zich afvraagt of onze relatie wel de juiste eigenschappen bezit voor de lange termijn. Ik vraag hem of hij weet wat dat voor eigenschappen zijn – per slot van rekening is dit de meest serieuze relatie die hij ooit heeft meegemaakt. Hij zegt dat hij het niet echt weet. Hij vertelt me dat hij zijn vader een paar weken daarvoor heeft gevraagd hoe hij wist dat zijn moeder voor hem de juiste vrouw was. Zijn vader had geantwoord dat hij haar ten huwelijk had gevraagd omdat hij wist dat ze een goede moeder zou zijn.

'Ik denk dat jij een fantastische moeder wordt,' zei hij. 'Maar voor mij sloeg zijn antwoord nergens op.'

Ik zeg tegen hem dat ik ook niet echt weet wat de juiste eigenschappen voor een langetermijnrelatie zijn, behalve dan wat ik weet van het veertigjarige huwelijk van mijn ouders.

'Gooi al je romantische illusies overboord,' had mijn vader me een paar dagen daarvoor gezegd toen ik hem om advies vroeg. 'Liefde is alleen maar de basis; de rest is werk en communicatie.'

Terwijl we door de West Village lopen twijfel ik niet aan mijn liefde voor Jacob, maar wel aan onze communicatie. Misschien ís dit de communicatie, denk ik bij mezelf. Misschien is dit gewoon het moeilijke gedeelte, het spannende gedeelte van ware intimiteit waar stellen vaak op stuiten alvorens verder te glijden in de kalme, vredige soliditeit van hun verbondenheid. Misschien zijn al deze tranen en ruzies het begin van de ware, verheven liefde waarnaar ik op zoek ben.

We lopen naar de ingang van de metro en daar staan we dan, zonder te weten wat we nog tegen elkaar moeten zeggen. Hij drukt me op het hart goed te kijken naar het veranderlijke licht op de Taj Mahal en naar de plaats te gaan die hij de mooiste ter wereld vindt: het Neemrana-fort, een oud paleis op de grens van Rajastan. Dan nemen we afscheid met een kus.

Drie dagen later zit ik in het vliegtuig van New Delhi naar de Centraal-Indiase staat Madhya Pradesh. Voor we opstijgen draait de passagier naast me, een praatzieke zakenman met een blauw petje op, zich naar me toe en vraagt me of ik wil mediteren.

Waarom niet? denk ik. In plaats van een saaie conversatie te voeren zitten we in stilte met gesloten ogen.

Natuurlijk kan ik op het moment dat ik mijn ogen sluit alleen maar denken aan Jacob en aan hoe het verder moet. Maar er komt een beeld in me op dat me verbaast. Ik denk niet aan alle goede eigenschappen waardoor ik verliefd op hem werd – zijn ambitie, gulheid en gevoel voor humor – maar juist aan alle eigenschappen die me irriteren: zijn egocentrisme, zijn starheid. Zijn zwart-witte kijk op de wereld ervaar ik niet langer als charmant – die is onvolwassen en doet te veel denken aan een stripverhaal. Volwassen ben je volgens mij als je de vele tinten grijs kunt zien.

In plaats van mijn hoofd leeg te maken door te mediteren, merk ik dat ik steeds bozer op hem word, met name op zijn gebrek aan inlevingsvermogen tijdens ons emotionele gesprek in zijn appartement. Een betere man zou hebben begrepen hoe verwarrend en pijnlijk het was om te horen dat degene van wie ik hou misschien geen toekomst met me wil. Hij zou hebben begrepen dat ik, als er geen schot in onze relatie zat, weer terug bij af zou zijn, en een jaar dichter bij de onvruchtbaarheid. Het was nou niet zo dat ik 'hysterisch' zat te brullen over een aangebrande ovenschotel. Ik rouwde over wat ik als een reëel en enorm verlies ervoer.

Mijn boosheid op Jacob vermengt zich echter met het tegenovergestelde – Hollywoodachtige happy endings waarin hij me van het vliegveld komt afhalen met een verontschuldiging, een fonkelende ring en de belofte om alles te doen wat nodig is om onze relatie vooruit te laten zwemmen.

We beëindigen onze meditatie en het vliegtuig stijgt op. Terwijl ik uit het raampje staar, realiseer ik me dat ik me in een vreemd vagevuur bevind. Dit avontuur, dit vliegtuig, deze korte meditatie met een totale vreemde is een evaluatiepunt tussen twee mogelijke beginnen: een verbintenis en een gezin, of een nieuw leven in mijn eentje met een paar lastige beslissingen omtrent mijn toekomst.

Vlak voor de landing biedt mijn meditatiegenoot me aan

mijn hand te lezen. Gelaten leg ik mijn hand op het plastic tafelblad.

'Je wordt tachtig en gaat een heleboel geld verdienen,' zegt hij terwijl hij zorgvuldig mijn handpalm bestudeert. 'Je krijgt twee grote liefdes.'

Ik vraag of ik kinderen zal krijgen.

'Dat is onduidelijk,' zegt hij. 'Ik heb geen vergrootglas waarmee ik de dunnere lijntjes kan bekijken.'

'Waarom is een gezin zo belangrijk?' vraag ik hem als hij opkijkt van mijn handpalm.

Hij kijkt me verbaasd aan, alsof het antwoord nogal logisch is. 'Dat is het traditionele systeem,' zegt hij. 'Dat is de manier waarop we overleven.'

Een paar uur later rijd ik met Abby en een gids over de hobbelige weg naar Bandhavgarh National Park, een voormalig koninklijk jachtreservaat waar de eerste wilde witte tijger ter wereld werd gevonden. We komen door drukke post-industriële steden met satellietschotels op de daken en billboards waarop Amerikaanse tandpasta wordt aangeprezen, en door dorpen met pleinen waar met bloemen versierde bustes van Gandhi staan. Ik zie vrouwen in roze, blauwe en rode sari's met baby's op hun rug, die zilverkleurige emmers water door groene velden dragen. Mannen met een roodachtige huid zitten voor vervallen winkeltjes gebogen over een dambord. Op zeker moment komen we vast te zitten in een opstopping die wordt veroorzaakt door een kudde heilige witte koeien.

Op mijn tweede dag in Bandhavgarh besluit ik naar een tempel op een bergtop te gaan waar een sadhu, een ascetische hindoepriester, huist. Onze zesentwintigjarige safarigids Karen vertelt me dat dit een gebruikelijke pelgrimstocht is voor vrouwen die moeite hebben om zwanger te raken – wat ergens voor mij ook geldt, zij het niet op de manier die Karen bedoelt.

We komen aan bij de voet van de berg en lopen onder een tiende-eeuwse stenen poort door met ernaast een standbeeld van een achterovergeleunde Visjnoe, de god die bekendstaat als beschermer van het heelal. Over een stenen paadje klimmen we langzaam de berg op. Om de paar honderd meter gaan we een bocht om en zien we een standbeeld van een god. Bij de eerste bocht is het een vis, bij de volgende een slang, bij de derde een schildpad en bij de vierde een aap. Karen legt uit dat elk standbeeld staat voor een andere incarnatie van Visjnoes scheppende kracht. 'Het is te vergelijken met de evolutie van Darwin,' zegt ze. 'Aan de top komen we bij een tempel en zien we een mens.'

De sadhu is Mehesh Prasad Mishran, een man van over de tachtig in een witte tuniek met een vermoeid, vredig gezicht en diepliggende ogen. Ik loop naar hem toe en bied hem een sinaasappel en een fles water aan. Dan buig ik me voorover en laat hem met rood poeder een stip maken op mijn voorhoofd, dat in het hindoeïsme wordt beschouwd als de zetel van wijsheid en mentale concentratie. Daarna wijst hij me de weg naar de achterkant van de tempel, waar zich een klein heiligdom bevindt met rode handafdrukken van kinderen erop.

'Als je je hand daarop legt, brengt de Heer je een kind,' zegt hij in het Hindi, dat vertaald wordt door Karen. 'Je moet er gewoon in geloven.'

Ik loop op de tempel af en leg mijn hand op een van de kleine handjes, sluit mijn ogen en bid.

Ik ben niet echt iemand die dat vaak doet. Mijn vader vroeg me ooit of ik weleens bad, en ik moest hem bekennen dat ik dat uitsluitend in het verkeer doe. Iets in de situatie waarin je vastzit en niet voor- of achteruit kunt, zonder enige zeggenschap over het moment waarop de zaak weer in beweging komt, brengt me ertoe een hogere macht aan te roepen. Natuurlijk voelt mijn situatie op dit moment net als een metaforische verkeersopstopping. Maar de hogere macht tot wie ik bid is niet echt God, meer een vaag, vormeloos idee van iets wat machtiger is dan ik.

Tien jaar geleden werd bij mijn moeder een zeldzame vorm

van non-Hodgkinlymfoom vastgesteld. Als iemand haar vraagt of ze gelooft dat God haar al deze jaren in remissie heeft gehouden, zegt ze: 'Nee, dat was de wetenschap.' Ik ben het met haar eens. Een van de redenen waarom ik onderzoek doe naar vruchtbaarheidswetenschap is dat het me fascineert hoe de wetenschappelijke vooruitgang de loop van een mensenleven kan veranderen. Opnieuw denk ik aan Jacobs woorden op de avond van onze ruzie. Hij zei dat al het onderzoek dat ik deed me te bang maakte, dat ik de natuur en onze relatie gewoon op hun beloop moest laten. Maar de natuur wil over het algemeen niet dat vrouwen wachten tot ze achter in de dertig zijn alvorens kinderen te krijgen. De wetenschap is erbij gekomen en heeft ons in staat gesteld die natuur niet te beheersen, maar wel een handje te helpen.

Uiteindelijk is het echter toch de natuur die beslist of ik een kind krijg of niet; de macht van de wetenschap reikt maar tot een zeker punt. De krachten van het universum zijn sterker dan alles wat Jacob en ik zouden kunnen uitrichten, ook al zouden we besluiten er helemaal voor te gaan met zijn tweeën. Daarom lijkt me dit een goed moment om tot die krachten te bidden, wat ze ook inhouden.

De volgende dag rijden we naar het Pench National Park, waar een olifantensafari ons dieper de jungle in zal brengen. We rijden in een open truck door dichtbegroeide teakbossen en bloemenvalleien die omringd worden door majestueuze rotsen. Ik zit voorin met Ratna Singh, een tenger, jongensachtig meisje met diepzwarte ogen. Ook al heeft ze haar universitaire bul in internationaal recht op zak, toch heeft ze besloten terug te keren naar haar thuisland om een van de zeer weinige vrouwelijke safarigidsen in India te worden.

Ratna is een rajput, lid van de Indiase strijderskaste. Trots vertelt ze me dat haar grootvader in de vrijheidsstrijd tegen de Britten heeft gevochten en dat haar grootmoeder nogal wild was. 'Ze rookte en joeg,' zegt ze. 'Ik ben net als zij; op school was ik aanvoerster van het judoteam en ik heb tweemaal mijn neus gebroken. Mijn grootmoeder maakte zich grote zorgen, ze zei altijd: "Als je kreupel bent gaat niemand met je trouwen."'

Ratna wijst ons op felgroene parkieten die tussen de takken van roze bloesembomen fladderen. Ze zegt dat ik moet opletten of ik slankapen hoor kwetteren, wat kan duiden op een tijger in de buurt.

Met haar zevenentwintig jaar is Ratna al vier jaar getrouwd en ze heeft op korte termijn geen plannen voor kinderen.

'Niemand heeft mij ooit gezegd dat ik me op een bepaalde manier moet gedragen omdat ik een meisje ben,' zegt ze.

Ook al is haar huwelijk gearrangeerd door haar familie – dat geldt voor 90 procent van de huwelijken in India – toch zegt ze dat ze niet werd gedwongen de man te trouwen die voor haar was uitgekozen. Er werd geen druk op haar uitgeoefend en gelukkig beviel haar toekomstige echtgenoot haar. Hij werkt als softwaredesigner in de VS en ze zien elkaar om de paar maanden.

'Mijn ouders verwachtten dat we meteen aan kinderen zouden beginnen,' vervolgt ze. 'Mijn moeder trouwde op haar zeventiende en op haar zevenentwintigste had ze al drie kinderen. Ik wil er nog minstens vier jaar mee wachten; ik wil hier nog een tijdje mee doorgaan, en mijn man zegt dat de keuze aan mij is. Mijn moeder is bang dat ik misschien niet zwanger raak.'

Ik merk dat ik jaloers ben op Ratna omdat ze de vrijheid heeft om haar eigen keuzes te maken, maar ook de zekerheid heeft van een sterk familiesysteem waardoor ze beschermd is en kan overleven. Even overweeg ik mijn ouders een e-mail te sturen om hen aan het werk te zetten om een huwelijk voor me te regelen voor het geval het misloopt met Jacob. Maar dan komen we een groep olifantenherders tegen, en minder dan een uur later zit ik in kleermakerszit op de kop van een vrouwelijke olifant en kijk ik recht in de felgroene ogen van een tijgerwelp van achttien maanden.

Ik ben hier dankzij mezelf, en ik ben gelukkig in het heden, denk ik. Ik zorg er ook nog wel voor dat ik op de andere plaatsen kom waar ik in mijn leven naartoe wil. Adem in. Heb vertrouwen.

Na een week in de jungle nemen Abby en ik de trein naar de noordelijke staat Uttar Pradesh. We gaan een week doorbrengen in Ananda, een luxueus holistisch retraite- en wellnessoord in de uitlopers van de Himalaya.

Als we uitstappen in het stadje Haridwar, worden we begroet door Bobo, een vriendelijke sikh-chauffeur met een rode zijden tulband op. Hij rijdt ons door de stad en legt uit dat Holi, het feest van het lente-ontwaken – de Indiase versie van Pasen – in volle gang is. Overal op straat gooien vrolijke mensen elkaar blauw, roze en rood poeder toe; in plaats van paaseieren beschilderen ze hier elkaar. Ze vuren waterpistolen gevuld met gekleurde vloeistof af en bedrinken zich. Onze auto wordt door een waterballon geraakt terwijl Bobo de auto behendig door de stad manoeuvreert. We vervolgen onze weg langs de Ganges, voorbij zigeunerkolonies een kronkelige bergweg op, naar een geel kasteel in de verte. Het wellnesscentrum ligt in het veertig hectare grote landgoed van het kasteel dat eigendom is van de maharadja van Tehri Garhwal, die het land verpacht aan de eigenaren van Ananda.

Als we bij Ananda aankomen, opent een privébewaker de ijzeren poorten en rijden we de ronde oprijlaan van het kasteel op, dat is versierd met Italiaanse renaissancezuilen en Rajasthaanse *jharokha's*, uitstekende balkons die oorspronkelijk waren ontworpen zodat vrouwen evenementen konden bijwonen zonder naar buiten te gaan. We stappen uit en twee jonge Indiase vrouwen in zijden sari's begroeten ons door ons een *mala* om te hangen. Die kettingen bestaan uit 108 kralen, die worden gebruikt om de tel bij te houden terwijl ze gebeden zeggen. Ook zegenen ze ons voorhoofd met rood poeder.

Tijdens ons verblijf wordt de *spashram*, zoals Abby het noemt, bevolkt door een bonte mengeling van Russische prinsessen met Chanel-bril, stonede stelletjes op huwelijksreis en euro-boeddhisten. Iedereen loopt rond in een witte pyjama met een ascetisch gezicht alsof ze elk moment kunnen opstijgen.

In de loop van de volgende week zink ik weg in een routine van totale verwennerij. De ene dag zingen twee Zuid-Indiase vrouwen me gebeden toe terwijl ze langzaam kruidenolie uit een koperen pot over mijn derde oog druppelen om mijn kruin-chakra tot ontspanning te brengen. Een andere dag maak ik 's ochtends vroeg een tocht naar een godinnentempel, waar ik met sneeuw bedekte bergen zie; weer een andere dag bezoek ik een plaatselijke ashram om deel te nemen aan de *aarti*, het avondgebed, waarbij ik meezing in een spreekkoor met monniken in oranje gewaden en een offer breng aan de rivier de Ganges. Ik zet een van palmblad gemaakt bootje gevuld met bloemen op het water en wens dat welke kant mijn leven ook op gaat, het goed zal voelen.

Elke avond is er een seminar onder leiding van een goeroe in de vedantische filosofie. *Vedanta* (het Sanskrietwoord betekent 'het einde van alle kennis') is een spirituele hindoetraditie gericht op verwezenlijking van het zelf. In de praktijk is vedanta, dat door gelovigen wordt gezien als een rationele wetenschap van de levenskunst, een soort intellectuele yoga, een oosterse versie van psychoanalyse, afgeleid van eeuwenoude teksten, de Veda's, en overgebracht door meester-leraren. Sree Sreedharam, gastdocent van de Vedanta Academy in de Zuid-Indiase staat Kerala, reist de hele wereld af met zijn meester en geeft les aan universiteiten zoals Oxford en Cambridge. Hij heeft zelfs aan de Harvard Business School lesgegeven over management op basis van de beginselen van Vedanta.

De seminars van professor Sree gaan over verschillende onderwerpen, van liefde tot het beheersen van woede tot egomanagement. Op zekere avond gaat de les over 'liefde en andere mysteriën', een onderwerp waarover ik natuurlijk graag verlichting wil bereiken.

'Liefde is het meest vervormde woord ter wereld,' begint professor Sree. 'Volgens de *Bhagavad Gita* is waar geluk "als vergif in het begin, maar als nectar aan het einde". De nectar is "goed" plezier, dat ontstaat uit de sereniteit van je eigen geest. In het begin is het moeilijk de belangen van je partner een plaats te geven, maar als je eraan werkt, wordt het nectar. Er bestaat niet zoiets als de perfecte partner.'

De volgende dag boek ik een privésessie met professor Sree om meer te weten te komen. Absurd genoeg treffen we elkaar bij de eerste hole van de golfbaan van de spashram, waar we ons gesprek over de vedantische filosofie en de toepassing ervan in mijn leven beginnen.

Al wandelend vertel ik de hoogleraar over mijn relatie met Jacob, en over de situatie waarin ik me bevind.

'Hij klinkt als een kind dat je wilt dwingen om naar school te gaan,' zegt hij. 'Hij is bang voor het onbekende. Als hij er niet klaar voor is, moet je doorlopen. Je kunt hem niet beïnvloeden om met je mee te komen.'

Dat is niet echt het antwoord dat ik wil. Ik vertel professor Sree hoe belangrijk het voor me is om moeder te worden, dat ik bang ben mijn kans op een biologisch kind mis te lopen. Ik vertel hem ook dat ik in tranen uitbarstte toen ik over dit alles met Jacob sprak, en dat hij me wanhopig en hysterisch noemde.

'Je barstte in tranen uit omdat hij je gevoelens niet begreep,' zegt professor Sree. 'Kennelijk maakte hij zich meer zorgen over het feit dat je zo hard huilde en wilde hij dat dat niet zo was, in plaats van naar zijn rol te kijken en te proberen te begrijpen waaróm je huilde.'

Ik vraag hem of Jacob gelijk heeft, dat de ruzies die we hebben gehad betekenen dat we niet bij elkaar passen, dat het eerste jaar een tijd van verliefdheid zou moeten zijn.

'Het idee dat het in het begin rozengeur en maneschijn moet zijn geeft een vertekend beeld van de liefde, want dan heb je nog geen woelige wateren meegemaakt,' zegt hij. 'Pas bij tegenslag weet je hoeveel je van elkaar houdt.'

Ik overpeins dit alles in stilte terwijl we teruglopen naar het verblijf. Voor we uit elkaar gaan zegt professor Sree: 'Als hij jou laat gaan, is het een rasechte idioot.'

Dat is natuurlijk precies wat ik wil horen. Maar het verlicht mijn zorgen niet.

'En als hij zich niet wil binden, hoe moet ik dan moeder worden?' vraag ik.

'Laat dat verlangen los en het komt je opzoeken,' zegt hij. 'Zit er niet over in dat je zevenendertig bent en denk er niet aan wat je zou tegenhouden. Je kunt altijd een kind adopteren.'

Voor het eerst sinds ik uit New York ben weggegaan voel ik me hoopvol. Niet omdat het per se goed zal komen met Jacob – ik maak me geen illusies – maar omdat ik accepteer dat ik andere keuzemogelijkheden heb. Ik besluit dat ik, mochten Jacob en ik uit elkaar gaan, mijn vruchtbaarheid laat testen en een deel van het geld dat ik van mijn grootmoeder heb geërfd gebruik om mijn eicellen te laten invriezen. Het idee dat ik haar erfenis gebruik om haar genen te bewaren, bevalt me. Alleen al de gedachte dat ik op deze manier de tijd kan stilzetten, geeft me iets wat dicht bij innerlijke rust komt.

Onderweg naar Delhi, vanwaar we terugvliegen, nemen Abby en ik een paar dagen de tijd voor een bezoek aan de Taj Mahal en aan Gwalior, een vestingstad vlak ten zuiden daarvan.

Op een avond gaan we shoppen op de grote markt van Gwalior, waar we door sariwinkels dwalen en langs vrouwen komen die in tempels zitten te bidden voor het Durga-feest, een week die is gewijd aan de godin met de acht wilde armen.

Plotseling stuiten we op een Indiase bruiloftsprocessie. Bruid en bruidegom zijn omgeven door een keten van lichtjes, bevestigd aan stokken die worden voortgedragen door mannen. De processie beweegt zich midden op straat voort met het verkeer. De bruidegom rijdt op een wit paard en de bruid danst, helemaal in het rood gekleed. Twee als soldaten geklede mannen spelen op enorme tuba's, terwijl een andere een vuurpijl afsteekt die een eindje voor de processie tot ontploffing komt.

Terwijl ik sta te kijken pakt een van de bruiloftsgasten me vast en trekt me de menigte in. Plotseling sta ik te dansen te midden van blazers, gasten en vuurwerk. De woorden van professor Sree galmen na in mijn hoofd terwijl mijn lichaam beweegt op het vreemde ritme van de muziek. 'Laat het verlangen los en het komt je opzoeken.' Ik stort me in het feestgedruis, draai rond en gooi mijn handen in de lucht.

In plaats van in een romantische hereniging op het vliegveld beland ik medio maart midden in een ijsstorm als ik het JFK uit kom. Terwijl ik in de rij sta voor een taxi overweeg ik Jacob te bellen, maar ik besluit uiteindelijk het niet te doen. Hij weet dat ik vandaag terugkom – ik had hem een sms'je gestuurd terwijl de zon onderging boven de Taj Mahal en hem verteld dat ik hem miste en ernaar uitkeek hem weer te zien. Hij heeft niet geantwoord. Ik ben er redelijk zeker van dat ons komende gesprek niet echt leuk wordt, dus ik laat mijn mobiele telefoon in mijn tas terwijl ik op de stoeprand sta te kleumen.

Twee dagen later stuurt hij me een mailtje en vraagt me of ik die avond wat met hem wil gaan drinken. Ik zeg ja en de uren daarna ben ik bevangen door angst. We treffen elkaar in het Film Center Café in de binnenstad. Jacob is laat en omhelst me halfhartig, zegt dat ik er fantastisch uitzie en vraagt of ik wat wil eten. We gaan in een hoekje tegenover elkaar zitten. Ik heb nog een hoofd vol watten van de vlucht en zit geestelijk nog in een verkeersopstopping van riksja's en heilige koeien.

We bestellen en er valt een stilte. Ik ben zenuwachtig, dus begin ik hem een beetje over mijn avonturen te vertellen: over het tijgerwelpje in het wild, de gekke gasten in de spashram, mijn tocht in de Himalaya. Ik hoop dat mijn verhalen hem aan het lachen maken en ons terugbrengen bij de redenen waarom we zo graag samen zijn. Hij luistert en glimlacht af en toe, maar zegt niets. Hij is duidelijk opgelucht wanneer het eten gebracht wordt en hij zich ergens anders op kan richten.

'Ik heb niets speciaals te zeggen,' zegt hij terwijl hij in een kommetje macaroni met kaas prikt. Opnieuw stilte. Dan: 'Ik heb je gemist.'

'Ik jou ook,' zeg ik.

Dan begint hij eindelijk te praten. Hij vertelt me dat hij zich nog steeds verward en besluiteloos voelt, dat hij niet zeker weet of onze liefde 'genoeg' is. Maar het uitmaken wil hij ook niet. Hij vraagt of ik de volgende avond met hem op stap wil om nog wat verder te praten.

Ik heb geen idee wat het doel van een gesprek kan zijn – ik ben bijna een maand weggeweest, en hij lijkt in zijn denken geen millimeter verder te zijn gekomen. Ik herinner me hoe professor Sree me heeft geholpen, en ik heb het gevoel dat Jacob en ik op dit moment een goeroe nodig hebben om ons te begeleiden. Dus vertel ik hem dat ik de volgende keer dat ik hem spreek een therapeut erbij wil hebben die objectief kan luisteren. Hij stemt ermee in.

Een week later ontmoet ik hem in het kantoor van een relatietherapeut in de Upper West Side. In de hal krijgen we ruzie. Hij zit te bellen als ik binnenkom en onderbreekt zijn gesprek niet om me te begroeten. Hij kijkt me niet eens recht aan. Ik stamp op de grond van pure frustratie. Hij klapt zijn mobieltje dicht en zegt kwaad dat ik me gedraag als een kind, maar tegelijkertijd grijnst hij. We hebben altijd al een beetje gebekvecht als broer en zus en we provoceerden elkaar graag. Mijn frustratie smelt weg, en als de therapeut in de deuropening verschijnt, glimlachen we allebei.

'Een stel dat met zo'n brede glimlach naar relatietherapie komt, dat zie je niet vaak,' zegt de therapeut.

Misschien komt dat doordat we werkelijk van elkaar houden. Ondanks alle spanningen zijn we echt dol op elkaar.

'Onze relatie staat op springen,' begint Jacob. 'Ik ben hier gekomen omdat zij me dat vroeg.'

We praten wat heen en weer in een poging uit te leggen waarom we hier zitten. Ik ben te veeleisend, klaagt hij. Hij duwt me van zich af, geef ik terug. Het ultimatum. Mijn vruchtbaarheid. Zijn onvermogen om een besluit te nemen. Kennelijk willen we het niet uitmaken, maar we komen ook geen stap verder. We zijn in geen maanden met elkaar naar bed geweest, zeg ik tegen de therapeut. Toch zegt hij dat hij van me houdt; hij kijkt me doordringend aan, alsof hij van me houdt.

'Ik hou echt van je,' zegt hij. 'Maar ik denk dat je van iemand kunt houden met wie je toch niet je leven wilt doorbrengen.'

'Dus dat is je beslissing?' vraagt de therapeut zonder omwegen.

Jacob voelt zich duidelijk opgelaten door die vraag, dus hij verandert van onderwerp.

'Ik heb er echt respect voor dat ze nastreeft wat ze wil,' zegt hij. 'Ze is als een trein. Ik weet nog dat zij mij begon te kussen op ons eerste afspraakje, en dat ik dat zo spannend vond. Maar nu zet ze me onder druk om een gezin te vormen en ons te binden, en daar heb ik geen zin in.'

'Jij bent degene die op ons tweede afspraakje tegen mij zei dat je binnen afzienbare tijd wilde trouwen en kinderen krijgen,' houd ik hem voor.

'Ik wíl ook trouwen,' zegt hij.

We graven een beetje dieper in onze relatie, en al snel komen de problemen bovendrijven. Zijn moeder is dominant; soms doe ik hem aan haar denken, en dat maakt hem gespannen. Hij is emotioneel afstandelijk, wat mij aan mijn vader herinnert, die onbereikbaar en koel kan zijn. Dit alles lijkt mij het gewone werk waar zoveel stellen mee te maken hebben – het vergif dat door hard werken nectar kan worden.

Jacob zegt dat hij er kapot van is, maar dat hij toch vreest dat het niet genoeg is. Ik sta voor een raadsel. Hoe kan iemand weten wanneer iets 'genoeg' is?

'Waarom laten we mijn eicellen niet invriezen?' stel ik na een ongemakkelijke stilte voor. 'Zo krijgen we wat meer tijd en voel ik me wat minder gestrest over die binding.'

'Ik vind dat je sowieso je eicellen moet laten invriezen,' zegt hij. 'Of je ze nu met mij of met iemand anders gaat gebruiken. Ik vind dat je het komende maandag meteen moet doen.'

Ik lach om zijn naïviteit, alsof het invriezen van eicellen even simpel is als het invriezen van een restje eten.

'Zou jij bereid zijn je sperma te laten invriezen?' vraagt de therapeut.

'Dat hoef ik niet,' antwoordt Jacob zelfvoldaan.

De tijd is om en de therapeut vraagt ons of we terug willen komen.

'Ik weet niet,' antwoord ik. 'Het voelt een beetje als een dodenwake.'

'Ik wil wel terugkomen,' zegt Jacob.

Zijn antwoord verbaast me, aangezien hij degene lijkt die afstand neemt van onze relatie.

We maken een afspraak voor de volgende week.

Na de sessie vraag ik Jacob of hij nog even wat wil gaan drinken. We bespreken de therapie alsof we nog een stel zijn.

'Ik vond hem wel goed,' zegt hij.

'Ik ook,' zeg ik.

We bestellen drankjes en we flirten en praten rustiger en diepgaander dan ooit tevoren. Tot mijn eigen verbazing vertel ik hem over mijn eerste serieuze vriendje, en dat ik, toen we samenwoonden, in mijn dagboek schreef dat ik wist dat dit niet mijn echte leven was. Ik vertel hem dat ik eindelijk het gevoel heb dat dit mijn echte leven is. Ik ben geworden wie ik wil zijn, en ik denk dat wij met zijn tweeën, door de wereldjes die we als individu hebben opgebouwd te laten samensmelten, een heel interessant leven zouden kunnen hebben. Hij staart me aan met een blik van diepe liefde, maar zegt opnieuw dat hij niet zeker weet of het genoeg is. Als we uit elkaar gaan, spreken we af om elkaar dat weekend niet te zien, zodat we kunnen nadenken, en elkaar weer te ontmoeten bij de volgende therapiesessie.

Het weekend duurt eindeloos. We spreken elkaar eenmaal. Ik ben een paar uur bezig mijn gedachten op te schrijven. Ik wil op een rijtje zetten wat ik vind, wat ik geloof en wat ik wil. Ik wil helder en rationeel zijn. Vóór de afspraak ben ik zenuwachtiger dan ik in lange tijd geweest ben. Onderweg haal ik thee bij de plaatselijke deli, ga op de trap zitten en haal het velletje met aantekeningen tevoorschijn om de woorden te repeteren die ik wil zeggen. Ik vraag me af of het gezond is om je relatie te moeten repeteren.

Jacob en ik treffen elkaar op een bankje voor de praktijk van de therapeut. Hij zit weer aan de telefoon over werk te praten. Ik ga naast hem zitten. Hij onderbreekt zijn gesprek niet. Opnieuw kijkt hij me niet aan, maar deze keer zeg ik er niets van. Ik overhandig hem alleen maar een jasje dat hij me voor India had geleend.

'Ik heb het gewassen, twee keer, want het rook naar een Indiase trein,' zeg ik wanneer hij zijn telefoongesprek beëindigt.

'Heb je het in de droger gedaan?' vraagt hij bezorgd.

'Nee,' zeg ik. Ongelooflijk dat hij er bij dit alles over in zit of ik zijn fleece jack heb geruïneerd.

We gaan zwijgend de spreekkamer in. Onze stilte wordt pas verbroken wanneer de therapeut vraagt hoe het met ons gaat.

'Met mij gaat het goed,' zegt hij.

'Met mij niet,' zeg ik. 'Ik ben heel verdrietig.'

'Ik ook,' geeft hij toe.

'Hoe vond je het om dit weekend niet bij haar te zijn?' vraagt de therapeut aan Jacob.

'Ik heb haar ontzettend gemist. Het was een goed gevoel toen ze naast me kwam zitten op de bank.'

Dan ben ik aan de beurt. Ik haal mijn papiertje tevoorschijn en begin te praten. Mijn handen trillen. 'Zoals ik het zie, houden we van elkaar,' zeg ik. 'Ik zag die liefdevolle blik in zijn ogen in het café na de vorige sessie. En voor mij is liefde een heel kostbaar en zeldzaam iets. We missen elkaar.'

Dit klinkt vaag als een huwelijksgelofte, denk ik bij mezelf.

'Ik ben heel loyaal en ik geef niet snel op,' ga ik verder. 'Als we vijf of tien jaar getrouwd waren en op een moeilijk punt kwamen, zoals nu het geval is in onze relatie, zou ik alles doen wat in mijn macht lag om ons erdoorheen te slepen. Ik ben niet bang om naar mezelf te kijken. En als ik mijn gedrag of slechte gewoontes moet veranderen om onze relatie beter te laten lopen, dan doe ik dat.'

'Dat weet ik,' onderbreekt Jacob me vriendelijk. 'Ik wil niet dat je moet veranderen.'

Maar als hij zich tot de therapeut wendt, is hij minder vriendelijk. 'Zie je niet dat het te veel is?' vraagt hij. 'Ze houdt te veel van me! Het is te heftig. Ze is gek!'

Ik ben geschokt door zijn commentaar. Werktuiglijk pak ik mijn aantekeningen weer op en begin voor te lezen. 'Zoals ik het zie, is het probleem waardoor we hier zijn terechtgekomen dat we allebei willen...' Maar dan sterft mijn stem weg, omdat ik me midden in de zin realiseer dat ik opnieuw probeer een probleem op te lossen, grip te krijgen op iets wat buiten mijn controle ligt. De krachten van de natuur – mijn natuur, Jacobs natuur – zijn sterker dan alles wat ik zou kunnen zeggen.

Jacob barst plotseling in tranen uit. Het is de eerste keer dat ik hem zie huilen.

'Kijk toch eens naar deze mooie, fantastische vrouw,' zegt hij. 'Ik weet dat er ergens een andere man is die van haar zal houden.'

Daar weet ik niets op te zeggen. Ik denk aan alle 'misschiens'. Misschien zijn we bang. Misschien hebben we meer tijd nodig, misschien is het moment niet goed; misschien klopt onze relatie niet. Misschien is het te romantisch van me om te denken dat we kunnen zorgen dat dit werkt; misschien is het te romantisch van hem om te denken dat hij ooit zal weten wat 'genoeg' is. Misschien is er een betere liefde voor hem, een die begint met eindeloze wittebroodsweken. Misschien is er ook een betere liefde voor mij. Iemand die me niet wegduwt, iemand die mijn grijze gebieden accepteert, ze misschien zelfs charmant vindt.

Op dit moment vol misschiens weet ik maar twee dingen zeker. Liefde is zeldzaam. En ik moet voor mezelf zorgen en voor mijn eigen tijdlijn.

Ik pak de sleutels van zijn appartement uit mijn tas en geef ze aan hem. 'Ik moet nu verder met mijn leven,' zeg ik. 'Ik heb alles gezegd wat er te zeggen valt.' Ik sta op om te vertrekken.

'Ik stuur je je spullen,' zegt hij.

'Ik wou dat ik jonger was,' zeg ik, half tegen hem, half tegen de therapeut. 'Ik ervaar dit als een doodgaan.'

'Heb je het gevoel dat je het zelf aankunt?' vraagt de therapeut.

'Natuurlijk,' antwoord ik. Dat is nooit het punt geweest.

Jacob en ik lopen samen de spreekkamer uit. We huilen allebei. Beneden gaan we weer op de bank zitten.

'Zullen we contact houden?' vraagt hij.

'Ik kan niet met je praten.'

'Waarom niet?'

'Omdat ik verliefd op je ben,' antwoord ik. 'Hoe zie je dat voor je, aan de telefoon kletsen over ons liefdesleven met anderen?'

Hij slaat zijn blik neer en buigt zich dan naar me toe om me een kus te geven, half op mijn wang en half op mijn mond. 'Ik zal het je laten weten als ik ervoor wil gaan,' zegt hij.

Ik knik en leg mijn hand tegen zijn borst. 'Hou je haaks,' zeg ik.

En daarmee is het voorbij.

10

Gelati, wetenschap en een glazen bol

Terwijl de lente opbloeit en de New Yorkers weer uitstromen over straten en terrassen, lig ik roerloos onder een deken op mijn bank. De eerste paar weken nadat onze relatie is verbroken, zijn gruwelijk; ik probeer zoveel mogelijk tijd weg te slapen, in de hoop dat het verdriet weg is als ik wakker word. Mijn vrienden zijn ongelooflijk behulpzaam. Ze voeden en troosten me en vertellen hoe trots ze op me zijn omdat ik voor mezelf ben opgekomen en ben weggelopen van Jacobs eindeloze besluiteloosheid.

En ja, dan beginnen mijn vrienden me te vertellen wat ze werkelijk over Jacob dachten, maar inslikten toen we nog samen waren. Hij zakte voor de handdruktest, zegt de man van een van mijn vriendinnen. Een andere vriendin vertelt me dat ze altijd al dacht dat hij meer om zijn eigen imago gaf dan om andere mensen. Mijn moeder is furieus en voelt zich bedrogen: 'Hij is niet zoals hij zich tegenover ons voordeed. Volgens mij ben je een stuk beter af zonder die huichelaar.'

Ik kan intussen alleen maar denken aan hoe erg ik hem mis; liefde is inderdaad een mysterie.

Begin april vragen mijn vrienden Sam en Tamara of ik zin heb om een paar dagen naar hun strandhuis op Long Island te gaan, met het idee dat een verandering van omgeving me uit deze sleur kan halen. Het blijkt precies te zijn wat ik nodig heb.

Elke morgen sta ik op – adem in, adem uit – ga naar de garage, pak een stapel hout, maak een vuur, zet koffie en maak vervolgens een lange wandeling over het strand. De duinen zijn bezaaid met nieuwe bloemen en de bomen langs de wegen zitten vol kersenbloesem. Dan keer ik terug naar huis, ga achter mijn computer zitten en begin te schrijven.

Na een paar dagen voel ik niet langer het verlies bij elke inademing. Mijn passie voor mijn werk, mijn hechte vriendengroep en mijn familie, die me om de paar uur bellen om te kijken hoe het gaat, helpen me te genezen. Ik begin te beseffen dat de kracht en de compleetheid die ik in mijn eentje heb gecultiveerd, me hierdoorheen zullen helpen en door alles wat het leven verder nog voor me in petto heeft. Ten slotte word ik op een ochtend blij wakker, vol vertrouwen dat er een nieuwe liefde komt en ik op de een of andere manier mijn weg zal vinden naar een man en kinderen.

Achteraf is alles volkomen duidelijk. Ik hield van Jacobs vele goede eigenschappen, en als hij me ten huwelijk had gevraagd in de tijd waarin onze relatie solide en gelukkig voelde, had ik ja gezegd. Misschien hadden we dan geleerd om beter compromissen te sluiten – nectar van het gif gemaakt – en misschien was onze liefde steeds sterker geworden. Maar dat zal ik nooit weten. Mijn moeder zou er weleens gelijk in kunnen hebben dat ik een stuk beter af ben zonder hem. Jacobs gedrag, met name aan het eind, wekte mijn twijfel of hij werkelijk de emotionele volwassenheid bezat om vooruit te zwemmen in de diepere en moeilijkere wateren van onderlinge verantwoordelijkheid en ouderschap.

Binnen een paar weken merk ik dat ik Jacob niet zo erg mis als ik had verwacht. Ik heb andere vriendjes in mijn verleden lang gemist nadat het uitraakte, maar nu voel ik me bijna opgelucht om bevrijd te zijn van Jacob, vrij van alle kilte en ambivalentie. Ik begin te beseffen dat ik eigenlijk vooral treur om het einde van mijn fantasie om op korte termijn een gezin te stichten en om de cruciale tijd die ik ben kwijtgeraakt in het nastreven van dat doel.

Als ik terugkijk zie ik dat ik zo gebrand was op de stap in de richting van het moederschap dat ik blind was voor Jacobs ernstige tekortkomingen. Als ik dezelfde relatie zou hebben gehad toen ik dertig of zelfs tweeëndertig was, had ik waarschijnlijk niet zoveel van hem door de vingers gezien en me niet zo uitgesloofd om er iets van te maken. En eerlijk is eerlijk, misschien heeft mijn babypaniek inderdaad de relatie ondermijnd. Het is natuurlijk ook niet makkelijk voor een man om te leven met een vrouw van vijfendertig-plus die research doet voor een boek over het moederschap.

Er zijn nog steeds dagen waarop ik boos ben op Jacob en medelijden heb met mezelf. Op andere dagen geef ik mezelf ervan langs omdat ik me te lang en te krampachtig aan hem heb vastgeklampt. En op weer andere dagen, als ik op mijn best ben, begrijp ik dat dit volwassen liefde is: het vermogen om tekortkomingen door de vingers te zien, trouw te blijven aan de relatie en te werken aan problemen. Misschien is het toch geen tijdverspilling geweest; misschien was het een proef. Zelfs al wilde Jacob het uiteindelijk niet, toch heb ik geleerd dat ik klaar ben voor een echt partnerschap, voor de echte uitdagingen van liefde, leven en gezin.

In de maanden na de breuk heb ik geen zin om me weer in het datinggebeuren te storten. Ik heb de behoefte om even alleen te zijn, na te denken over mijn fouten in de relatie en over hoe ik de volgende keer betere keuzes kan maken. Ik besluit mijn energie te richten op verder onderzoek naar het invriezen van eicellen, omdat ik denk dat die keuze mijn verkramptheid gedeeltelijk kan wegnemen, zodat de vruchtbaarheidskwestie niet nog een relatie naar de knoppen helpt.

In het begin van de zomer plan ik een afspraak met dr.

Zhang van vruchtbaarheidscentrum New Hope voor een follikel-echo. Me dunkt dat het geen kwaad kan te weten hoe het met mijn vruchtbaarheid gesteld is. Zhang ziet acht follikels in beide eierstokken, wat volgens hem een goede voorraad is. Hij vertelt me dat ik nog minstens een jaar, of zelfs langer, kan wachten voor mijn vruchtbaarheid zodanig afneemt dat mijn kansen op een biologisch kind in gevaar zijn. Natuurlijk kan hij niets garanderen. Maar aangezien ik zojuist een relatie heb beëindigd en hoegenaamd niet klaar ben voor een nieuwe, is dit zeer geruststellend nieuws.

Sinds ik drie jaar geleden voor het laatst onderzoek heb gedaan naar het invriezen van eicellen, is de technologie volgens Zhang snel vooruitgegaan. Sinds 2003 worden er elke maand meer baby's geboren uit ingevroren eicellen, wat de voornaamste indicator is dat de technologie op gang begint te komen. Ik ben nog steeds sceptisch: ik weet dat er in de VS zo'n fors marketingapparaat achter deze techniek zit dat het succesverhaal misschien overtrokken is. Ik besluit dat ik voor een eerlijke kijk op de levensvatbaarheid van deze technologie naar de oorsprong ervan moet: de Italiaanse wetenschapper die haar heeft uitgevonden.

Begin oktober vlieg ik naar het Italiaanse Bologna voor een ontmoeting met dr. Rafaela Fabbri, de biologe achter de uitvinding van de cryoconservering, en dr. Eleonora Porcu, de klinisch arts die met de patiënten werkt en de resultaten onderzoekt. Beiden werken in de afdeling obstetrie en gynaecologie van de universiteit van Bologna.

Ik verblijf in het oude stadscentrum in een klein hotel met uitzicht op een steegje vol fruitstalletjes en visverkopers. Ik ben blij dat ik weer in Italië ben, door de kronkelige straatjes kan dwalen en bij een romige *gelato* zitten mijmeren. Maar ditmaal ben ik hier voor iets anders, niet om te ontspannen en in het nu te leven, maar om mijn toekomst en die van mijn gezin te plannen.

Eerst heb ik een ontmoeting met dr. Fabbri, de biologe, in

haar kantoor in het souterrain van de universiteit. Ze is een aantrekkelijke blondine van midden vijftig. Fabbri houdt zich niet langer bezig met onderzoek naar het invriezen van eicellen, maar richt zich nu op cryoconservering van eierstokweefsel, een nog nieuwere techniek waarbij een deel van het jonge eierstokweefsel van een vrouw wordt weggehaald en ingevroren, waarna het in een later stadium opnieuw in de eierstokken kan worden teruggeplaatst om weer eicellen voort te brengen.

Fabbri vertelt me dat toen Porcu en zij in de jaren tachtig begonnen samen te werken, ze de technologie nooit hadden gezien als een manier om het vrouwelijke dilemma 'carrière of kinderen' weg te nemen. Ze waren veeleer op zoek naar een alternatief voor het invriezen van de extra embryo's die vrouwen met onvruchtbaarheidsproblemen na een ivf-behandeling niet wilden laten implanteren of wilden bewaren voor de toekomst. Indertijd overwoog het Vaticaan het invriezen van embryo's verboden te verklaren, omdat volgens de katholieke wet het leven begint bij de bevruchting. Aangezien veel ingevroren embryo's uiteindelijk worden weggegooid, wilde de kerk iets doen tegen deze praktijk. Porcu en Fabbri zagen het invriezen van niet-bevruchte eicellen als een manier om dit verbod te omzeilen. Als ze erin zouden slagen de eicellen in te vriezen, zouden vrouwen en echtparen een nieuw middel voor voortplanting krijgen dat geen inbreuk maakte op religieuze wetten.

Porcu en Fabbri sloegen de handen ineen om deze lastige wetenschappelijke uitdaging aan te gaan. Eicellen hebben een fragiel innerlijk systeem, en aangezien ze veel meer water bevatten dan sperma of embryo's zijn ze veel moeilijker in te vriezen. Er is een groter risico dat zich tijdens het invriezingsproces in het water ijskristallen vormen, waardoor de kwetsbare spindel waarin het cytoplasma van de eicel zit, wordt vernietigd. De twee artsen dachten dat ze, als ze het probleem van de ijskristallen konden oplossen, van het invriezen van eicellen een haalbare optie konden maken.

Fabbri vertelt me dat ze aanvankelijk eicellen invroren met hetzelfde mengsel van chemicaliën dat wordt gebruikt om embryo's in te vriezen. Ze merkten echter dat het overlevingspercentage van de eicellen na ontdooiing zeer laag was. Fabbri begon te experimenteren met andere procedures, zoals het invriezen van een eicel zonder het membraan eromheen, om beter zicht te krijgen op de oorzaak van de vorming van ijskristallen.

Op een dag besloot ze een grotere hoeveelheid suiker toe te voegen aan de cryoprotectant, de chemische stof die de plaats van het water inneemt nadat de eicel is uitgedroogd. Door die vervanging kan de eicel bevriezen, zodat hij voor een lange periode dezelfde metabolische leeftijd behoudt. Die kleine verandering in het sucrosegehalte was een succes. Aangezien suiker uit grotere moleculen bestaat dan H_2O, dringt het niet de cel binnen. Ze ontdekte al snel dat de sucrose zelfs een deel van het water aan de eicel onttrok. Deze gezoete eicellen bevroren zonder ijskristallen en waren bij het ontdooien dan ook onbeschadigd.

Naarmate de techniek verbeterde, steeg ook het succespercentage van de bevruchting en implantatie van ontdooide eicellen. In 2004 waren er al 78 kinderen geboren in een langdurig onderzoeksproject dat werd uitgevoerd door Porcu's laboratorium.

Na de wetenschappelijke uitleg vertelt Fabbri me dat Porcu en zij niet langer een team vormen. Ze hebben zelfs ruzie met elkaar. Fabbri meent dat Porcu de eer van hun ontdekkingen op het gebied van de cryopreservering van eicellen niet wil delen. Maar de spanning tussen hen wordt vooral veroorzaakt door hun zeer uiteenlopende kijk op de vercommercialisering van de technologie. Fabbri is van mening dat die vrouwen een mooie kans biedt om hun vruchtbare jaren te verlengen. Daarom werkt ze nog steeds voor MediCult, het Zweedse bedrijf dat de apparaten en chemicaliën vervaardigt die door vele klinieken worden gebruikt, waaronder die van het Extend Fertilitynetwerk. Fabbri demonstreert de techniek zelfs met een cd-rom die bedoeld is als informatiemateriaal voor laboratoria.

'Het lijkt me geen goed idee dat een vrouw een kind krijgt op haar zestigste of zeventigste,' zegt ze. 'Maar als een vrouw van veertig een kind wil, is dat belangrijk.'

Porcu is het daar niet mee eens, althans drie jaar geleden niet, toen ik haar een e-mail stuurde naar aanleiding van mijn onderzoek over het invriezen van eicellen. Ze liet me toen weten dat ze niet achter de vercommercialisering van eicelbevriezing stond omdat de technologie nog zo experimenteel was.

'Die bedrijven kunnen er flink aan verdienen en ze willen de prijzen hoog houden, dus dat zet ze ertoe aan dingen te beloven die niet stroken met de werkelijke mogelijkheden,' schreef ze. 'Het is niet eerlijk deze technologie te verkopen als een methode om je te verzekeren van een hypothetische vruchtbaarheid in de toekomst. Voor mensen die geen alternatief hebben, zoals kankerpatiënten of mensen die om morele redenen eicellen willen opslaan in plaats van embryo's is het één ding, maar deze experimentele behandeling zou niet door patiënten moeten worden betaald.'

Ik ben benieuwd of ze van mening is veranderd nu de wetenschap een stuk verder is. Die middag ga ik naar een hogere verdieping in hetzelfde gebouw om haar te ontmoeten. Porcu is een stevige brunette met een rationele manier van doen. We gaan naar haar zonnige kantoor met uitzicht op een binnenplaats.

Ze opent het gesprek door me te vertellen dat haar kliniek nu een zwangerschapspercentage van 28 heeft uit bevroren eicellen, een grote verbetering vergeleken met de 18 procent die haar team twee jaar eerder publiceerde. In de afgelopen drie jaar heeft ze met haar team ontdekt dat het zwangerschapspercentage niet zozeer afhankelijk is van het aantal eicellen dat wordt geïnsemineerd, maar van het aantal eicellen dat een vrouw produceert. Uitzonderingen daargelaten, geldt dat hoe meer eicellen de vrouw tijdens een ivf-behandeling produceert, hoe vruchtbaarder ze is – en hoe meer kans ze dus heeft om zwanger te worden met haar ingevroren eicellen.

Ik vraag Porcu of haar positie ten opzichte van de vercommercialisering van eicelbevriezing vanwege de verbeterde statistieken is veranderd.

'Absoluut niet,' zegt ze.

Ze vertelt me dat de meeste cijfers die door Extend Fertility en de ermee verbonden kliniek naar buiten worden gebracht nog steeds sterk overdreven zijn, maar ze benadrukt dat dit niet haar enige bezwaar is tegen grootschalige handel in de technologie. Haar standpunt is ook politiek gemotiveerd. Porcu acht het in wezen heel nadelig voor het feminisme als gezonde vrouwen hun eicellen kunnen laten invriezen om het krijgen van kinderen uit te stellen. Naar haar mening moeten we de maatschappij veranderen, niet ons lichaam.

'Dat betekent dat we een mentaliteit van efficiëntie aanvaarden waarin zwangerschap, moederschap en het gezin op een zijspoor worden gezet,' zegt ze. 'De maatschappij zou ervoor moeten zorgen dat zwangerschap als een indrukwekkende prestatie wordt gezien, niet als een ongemak. Het doel zou moeten zijn het voor werkende vrouwen gemakkelijker te maken om moeder te worden.

We hebben laten zien dat we alles net zo kunnen doen als mannen,' gaat ze verder. 'Nu is het tijd voor de tweede revolutie: níét je eicellen laten invriezen en níét afhankelijk worden van een technologie waarbij een chirurgische ingreep komt kijken.

Het invriezen van eicellen is niet zo simpel,' zegt ze. 'Je moet er volledig voor onder narcose en je krijgt zware hormooninjecties. Wil je dat echt doen, alleen maar om een zwangerschap uit te stellen omdat de maatschappij niet wil dat je zwanger bent als je moet werken?'

Dan beantwoordt ze haar eigen vraag. 'We moeten die mentaliteit veranderen. We moeten vrij zijn om zwanger te worden wanneer we jong en vruchtbaar zijn.'

Porcu's argument is echter niet puur politiek, maar ook persoonlijk. Ze vertelt me dat ze toen ze aan haar wetenschappelijke carrière begon, niet de ruimte kreeg om moeder te zijn.

'Vlak na de geboorte van mijn kind nam ik haar mee naar een congres. Mijn moeder kwam ook mee en ik voedde mijn dochter tussen de voordrachten in. Dat deed ik om kritiek van collega's te voorkomen.' Als ze op professioneel gebied niet zo'n enorme druk had gevoeld, zou ze meer dan één kind hebben gekregen. Het ergert haar dat vrouwen van de volgende generatie nog steeds in dezelfde situatie zitten. 'Zeer intelligente, machtige vrouwen zouden de kans moeten krijgen om tijdens hun carrière zwanger te worden zonder hun macht of positie op het spel te zetten.'

Ik verkeer in tweestrijd over Porcu's argument. Aan de ene kant ben ik het met haar eens dat bedrijven en de maatschappij als geheel zich veel meer zouden moeten aanpassen aan de behoeften van werkende moeders. Ik zie wel in dat het invriezen van eicellen er in een bredere sociale context toe kan leiden dat werkende vrouwen hun biologische aard ontkennen en zich meer als mannen gaan gedragen. Aan de andere kant stelt Porcu's zedenpreek me ook teleur. Ze vraagt niet om regelgeving of wetten tegen het invriezen van eicellen, maar vindt gewoon dat vrouwen die technologie niet als een steunpilaar moeten gebruiken. Ik zie het invriezen van eicellen, net als geboortebeperking of abortus, als een keuze, een hulpmiddel waardoor vrouwen controle hebben over hun lichaam, en ik vind dat de beslissing om gebruik te maken van die mogelijkheid eerder een persoonlijke gewetenskwestie dan een politiek statement zou moeten zijn.

'En als een vrouw na haar scheiding toch een kind wil, of zo iemand als ik, die de ware nog niet is tegengekomen?' vraag ik alsof ik me moet verdedigen.

'Ik heb begrip voor omstandigheden zoals de jouwe,' zegt ze. 'In jouw geval is het een extra middel om te vechten tegen de oneerlijke natuur. Jij wilt overleven als vruchtbare vrouw.'

Dan legt ze uit dat ik, als ik ermee doorga, bij het nemen van een beslissing goed op mijn biologisch gestel moet letten. Ze zegt dat ze veel e-mails ontvangt van Amerikaanse vrouwen van eind dertig of begin veertig die vragen of het een goede keus is om hun eicellen te laten invriezen, en dat ze de meesten van hen moet vertellen dat hun kans op succes erg klein is.

'De mogelijkheid om je eicellen te laten invriezen en weer te ontdooien als je eind dertig of ouder bent, is beperkt omdat veel van de eicellen van een vrouw beschadigd zijn,' legt ze uit. 'Het succes van eicelbevriezing en -ontdooiing houdt direct verband met de kwaliteit en leeftijd van de eicellen.'

'Dus hoe ouder de eicellen en hoe lager de kwaliteit, des te hoger de kans dat ze tijdens de procedure beschadigd raken?' vraag ik.

'Ja,' zegt ze. 'Dus als je boven de vijfendertig bent, kun je een heleboel geld uitgeven voor niets. Al is het natuurlijk wel zo dat veel vrouwen van boven de vijfendertig nog steeds voldoende ovariële reserve hebben en vanuit biologisch perspectief dan ook jonger zijn,' voegt ze eraan toe.

Ik vertel haar dat ik er pas geleden achter ben gekomen dat ik acht follikels had.

'Dat betekent dat je biologisch jong bent,' zegt ze.

Dat is precies de informatie waarnaar ik op zoek ben.

Als ik uit Italië wegga ben ik er nog sterker van overtuigd dat eicelbevriezing voor mij nu de juiste keuze is, ook al weet ik dat niets gegarandeerd kan worden en de technologie nog steeds experimenteel is.

In het oktobernummer uit 2006 van *Fertility and Sterility*, het officiële blad van de American Society for Reproductive Medicine, publiceerden dr. John K. Jain en dr. Richard Paulson van de medische faculteit van de universiteit van Zuid-Californië de resultaten van hun globale onderzoek naar eicelbevriezing, gebaseerd op diverse onderzoeken onder vrouwen van dertig tot drieëndertig jaar. In hun artikel erkenden de auteurs dat de technologie in de voorgaande drie jaren sterk was verbeterd.

In hun onderzoek gebruikten ze twee verschillende methoden om eicellen in te vriezen. De eerste, trage invriesmethode wordt *slow freezing* genoemd en lijkt het meest op de huidige technieken voor het invriezen van embryo's. De tweede, vitrificatie of *flash freezing*, is een nieuwere methode waarbij de eicel minder dan een minuut lang in een bad met een sterker geconcentreerde cryoprotectant wordt gelegd. Over de vraag welke invriesmethode de beste is, wordt verschillend gedacht, hoewel ze tegenwoordig allebei een redelijk zwangerschapspercentage opleveren.

De conclusie van het onderzoek uit 2006 luidde: 'De gegevens van de trage invriesmethode vertoonden in de loop van de tijd een geleidelijke verbetering in de efficiëntie van eicelcryopreservatie, waarbij het percentage levendgeborenen toenam van 21,6 procent per terugplaatsing tussen 1996 en 2004 tot 32,4 procent tussen 2002 en 2004.' De gegevens met betrekking tot vitrificatie volgden eenzelfde trend, waarbij het aantal levendgeborenen en voortgezette zwangerschappen toenam van 29,4 procent vóór 2005 tot 39 procent na 2005. Vanwege de duidelijke vooruitgang herzag de ASRM zijn mening over het invriezen van eicellen enigszins in 2007. Haar officiële opvatting blijft dat eicelcryopreservatie een experimentele technologie is die niet dient te worden aangeboden of aangeprezen als een middel om op oudere leeftijd kinderen te kunnen krijgen; als een vrouw er toch voor kiest de procedure om die reden te ondergaan, zou ze uitgebreide begeleiding moeten zoeken. Maar de ASRM erkent nu dat het invriezen van eicellen voordelen biedt voor vrouwen die ivf- of andere vruchtbaarheidsbehandelingen ondergaan en eicellen over hebben, maar geen extra embryo's willen creëren en laten invriezen. Zij erkent ook dat de technologie mogelijkheden biedt voor vrouwen die het risico lopen hun ovariële functie te verliezen als gevolg van een kankerbehandeling.

Het lijkt tegenstrijdig dat de ASRM-commissie de technologie goedkeurt en aanbeveelt voor vrouwen met kanker of vrouwen die voortplantingsbehandelingen ondergaan en geen embryo's willen creëren, maar het gebruik ervan afraadt voor vrouwen die slechts hun vruchtbaarheid willen verlengen. Ik bel Christy Jones van Extend Fertility om te vragen wat zij van deze stellingname vindt.

'Wat mij betreft is mijn vruchtbaarheid evenzeer in gevaar als die van een kankerpatiënte. Het is een vrij land,' zegt ze. 'Deze kwestie kan beter worden benaderd met informatie op het juiste niveau dan met een paternalistisch vingertje dat je het gewoon niet moet doen, of dat vrouwen niet zo lang moeten wachten of niet zo op hun carrière gericht moeten zijn.'

Ik ben het met haar eens en nu ik op de hoogte ben van het verbeterde succespercentage, maak ik een afspraak met dr. Noyes om meer te horen over de resultaten van haar onderzoek. Ze vertelt me dat ze in het kader van dat onderzoek inmiddels zeventien invriezingen van eicellen heeft verricht bij vrouwen tot achtendertig jaar. De gemiddelde leeftijd van deze vrouwen is vijfendertig. Haar patiëntes hebben elf baby's gekregen, waaronder drie tweelingen.

Noyes wijst er echter op dat haar onderzoeksprotocol was gericht op vrouwen die ervoor kozen om direct na de invriezing zwanger te raken, wat betekent dat zij en haar team de eicellen weghalen, invriezen en dan direct weer ontdooien, bevruchten en implanteren. Ze merkt op dat er nog geen vrouwen buiten de onderzoeksgroep zijn teruggekomen om hun eerder ingevroren eicellen te laten bevruchten. Over het succespercentage met eicellen die gedurende langere tijd bevroren blijven, is dus nog niets bekend.

Volgens gegevens van de Society of Reproductive Medicine heeft het vruchtbaarheidscentrum van de universiteit van New York een van de hoogste succespercentages in het land voor ivf bij vrouwen boven de vijfendertig jaar. Bij vrouwen van 35-37 jaar leidt 43,9 procent van de behandelingen tot zwangerschap; bij vrouwen van 38-40 jaar leidt 37 procent tot zwangerschap en bij vrouwen van 41-42 jaar 22 procent. Deze cijfers liggen maar weinig lager voor ingevroren embryo's.

Drie jaar geleden raadde Noyes me deze techniek af; ik vraag haar of ze er nu anders over denkt.

'Nu heb ik er alle vertrouwen in,' zegt ze. 'Ik zou er nu geen seconde over aarzelen.'

Van mijn ontmoeting met dr. Zhang weet ik al dat ik nog een goede reserve aan antrale follikels heb. Volgens Noyes moet ik ook een follikelstimulerend-hormoontest (FSH-test) laten doen, omdat de universiteit van New York geen eicellen invriest van een vrouw met een FSH-spiegel boven de 13,5 of een estradiolspiegel boven de 70 pg/ml (estradiol is een ander geslachtshormoon dat in de eierstokken wordt aangemaakt). Een hoger gehalte aan deze stoffen geeft aan dat het lichaam harder werkt om eicellen te produceren, wat op verminderde kwaliteit en kwantiteit van de eicellen duidt.

Ik vertel haar dat sommige artsen me hebben aangeraden om naast eicellen ook embryo's te laten invriezen, omdat de kans op zwangerschap uit een ingevroren embryo groter is. Er zijn artsen die het invriezen van beide 'het totaalpakket' noemen. Noyes zegt dat ze momenteel dezelfde percentages behaalt met eicellen.

'Ik denk dat je acht rijpe eicellen met spindel nodig hebt om een zwangerschap te realiseren,' zegt ze. Een eicel met spindel is een eicel die volledig is gerijpt.

'Een rijpe eicel geeft de meeste kans op bevruchting,' vervolgt ze. 'Het werkt even goed als een embryo, dus waarom zou je het spermadilemma er ook nog bij nemen?'

'Wat is het zwangerschapspercentage met ingevroren embryo's of eicellen van een achtendertigjarige in vergelijking met dat van verse eicellen van een tweeënveertigjarige?' vraag ik, en ik vraag me af wat er zou gebeuren als ik het hele idee gewoon zou laten varen en het erop aan liet komen, zelfs al zou dat betekenen dat ik na mijn veertigste geavanceerde vruchtbaarheidstechnologieën zou moeten gebruiken.

'30 procent tegen 20,' zegt ze.

10 procent is niet zo'n groot verschil, maar vier jaar lijkt me

een lange tijd om te wachten zonder iets te doen. Als ik nu geen kind krijg, met partner of alleen, wil ik iets proactiefs doen. En alles telt.

Natuurlijk wilde ik dat het percentage levendgeborenen uit ingevroren eicellen op dit moment hoger lag. Ik wou dat het nemen van zo'n grote stap me zekerheid zou geven dat ik nog vele jaren in staat zou zijn om een kind te krijgen. Maar ik geloof ook dat naarmate meer vrouwen deze stap nemen, de wetenschap steeds beter zal worden, waardoor vrouwen meer opties krijgen. Dus besluit ik te vertrouwen op de wetenschap en deze stap te nemen, niet alleen voor mezelf en mijn toekomstige kind, maar ook voor een toekomst met meer keuzemogelijkheden voor vrouwen. Zelfs al krijg ik uiteindelijk geen kind, dan heb ik toch de troost dat ik de technologie heb verder geholpen – ik ben er nu redelijk van overtuigd dat dat ons leven op de lange termijn ten goede zal komen.

Rond december begin ik opnieuw te daten. Ik heb iets met Ted*, een beginnend fotograaf. We zijn het over bijna alles oneens – hij is vegetariër, ik provoceer hem door etentjes te plannen in barbecuerestaurants – maar hij is flexibel en ongedwongen, leuk om mee om te gaan. Het perfecte tegengif na mijn relatie met Jacob. Het is me echter duidelijk dat Ted niet mijn soulmate is en dat de relatie geen toekomst heeft. Dus ik ga door met het plan om mijn eicellen te laten invriezen.

Ik begin deze onbedoelde volgende fase van mijn leven met een hele serie bloedtests: op follikelstimulerend hormoon (FSH) en anti-Müllerianhormoon (AMH), dat sterk verband houdt met de omvang van de ovariële follikelpool van een vrouw. Aangezien ik half joods ben, moet ik ook worden getest op genetische ziekten zoals Tay-Sachs en Canavan. Ik moet weten of ik drager van een van beide ben voor het geval ik mijn eicellen ook laat bevruchten met donorsperma.

In afwachting van de testresultaten besluit ik een bezoek te brengen aan Sarah Hopkins in Atlanta, om te zien hoe het nieuwe leven als single moeder haar bevalt. Zij nam de stap naar het single moederschap nadat haar arts haar had gewaarschuwd dat misschien ooit haar baarmoeder verwijderd zou moeten worden en het is mogelijk dat het resultaat van mijn bloedtest me tot diezelfde keuze zal brengen: als mijn FSH te hoog is voor het invriezen van eicellen – dat wil zeggen, als mijn eicellen van onvoldoende kwaliteit worden geacht om het invriezen en ontdooien te overleven – zouden de artsen me kunnen aanraden om meteen te proberen zwanger te worden.

We hebben elkaar nooit persoonlijk ontmoet, en als ik haar mail om te vragen of ik kan langskomen, schrijft ze bijna onmiddellijk terug. 'Ik heb een jongetje gekregen, hij is nu twintig maanden en ik ben heel gelukkig met mijn beslissing... Maar tijd is nu absoluut een kostbaarheid,' schrijft ze.

Ik stuur haar een mailtje terug waarin ik het afgelopen jaar kort samenvat en haar vertel dat ik nu serieuzer nadenk over het single moederschap. Ik zou graag een weekend met haar willen meelopen om te zien hoe het is. Ze antwoordt dat ik welkom ben, maar waarschuwt me opnieuw voor haar dagplanning.

'Het is zo grappig om terug te denken aan hoe ik mijn tijd inplande voor ik moeder werd!' schrijft ze. 'Hier komt mijn agenda voor dit weekend: Vrijdag (dan werk ik niet): Winston* wakker rond 7 uur ... Winston tandarts om 9.45 uur ... Winston dutje rond 14-16 uur ... peuterspeelgroep in parkje in de buurt rond 16-18 uur ... avondeten om 18 uur ... Winston naar bed rond 20.30 uur ... ik douchen, e-mailen en naar bed. Zaterdag: Winston wakker rond 7 uur ... op Jackson passen van 9.30 tot 11.30 (tekenfilmpjes of park) ... proberen Winston te laten slapen tussen 13 en 15 uur ... Single Mothers by Choice-feestje aan de andere kant van de stad van 15.30 tot 17.30 maar duurt waarschijnlijk langer ... zo niet, misschien even naar Halloweenfeestje van een vriendin, gepland van 17-19 uur (zal waarschijnlijk niet lukken) ... Winston naar bed rond 20.30 uur ... ik douchen, e-mailen en naar bed.'

Ik zeg dat ik haar graag wil helpen.

Die zaterdagochtend sta ik bij Sarah voor de deur in een met bomen omzoomde straat.

Als een tengere vrouw met blond haar aan de deur verschijnt, verbaast het me dat ze er zo fragiel uitziet – ze heeft zo'n overdonderende persoonlijkheid dat ik me haar voorstelde als een robuuster iemand. Maar het verbaast me nog meer dat ze opnieuw zwanger is.

'Ben je weer zwanger?' flap ik eruit.

Ze glimlacht en zegt dat ze dacht dat ze me had verteld dat haar tweede over een paar maanden in aankomst is.

'Dezelfde situatie?' vraag ik aarzelend, want misschien heeft ze iemand ontmoet.

'Ja, Alix is weer de donor,' zegt ze.

We gaan op de bank in haar huiskamer zitten. Winston, haar schattige zoontje met blauwe ogen, begint meteen potloden te slijpen in een elektrisch slijpapparaat. Het gierende geluid is vreselijk hard en irritant, maar Sarah lijkt het niet eens op te merken.

'Nadat ik hem kreeg, zat ik te twijfelen over een tweede,' begint ze. 'Maar toen mijn zus verleden jaar overleed, gaf dat de doorslag. Ik wilde echt een groter gezin. Ik heb hier niet veel vrienden en ik denk niet dat het waarschijnlijk is dat ik nog ga trouwen. Ik wil echt niet dat ze na mijn dood alleen achterblijven.'

Na een korte stilte gaat ze verder. 'Er zijn ook secundaire redenen. Ik ben me ervan bewust dat ik een nogal dominante persoonlijkheid heb, dus denk ik dat het goed voor hem zal zijn als er een ander kind is dat me afleidt, zodat ik niet de hele tijd op hem gericht ben.'

Opnieuw ben ik geschokt door haar rationaliteit. Toch ben ik er ook van onder de indruk dat ze zich zo bewust van zichzelf is en zo gewetensvol omgaat met de beleving van haar zoon.

Sarah roept Winston naar de tafel en zet hem een bord met rijst en broccoli voor.

Dit afgelopen jaar heeft Sarah gehoord dat ze niet tot managing director wordt gepromoveerd, zoals ze had verwacht. Ik vraag haar of ze denkt dat ze geen promotie krijgt omdat ze alleenstaand moeder is.

'Ik denk dat dat wel meespeelde,' zegt ze. 'Dat is onderdeel van de... eh...' Ze draait zich om en stopt een beetje sla in Winstons mond. 'O, sorry, ik ben even de draad kwijt,' zegt ze. 'Ik raak mijn baan niet kwijt, dat niet. Maar ik wil niet bij een bedrijf blijven dat me niet goed genoeg vindt om me directeur te maken.'

Sarah is van plan om bij een kleiner bedrijf te gaan werken voor meer flexibiliteit, zelfs als dat minder geld en zekerheid betekent. Nu ze zwanger is van haar tweede, kijkt ze anders aan tegen haar werk. Anders dan toen ze twintig, begin dertig was, is haar werk niet meer het belangrijkste; dat zijn haar kinderen. Maar door die nieuwe zienswijze moet ze een aantal moeilijke beslissingen nemen om haar carrière te reorganiseren.

De bel gaat. Het is Sarahs buurvrouw, ook een alleenstaande moeder, die haar zoon komt brengen, een geadopteerd jongetje. Sarah had beloofd een paar uur op hem te passen terwijl haar buurvrouw naar een afspraak gaat. Bij toeval zijn ze naast elkaar komen wonen en ze vinden het allebei handig dat ze af en toe op elkaar kunnen terugvallen.

Terwijl het zoontje van haar buurvrouw zich op de bank installeert om naar tekenfilms te kijken, loopt Winston achter Sarah aan haar slaapkamer in. Ik loop achter ze aan door een gang, langs een muur vol foto's. Er hangt een lijst met foto's van Sarah en Winston met zijn neefjes en nichtjes in Kentucky. Op een andere foto staat Alix, Winstons donorvader, met zijn partner Ricky. Alix houdt Winston vast. Naast hem op de bank zit een oudere vrouw die trots lacht.

'Is dat je moeder?' vraag ik.

'Nee, die van Alix,' zegt ze.

Sarah mailt regelmatig foto's van Winston naar Alix en ze spreken elkaar ongeveer eens per maand, maar overeenkomstig de rolverdeling die ze van tevoren waren overeengekomen, speelt Alix geen belangrijke rol in het leven van haar zoon. Als ze uitgeput of gefrustreerd is vanwege haar zoon, vraagt ze Alix niet om advies of emotionele steun, omdat ze weet dat hij bezig is met zijn eigen geadopteerde kind. Ze vertelt me dat ze zich, nu ze Winston heeft, realiseert dat het niet zo heel belangrijk is wie de biologische vader is.

'Ik had in die tijd veel meer het idee dat je wist wat je zou krijgen als je de donor kende. Nu ben ik er eerder van overtuigd dat het allemaal één grote gok is.'

'Misschien is het voor Winston beter om te maken te hebben met een bekende biologische vader in plaats van een anonieme spermadonor?' vraag ik.

'Volgens mij is het helemaal niet zo gecompliceerd,' zegt ze. 'Daar kan hij wel mee omgaan. Het is niet ideaal, maar we leven nu eenmaal niet in een ideale wereld.'

Als ik later per telefoon met Alix spreek, vertelt hij me dat zijn moeder meer bezig was met de geboorte van Winston dan met de adoptie van zijn eigen kind. 'Ze zei de hele tijd: "Stuur me foto's, stuur me foto's!" Zo was ze nooit met mijn kinderen. Ik denk dat het komt doordat hij zo op mij lijkt, hij herinnert haar aan de tijd waarin ze een jonge moeder was.'

'Heb je vadergevoelens?' vraag ik aan Alix. 'Nee,' antwoordt hij. 'Ik voel een biologische band. Winston is te jong om er behoefte aan te hebben dat Sarah en ik veel tijd samen doorbrengen. In de toekomst, als hij ouder wordt, zou dat kunnen veranderen. Ik laat het echt van Winston afhangen. Ik wil zo behulpzaam en open mogelijk zijn. Als hij ouder wordt, wil ik er zijn als hij me nodig heeft.'

Ik ga op de grond zitten en speel met Winston met zijn blokken terwijl Sarah de was opvouwt.

Sarah vertelt me dat ze toen ze nog maar net over het alleenstaand moederschap begon te denken, besloot de proef op de som te nemen door een week lang voor de drie kinderen van haar vriendin te zorgen. 'Een van mijn aantekeningen na die week was: "Je krijgt nooit gedaan wat je dacht te zullen doen op een dag. Je krijgt ze nooit op tijd naar de crèche. Gewoon nooit." Het maakte niet uit hoe vroeg ik opstond, ik kreeg die kinderen niet op tijd het huis uit.'

Winston en ik rollen een bal over en weer over de vloer. Ik merk dat ik onbewust zit te wachten tot iemand thuiskomt om Sarah af te lossen. Maar er komt niemand.

'Waar vind je emotionele steun?' vraag ik.

'Ik heb een goede vriendin, Julie,' zegt ze. 'Ik ken haar uit mijn studietijd. Ze is in de vijftig en lijkt qua persoonlijkheid op mij. Ze woont in Chicago, maar we bellen vaak.'

Winston pakt een haarklem van het dressoir.

'Mag ik die terug?' zegt ze en ze pakt hem uit zijn hand. 'Die is van mama.'

Ik vertel haar dat als ik denk aan een thuis en een gezin, ik iets meer voor me zie dan alleen maar kinderen. 'Ik heb het me altijd voorgesteld als een soort emotioneel centrum,' zeg ik. 'Het idee om geen andere volwassene te hebben op wie je in moeilijke tijden kunt steunen, schrikt me af.'

Winston begint te huilen.

'Dat probleem zie ik eerlijk gezegd niet,' antwoordt ze.

'Een partner neemt een deel van het gewicht van je af,' ga ik verder. 'Ik heb fantastische vrienden, maar ik denk niet dat ik voor honderd procent op hen zou kunnen rekenen. Zij hebben hun eigen leven.'

'Absoluut,' zegt ze. 'Ik denk dat het belangrijk is je dat te realiseren. Dat is een van de redenen waarom ik een tweede kind krijg. Ik denk dat alleenstaande ouders een zware druk op hun kinderen leggen om als emotionele steun te dienen.'

Ik vraag haar of ze weleens seks heeft.

'Nee,' zegt ze. Ze gaat weleens naar het café en heeft een paar afspraakjes met mannen gehad, maar ze is niemand tegengekomen voor wie ze sterke gevoelens heeft.

Hoewel ik deze bekentenis redelijk gruwelijk vind, besef ik dat dit geen probleem is waar alleen single vrouwen mee zitten. Ik ken ook een heleboel getrouwde stellen die zeggen dat ze geen seks meer hebben.

'Ik denk dat je, als je echt wilt, best iemand kunt vinden om een relatie mee te beginnen,' zeg ik. Ik besef dat ik haar tegenspreek omdat ze me dingen vertelt die ik niet wil horen.

'Zoveel vrouwen fantaseren over een huwelijk en kinderen. Dat heb ik nooit gedaan,' zegt ze. 'Ik heb een tijdlang gedacht dat ik misschien iemand zou ontmoeten, maar ik heb mezelf beter leren kennen en ben tot het inzicht gekomen dat het er waarschijnlijk niet in zit. Ik heb erover gerouwd en het geaccepteerd.'

'Ben je gelukkig?' vraag ik haar.

'O, ja,' zegt ze.

'Echt?'

'Ja, het is heerlijk. Het beste wat ik ooit heb gedaan,' zegt ze.

Ik zeg tegen Sarah dat ik even een ommetje ga maken. Ik ben nog niet buiten of ik barst in tranen uit. Ik zou nooit zo kunnen leven, en ik zou nooit een kind kunnen grootbrengen zonder te geloven dat ik ooit een partner zou krijgen. Tegelijkertijd bewonder ik Sarah omdat ze weet wat ze wil en daar werk van maakt. Zo wil ik ook zijn.

Als ik een beetje ben gekalmeerd, besef ik dat Sarah en ik heel verschillend zijn. Ik denk dat Sarah totaal niet bereid is om compromissen te sluiten – dat zie je zelfs in de manier waarop ze elke minuut van haar dag, en die van Winston, plant. Vermoedelijk is het daardoor heel moeilijk voor haar om relaties aan te gaan. Ik houd mezelf voor dat ik flexibeler ben en dat ik, als ik de juiste man tegenkom, meer bereid ben mijn leven aan te passen. Maar toch vond ik het singlemoeder-verhaal van Ann in Oklahoma veel prettiger dan dit. Ik kan me het gezinsleven niet voorstellen zonder die warme huiskamer, zonder dat partnerschap.

's Middags gaan we naar een halloweenfeestje dat door een andere SMC-moeder wordt gegeven in een klein appartementencomplex aan de andere kant van de stad. De gastvrouw heeft haar huis ingericht als een spookhuis, compleet met een soundmachine waaruit enge geluiden schallen. De kamer is gevuld met andere alleenstaande moeders en als clown of konijn verklede peuters. Als ik met andere moeders aan de praat raak, merk ik tot mijn opluchting dat de meesten van hen nog steeds van plan zijn de ware te vinden.

Eén vrouw die op haar eenenveertigste in haar eentje een dochter heeft gekregen met donorsperma, vraagt me waarom ik zo sip kijk.

Ik vertel haar over mijn gesprek met Sarah.

'Je moet je niet laten ontmoedigen door de verhalen en meningen van één persoon,' antwoordt ze. 'Het gaat er helemaal om hoe je het zelf aanpakt. Zoals ik mijn vrienden en familie heb uitgelegd: ik moest dit eerst doen. Maar ik ben heus nog wel van plan om een man te vinden.'

Tegen het einde van het feestje verschijnt er een sportieve blonde vrouw met drie kinderen in de deuropening: een meisje van zeven, een jochie van twee en een meisje van vijf maanden. Ik ben geschokt dat een vrouw in haar eentje drie kinderen heeft gekregen. Maar al snel kom ik erachter dat alleen haar zoontje met een spermadonor is verwekt. De baby heeft ze gekregen met de man die ze een jaar na de geboorte van haar dochter ontmoette, en de zevenjarige is de zoon van haar man uit zijn eerste huwelijk.

'Het moderne gezin ten top!' zeg ik als ik haar verhaal heb gehoord.

'Ja!' zegt ze stralend.

Op dat moment, daar in dat kleine appartement te midden van al dat kindergeschreeuw en -gekraai, het appelhappen en de kommen popcorn, besluit ik aan mezelf te blijven werken en me te blijven inzetten om mijn ware liefde te vinden. Ik geef de hoop niet op, ook al blijkt uit mijn testresultaten dat het nu of nooit is als ik een kind wil. Dan zou ik dat kind wel krijgen, maar toch niet berusten in een leven in mijn eentje. Dat ik afzie van mijn droom, een kind krijgen met de perfecte man, betekent nog niet dat ik afzie van het geheel. Ik denk: ik vertrouw erop dat alles te zijner tijd terechtkomt.

Na terugkomst uit Atlanta bel ik dr. Noyes, biddend dat mijn resultaten goed genoeg zijn om mijn eicellen te laten invriezen. Ze zegt direct dat mijn FSH op 4,6 staat en mijn estradiol op 24, dus ook al ben ik boven de vijfendertig, biologisch ben ik jong genoeg om door te kunnen.

'Ben ik gek dat ik dit doe?' vraag ik haar, een beetje overweldigd nu deze grensverleggende manier van gezinsplanning reele vormen begint aan te nemen.

'Als hier iemand komt van wie ik denk dat ze gek is, laat ik haar er niet mee doorgaan,' antwoordt ze. 'Je bent helemaal niet gek. Je komt voor jezelf op. Je leeft in de wereld zoals die is en de kans op een kind zou je niet ontzegd moeten worden omdat de ware Jakob zich niet wilde binden of niet is langsgekomen.'

'Dus u vindt dat ik het moet doen?'

'Op basis van de cijfers denk ik dat je vruchtbaar zult blijven tot je eenenveertigste,' zegt ze. 'En als ik in mijn glazen bol kijk, geloof ik dat je op je negenendertigste een baby krijgt met de man van je dromen. Maar mocht dat niet gebeuren, dan kun je altijd nog je ingevroren eicellen gebruiken.'

Ik ben klaar voor de sprong in het duister – of beter gezegd: de sprong in de wetenschap.

11

De tijd bevriezen

Op 17 december woon ik mijn eerste eicel-invriezingsles bij in het vruchtbaarheidscentrum van de universiteit van New York. Jennifer Giordano, verpleegkundige in de kliniek, staat voor een grote PowerPointprojectie van het vrouwelijk voortplantingssysteem en geeft een gedetailleerde toelichting over het proces waaraan ik ga beginnen. De voorgeschreven medicijnen zijn voor iedere vrouw anders, afhankelijk van hormooncijfers en individuele gesteldheid, maar het basisrecept is hetzelfde:

Stap 1: De eicelrijping stimuleren.
Stap 2: Het loslaten van de eicellen opwekken.
Stap 3: De eicellen oogsten.
Stap 4: De eicellen invriezen.

In de eerste fase moet ik mezelf injecteren met het hormoon gonadotrofine, dat de geslachtscellen stimuleert. Follistim, de productnaam voor 'follitropine bèta', is een door mensen geproduceerde vorm van follikelstimulerend hormoon (FSH) dat wordt gebruikt om de eicelproductie te stimuleren. Het wordt vervaardigd door een nieuwe biotechnologie die recombinante DNA-technologie heet. Door de van een Chinese hamster gekloonde DNA-sequenties te hercombineren, hebben wetenschappers de FSH-molecule nagemaakt.

Jennifer wijst naar een echobeeld van de eierstokken van een vrouw. Er zitten allemaal donkere cirkels in; elke cirkel is een antrale follikel, waarin zich een eicel kan bevinden. In een natuurlijke menstruatiecyclus doet een antrale follikel er ongeveer twee weken over om één eicel te produceren. In de eerste uren van de menstruatieperiode begint het vrouwelijk lichaam van nature FSH af te scheiden, dat het vrijkomen van die ene eicel tijdens de ovulatie stimuleert.

'Als we je gonadotrofinen geven, zullen beide eierstokken het medicijn opnemen en wordt een groter aantal follikels tot groeien gestimuleerd, zodat je meer dan één eicel krijgt,' legt Jennifer uit.

De eerste stap duurt tien à twaalf dagen. Ik geef mezelf injecties met Follistim in mijn buik met een 27 gauge-naald, kleiner dan een naald om bloed mee te prikken. Als de follikels groeien scheiden ze oestrogeen af, en met elke injectie zal mijn oestrogeenspiegel stijgen. Oestrogeen wordt gemeten in picogrammen (een miljoenste van een miljoenste gram) per milliliter. Gedurende een normale menstruatiecyclus bereikt de oestrogeenspiegel meestal vlak voor de ovulatie een piek van 50 tot 200 pg/ml. Na met Follistim te zijn gestimuleerd zou mijn oestrogeengehalte tienmaal zo hoog moeten liggen als in een normale cyclus op het moment dat de follikels groot genoeg zijn om eicellen af te geven: tussen de 500 pg/ml en 2000 pg/ml.

Om uit te leggen waarom het proces langzaam moet verlopen, vergelijkt Jennifer het met een oven. 'Als je de temperatuur te hoog zet, brandt het gerecht aan,' zegt ze. 'Wordt je oestrogeenspiegel te hoog, dan word je misselijk.'

In de periode waarin ik de injecties krijg, moet ik om de paar dagen naar de kliniek komen voor een bloedtest om mijn oestrogeenspiegel te controleren. De arts zal ook via een echo kijken hoe groot mijn follikels zijn. Als ze de juiste grootte hebben bereikt – tussen de 18 en 20 millimeter – zijn mijn eicellen rijp en kunnen ze geoogst worden.

In deze periode mag ik niet intensief sporten, omdat mijn eierstokken groter dan gewoonlijk zullen zijn en het risico bestaat dat ze verdraaid raken. Ook moet ik matig zijn met alcohol. En het belangrijkste: ik mag vanaf twee weken voor het verwijderen van de eicellen geen seks hebben. De reden daarvoor is dat ik extreem vruchtbaar zal zijn en zwanger zou kunnen raken van bijvoorbeeld een vierling.

'Als je toch seks hebt, gebruik dan driedubbele bescherming,' zegt Jen.

Ik vraag wat voor effect de hormonen op mijn stemming zullen hebben.

'Oestrogeen is een feelgoodhormoon,' zegt ze. 'Je zult barsten van de energie en je gelukkig voelen. De voornaamste bijwerking is een opgeblazen gevoel.'

Vlak voor het weghalen van de eicellen krijg ik wat Jen de 'trigger-injectie' noemt. HCG (humaan choriongonadotrofine) is een peptidehormoon; tijdens de zwangerschap begint de placenta het te produceren nadat het embryo zich in de baarmoederwand heeft ingenesteld. Een synthetische vorm van HCG die in aanwezigheid van rijpe follikels in de bloedsomloop wordt gebracht, stimuleert ook de ovulatie, dus moet ik mezelf ermee injecteren 24 uur voordat mijn eicellen zullen worden weggehaald. Deze injectie is een beetje griezeliger, omdat de naald dikker is.

Stap drie is het gedeelte waar ik het meest tegen opzie: de eicelpunctie. Jen klikt door naar een dia waarop de procedure wordt geïllustreerd. Met behulp van een transvaginale ultrasound met aan het uiteinde ervan een kleine naald zal dr. Noyes de naald door mijn vaginawand leiden en de eicellen uit de follikels halen. Dat duurt ongeveer vijfentwintig minuten, en ik word licht verdoofd tijdens de ingreep. Zodra de eicellen eruit zijn gehaald, doet Noyes ze in een reageerbuisje en geeft ze aan de embryoloog.

In stap vier telt de embryoloog de eicellen en worden de rijpste ervan geselecteerd met behulp van een Polscope, een soort microscoop. De rijpste eicellen bevatten een mechanisme dat 'meiotische spindel' wordt genoemd. Een sterke spindel betekent dat de eicel rijp is en dus een grotere kans heeft om bevrucht te worden.

Zodra de beste eicellen zijn geselecteerd, worden deze volgens de door Porcu en Fabbri ontwikkelde procedure ingevroren in vloeibare stikstof op min 127 graden Celsius. De eicellen worden vervolgens opgeslagen in kleine reageerbuisjes in een groot metalen reservoir dat er zo'n beetje uitziet als een blik voor olijfolie. De universiteit van New York zorgt het eerste jaar voor gratis opslag, en vervolgens kost het per jaar 400 dollar.

Als ik onvruchtbaar was en een standaard ivf-behandeling onderging om zwanger te worden, zouden de eicellen met het sperma van mijn partner of een donor worden bevrucht en niet worden ingevroren. De embryo's zouden vervolgens binnen een dag of drie worden overgebracht in mijn baarmoeder.

In mijn geval wordt een derde van de eicellen bevrucht met het sperma van mijn donor en ook ingevroren. Noyes heeft me weliswaar verteld dat ze met ingevroren eicellen dezelfde resultaten behaalt als met ingevroren embryo's, maar ik vertrouw daar niet helemaal op omdat ik andere gegevens heb gezien waaruit blijkt dat het invriezen van eicellen alleen riskanter is. Maar ik ben alleen van plan 'het totaalpakket' te nemen als ik een groot aantal eicellen heb. Volgens Noyes had ik ten minste acht eicellen nodig om apart in te vriezen, dus als ik er meer aanmaak zal ik voor alle zekerheid ook nog embryo's creëren.

'Mocht je er later voor kiezen je eicellen te laten bevruchten met het sperma van je man, dan kunnen we die ook opnieuw invriezen als embryo's,' zegt Jen.

Ik vraag haar hoe ik me na de ingreep zal voelen en ze vertelt me dat ik me waarschijnlijk een week of twee wat moe en opgeblazen zal voelen. Ik maak me ook zorgen over de uitwerking van de medicijnen op mijn lichaam – telkens wanneer ik iemand vertel dat ik deze ingreep overweeg, zeggen ze: 'Krijg je daar geen borstkanker of eierstokkanker van?'

Volgens Jen hoef ik me daar geen zorgen over te maken. Als ik later die dag kijk op PubMed, een onderzoeksdatabase van de National Institutes of Health, vind ik een onderzoek uit 2005, gepubliceerd in de *International Journal of Infertility*, waarin vijftien onderzoeken over het risico op het ontstaan van borstkanker na een ivf-behandeling worden bekeken. De auteurs concludeerden dat er geen duidelijk verband is tussen de behandeling en borstkanker. De resultaten met betrekking tot eierstokkanker waren volgens hen echter wat minder overtuigend. Een onderzoek in *The Lancet* uit 1995 vond zes gevallen van eierstokkanker na het onderzoeken van 10.386 vrouwen die tussen 1978 en 1982 een ivf-behandeling hadden ondergaan. 'Hoewel er geen duidelijk toegenomen risico op eierstokkanker was, kan er vanwege het kleine aantal gevallen slechts in beperkte mate een conclusie worden getrokken,' luidde de conclusie.

Ik heb Jens telefoonnummer en ik mag bellen als ik nog vragen heb. Maar eerst moet ik wachten tot ik ongesteld word, zodat ik met mijn cyclus kan beginnen.

Ik heb ook nog een stap vijf. Aangezien ik heb besloten om naast eicellen ook embryo's te laten invriezen, moet ik een spermadonor uitkiezen. Aanvankelijk staat de procedure me tegen, het lijkt zo steriel en het staat zo ver af van het maken van een kind uit liefde. Het geeft me een tegelijkertijd triest en sterk gevoel dat ik deze vrijheid heb. Maar ik weet dat ik nog bedenktijd heb. Per slot van rekening heb ik me nog niet gebonden aan het krijgen van een kind met donorsperma, alleen aan het invriezen van embryo's zodat dat in tweede instantie tot de mogelijkheden behoort.

De avond na mijn les in de NYU klik ik dus op de website van de California Cryobank om aan mijn volgende online-avontuur te beginnen. Aanvankelijk voelt het niet anders dan je inschrijven bij een datingsite, behalve dan dat ik ditmaal geen profiel over mezelf hoef in te vullen en weet dat ik geen van deze mannen ooit persoonlijk hoef te ontmoeten. Ik maak een account aan en klik op een button waarop staat 'geavanceerd zoeken'. Met deze functie kan ik alles selecteren, van ras tot oogkleur tot lengte tot gewicht tot religie tot temperament tot haarkleur, ja zelfs haartextuur. De computer gaat dan op zoek naar degenen die er het dichtst bij komen. Ik kijk in de lijst met opties en zie al snel dat de eigenschappen die me aantrekken in een donor niet zoveel verschillen van de eigenschappen die ik graag zie bij een minnaar. Ik vul in: 1 meter 90, groene ogen en bruin haar. Er is geen match.

Ik weet dat ik een 'open id'-donor wil, omdat ik wil dat mijn kind in de toekomst de keuze heeft om zijn of haar biologische vader op te sporen. Een uitstekende gezondheid is ook heel belangrijk voor me. Ik ben erachter gekomen dat ik ergens speciaal op moet letten: uit mijn bloedtests is gebleken dat ik drager ben van het gen voor de ziekte van Canavan. Canavan is een neurologische geboorteafwijking, veroorzaakt door een genetische mutatie in het zenuwweefsel van de hersenen. Deze wordt vooral aangetroffen bij Asjkenazische joden uit Oost-Polen, West-Rusland en Litouwen. Indien beide ouders drager van de genetische mutatie zijn, bestaat er een kans van één op vier dat hun kind de ziekte heeft. De ziekte manifesteert zich vanaf de vroege kindertijd: de eerste symptomen zijn onder andere voedingsproblemen, afwijkende spierspanning en een ongewoon groot, slecht gecontroleerd hoofd. De ziekte ontwikkelt zich snel en het kind wordt gewoonlijk niet ouder dan vier jaar.

Dr. Noyes heeft me gezegd dat ik moest oppassen om niet een donor uit te kiezen met hetzelfde gen. Het is een raar criterium – zou ik, met deze kennis, werkelijk geen relatie beginnen met Asjkenazim? Stel dat Jacob en ik hadden besloten om te gaan trouwen en ik aan de vooravond van ons huwelijk had ontdekt dat hij ook drager was, zou ik dan van gedachten zijn veranderd? Natuurlijk niet.

In het echte leven zou ik nooit om een medisch profiel vragen voor ik op iemand verliefd werd. Dat je dat soort overwegingen kunt laten meespelen bij een zwangerschap via een spermadonor is een van de vele vreemde en verwarrende aspecten van de procedure. Natuurlijk kies ik, als dat mogelijk is, voor een donor die geen drager is van het Canavan-gen, of andere grote gezondheidsproblemen heeft. Welke vrouw zou dat niet doen? We hebben hier een groot potentieel voordeel ten aanzien van het elimineren, of ten minste reduceren van dodelijke ziektes. Maar als ik kijk naar het totale aanbod aan keuzemogelijkheden, vind ik toch wel dat het op het randje van de eugenetica komt. Het is één ding om donoren met een geschiedenis van borstkanker of Alzheimer eruit te halen, maar ben ik niet fout bezig als ik genetische eigenschappen zoals oogkleur, lengte en haarkleur meeneem in mijn beslissing? Waarschijnlijk maak ik deze keuzes onbewust ook wanneer ik de man uitkies met wie ik een relatie begin; maar het uitgesproken karakter van deze procedure heeft iets wat me niet helemaal lekker zit.

Maar ik heb een doel, dus begin ik de profielen te sorteren. Terwijl ik mijn voorkeuren invul in de zoekmachine, begin ik me voor te stellen hoe de mix van mijn genen met de verschillende profielen die ik tegenkom, zal uitpakken: een hindoeïstische Indiër van 1 meter 80 met blauwe ogen; een agnostische Russische jood met krullen en een 'artisanaal' temperament; een lange anglicaan met een lichte huid en zacht haar; een zwaargebouwde Chileense katholiek met donkerbruine ogen.

Midden in mijn zoektocht belt mijn moeder. 'Waar ben jij mee bezig?' vraagt ze.

'O, ik ben voor sperma aan het shoppen,' zeg ik met een ongemakkelijk lachje.

Toen ik terugkwam uit Italië had ik mijn ouders en een handvol vrienden verteld over mijn plannen. Mijn ouders zeiden dat ze blij waren dat ik een beslissing had genomen waar ik me goed bij voelde; mijn vrienden, degenen die niet ineenkrompen toen ik over de injecties begon, vonden het goed van me dat ik een proactieve keus had gemaakt. Maar dit is de eerste keer dat ik mijn moeder uitleg wat mijn aandeel in de procedure is. Ik ben een beetje bang dat ze vindt dat ik onbesuisd bezig ben. Maar dat is niet zo.

'Weet je nog toen je in het winkelcentrum die schoenen had

laten maken waarvoor je de stof en het model kon uitkiezen?' zegt ze, ook met een lach. 'Dit doet me daar wel een beetje aan denken, alles naar keus.'

Ze heeft natuurlijk gelijk. In zekere zin zit ik hier mijn eventuele kind samen te stellen.

'Hoe beslis je?' vraagt ze.

'Ik weet het niet,' zeg ik. 'Kies ik iemand buiten mijn genenpool of blijf ik erbinnen? Kies ik trekken van jouw kant of van die van papa?'

'Hebben ze geen half om half?' vraagt ze.

'Ja, nou je het zegt!'

Na een uurtje zoeken op de website duizelt het me. Dus een paar dagen later zit ik weer in de spreekkamer van mevrouw Schiffman. Ik heb haar bijna een jaar geleden voor het laatst gezien, vlak voor mijn vertrek naar India.

'En, hoe gaat het?' vraagt ze.

Ik vertel haar dat het uit is met Jacob en dat ik een relatie met iemand anders heb, maar pas een paar maanden. Ik vertel haar over mijn bezoek aan dr. Zhang, aan de artsen in Italië, en ik leg uit hoe ik tot het besluit ben gekomen om eicellen en embryo's met donorsperma te laten invriezen. 'Die embryo's zijn alleen voor als het met de eicellen niet gaat,' zeg ik. 'Als ik over de veertig ben en gewoon echt een kind wil, dan heb ik nog altijd embryo's met mijn jongere eicellen. Maar er blijft ook altijd de mogelijkheid dat ik in de toekomst met mijn partner een ivf-behandeling onderga, toch?'

'Klopt,' zegt ze. Dan vraagt ze of ik een donor kan vinden die aan mijn criteria voldoet. Ik vertel haar dat ik me afvraag of ik buiten mijn genenpool moet zoeken of erbinnen moet blijven.

Die vraag heeft me aan het denken gezet over mijn stamboom, vertel ik. Ik ben gaan kijken in de papieren van wijlen mijn grootmoeder en heb met enkele naaste familieleden gesproken over onze familiegeschiedenis.

Mijn moeder is een Asjkenazische jodin. Haar vader was chemisch ingenieur, geboren in Grodno, een stad in het westen van Rusland. In de zomer van 1930 verbleef mijn grootvader een tijdje in de herberg die mijn overgrootouders hadden, en daar ontmoette hij mijn grootmoeder. Zij was drieëntwintig en hij was dertig. Haar ouders waren die week op reis en mijn grootouders hadden een stormachtige romance. Toen haar ouders thuiskwamen, kondigde ze aan dat ze verloofd was. Ik kan me herinneren dat mijn grootmoeder me dit verhaal eens vertelde tijdens een etentje in de golfclub in New Jersey, waar we voor haar dood eens in de zoveel tijd bij elkaar kwamen. Ze vond het bizar dat mensen van mijn generatie elkaar nu via de computer ontmoeten. Ik kan me wel indenken wat ze van mijn recente zoektocht zou vinden.

Mijn vader is een mengeling van Duits-protestants, joods en Schots-anglicaans bloed. De Lehmanns (een achtste van mijn etnische afkomst) waren mogelijk Sefardische joden die in de vijftiende eeuw wegtrokken uit Spanje. De Haupts waren Duitse lutheranen uit Stettin, een Oost-Duits stadje dat nu in Polen ligt. Therese Haupt, mijn overgrootmoeder, was dichteres en toneelschrijfster. Carl Friedrich Ferdinand Lehmann, mijn overgrootvader, was professor in de oude geschiedenis en kende zo'n twintig talen. Toen ze trouwden besloten ze hun namen te combineren, omdat Therese, de dichteres, haar naam wilde doorgeven.

Mijn grootvader van vaderskant, Hellmut Otto Emil Lehmann-Haupt, werd in 1903 in Berlijn geboren. Mijn grootmoeder van vaderskant, Leticia Jane Hargrove Grierson, was een pittige Schotse wier familie van vaderskant afkomstig was van de Shetlandeilanden. Haar vader, Sir Herbert John Clifford Grierson, was wetenschapper aan de universiteiten van Aberdeen en Edinburgh en werd geridderd omdat hij de belangstelling voor de metafysische dichters weer tot leven bracht. In 1933 vergezelde mijn grootmoeder Leticia haar vader naar de Verenigde Staten, waar hij een eredoctoraat kreeg bij de universiteit van Columbia; ze ontmoette haar toekomstige man tijdens een *tea party* van de faculteit in de Morganbibliotheek. Hij deed haar een aanzoek op de campus van Columbia; ze trouwden in de universiteitskerk.

Mijn eigen ouders ontmoetten elkaar in 1961 omdat ze op dezelfde verdieping woonden in een huis in Greenwich Village. Mijn moeder, die toentertijd dichteres en redactrice was, schreef in haar dagboek dat ze ging trouwen met een man die Christopher heette.

'In het begin was papa totaal niet in me geïnteresseerd,' vertelde ze me. 'Hij probeerde me aan zijn broer te koppelen, maar die zei: 'Ben je blind? Die vrouw is geïnteresseerd in jou, niet in mij!'

Ik vertel mevrouw Schiffman dat ik gezien de situatie graag een mix van mijn eigen etnische achtergronden zou willen terugzien bij mijn donor. Al zou ik dat soort eisen nooit aan een vriendje stellen en hoef ik niet per se te trouwen met iemand met dezelfde religieuze of etnische achtergrond als de mijne, toch wil ik, als ik een kind ga creëren met een donor, eenzelfde achtergrond als dat kind hebben. Als mijn kind in de toekomst met vragen komt over zijn of haar genetische oorsprong, wil ik op een kaart kunnen wijzen en zeggen: 'Wij komen hiervandaan.' Een gemeenschappelijke achtergrond met de donor en met mijn kind lijkt me een solide basis om als alleenstaande moeder mee te geven aan je kind.

Schiffman zegt dat ik moet letten op de factoren die het belangrijkst zullen zijn voor het kind. 'Als het kind een beetje op je zou lijken, zou dat wel een pluspunt zijn,' zegt ze. 'Het is voor een kind vervelend om de hele tijd geconfronteerd te worden met de vraag: waar kom je vandaan? Ik zou dus bijvoorbeeld niet kiezen voor een blonde Zweed. Niet dat ik iets tegen Zweden heb of dat je je niet tot een Zweedse jongen aangetrokken zou kunnen voelen, maar je ziet er niet Zweeds uit. Je kind zou eruit moeten zien als een familielid van jou.'

Ik vertel haar dat een heleboel alleenstaande moeders tegen me zeiden dat ze iemand hadden uitgekozen die tegengesteld aan hen was, als tegenwicht voor hun negatieve karaktertrekken. Ik dacht aan iemand die een beetje rationeler en meer wetenschappelijk georiënteerd was, zoals een arts. Dan zou ik kunnen zeggen: 'Mama is artistiek en je donor was een bèta.'

Schiffman knikt. 'Voor sommige mensen is het heel belangrijk dat de donor artistieke of atletische of wetenschappelijke eigenschappen bezit.' Maar dan drukt ze me op het hart: 'Je moet niet vergeten dat die keuzes geen garanties geven ten aanzien van je kind.'

Die avond zet ik mijn zoektocht op het web voort, waarbij ik mezelf voorhoud dat ik uiteindelijk geen controle heb over het leven dat ik creëer. Vanwege alles wat Schiffman en ik hebben besproken, heb ik besloten te zoeken naar een biologische partner met een of andere combinatie van mijn eigen genetische geschiedenis. Als ik me niet voortplant op basis van liefde, vind ik het wel een prettig idee om de etnische tradities van mijn familie voort te zetten. Een lange man lijkt me ook wel wat. Mijn vader is lang. Mijn moeder is klein. Ikzelf ben 1 meter 70 en ik denk dat lengte gezag afdwingt. Ook heb ik er geen bezwaar tegen als de donor een tegenwicht biedt voor een paar trekjes van mezelf die ik niet zo leuk vind. Ik heb een hekel aan mijn krullen en ik geloof ook dat mijn creatieve en passievolle temperament soms naar het irrationele neigt.

Op de Geavanceerd Zoeken-pagina staat een link: 'Klik hier voor de lijst donoren met minstens één joodse voorouder.' Ik klik. Ik doorloop de lijst tot ik bij een 'open id'-donor met golvend bruin haar en een Russische oorsprong kom. Uitvoerend kunstenaar. 1 meter 75. Misschien een beetje aan de korte kant. Volgende.

Ik scroll verder naar een joodse man met Engelse, Duitse, Poolse en Roemeense wortels. Hij is een arts van 1 meter 78 met een lichte huid. Ik voeg hem toe aan mijn lijstje met favorieten.

De volgende op wie mijn oog valt is een man van 1 meter 80 met Engelse en Duitse roots. Hij heeft informatica, rechten, geschiedenis, literatuur en schrijfvaardigheden gestudeerd. Ik voeg hem toe aan mijn favorieten, evenals een man van 1 meter

85 met Engelse en Schotse roots die golvend bruin haar heeft en podiumkunsten heeft gestudeerd.

Na ongeveer een uurlang ten minste tien pagina's te hebben bestudeerd, begin ik een waas voor mijn ogen te krijgen. Ik besluit even te pauzeren en over een paar uur nogmaals mijn favorieten door te nemen. Van elk van deze mannen kan ik een uitgebreid profiel en babyfoto's bestellen, en ook stemopnamen, zodat ik kan horen hoe ze klinken. Maar voor dat alles moet ik bijbetalen en mijn financiën zijn niet onbegrensd. De invriezingsprocedure kost al bijna 10.000 dollar, dus besluit ik een top drie samen te stellen aan de hand van de korte profielomschrijvingen, die gratis zijn.

In het korte profiel geeft de donor antwoord op vragen over zijn persoonlijkheid, zijn wiskundige en technische vaardigheden, favoriete sporten, hobby's en lievelingseten, of hij al dan niet van dieren houdt, waar hij graag graag naartoe gaat op vakantie, zijn lievelingskleur, artistieke vermogens, zijn ultieme doel in het leven en hoe hij denkt hoe hij er over twintig jaar voor staat.

Die laatste vraag lijkt mij essentieel, want als mijn kind besluit dat hij contact wil opnemen met zijn biologische vader, dan zal dat hoogstwaarschijnlijk rond die tijd zijn. Ik wil niet dat mijn kind wordt geconfronteerd met een werkloze wietroker die naar herhalingen van *Dr. Phil* zit te kijken. Natuurlijk weet ik dat het leven vreemde wendingen kan nemen en dat veel van deze donoren net met hun studie zijn begonnen als ze deze stukjes schrijven. Maar toch wil ik iemand met een zekere ambitie.

De Engelse Duitser van 1 meter 80 draagt contactlenzen. Ik kan zijn handschrift nauwelijks ontcijferen, wat me aanvankelijk irriteert, maar hij is ook een van de weinigen van wie een babyfoto te zien is. Ik maak uit zijn schrijfsels op dat hij graag naait en kookt en aan yoga doet, en dat zijn lievelingssport surfen is – wat hem bonuspunten oplevert.

'Een lievelingskleur heb ik niet,' schrijft hij. 'Ik geef de voorkeur aan combinaties van zwart met wit en oranje. Ik kan slecht tegen mensen die alleen maar op zoek zijn naar bevrediging van hun behoeften.'

De joodse arts houdt van watermeloen, aardbeien, komkommer, ijs en biefstuk. Hij had op de universiteit een behoorlijk hoog gemiddelde en had op high school het hoogste cijfer voor de AP calculus-test, een wiskundetest die door de universiteiten als selectiemiddel wordt gebruikt. Hij heeft wat sproetjes en is afgestudeerd met als hoofdvak moleculaire biologie. Hij is ook goed in huiselijke klusjes, wat me onmiddellijk aanspreekt. Ik moet tegen mezelf zeggen dat ik niet op zoek ben naar een vriendje – mijn spermadonor gaat niet mijn keukenkastjes repareren. De arts houdt ook van fotografie en hij wil graag voor een sportieve vakantie naar Alaska en naar de Amazonerivier. Hij is 'sociaal, gemakkelijk in de omgang, gepassioneerd'. Hij klinkt een beetje zoals ik. Nou ja, behalve dan die studie moleculaire biologie en zijn perfecte score bij die wiskundetest. Onze genen zouden samen een interessante combinatie opleveren, denk ik. Ik besluit meer informatie aan te vragen.

De Schotse Duitser van 1 meter 85 met golvend haar is afgestudeerd in de wereldliteratuur en kunstgeschiedenis. Hij schrijft ook dat hij goed scoorde voor wiskunde, een whizzkid is en op zijn vijftiende de 1,6 kilometer rende in 5 minuten en 35 seconden. Hij spreekt Engels, Italiaans en Spaans. Hij componeert muziek, schrijft songteksten en zingt. Hij wil op reis naar Duitsland om de voorgeschiedenis van zijn moeder te leren kennen en omschrijft zichzelf als 'sociaal, innemend en grappig'.

'Ik ben avontuurlijk, non-conformistisch en een beetje kwajongensachtig,' schrijft hij. 'Soms ben ik een introverte intellectueel, maar over het algemeen ben ik eerder de clown van de klas.' Over twintig jaar ziet hij zichzelf als een succesvol musicus en schrijver.

Ik word verliefd.

Na een avondje lezen beperk ik mijn keuze tot twee: de kwajongen en de avontuurlijke joodse arts die van watermeloen houdt. Ik besluit wat meer geld te steken in babyfoto's, uitgebreide omschrijvingen en stemopnamen. Tot dusver heb ik 150 dollar uitgegeven. De joodse arts heeft een perfecte medische voorgeschiedenis, maar helaas geen babyfoto. Al klinkt hij goed op papier, ik kan niet leven met het idee dat ik geen idee heb hoe mijn baby eruit zal zien, dus ik besluit hem te laten vallen.

Blijft over de kwajongen. Ik bestel een lang profiel, zijn medische voorgeschiedenis en een babyfoto. Weer 35 dollar. Mijn intuïtie zegt me dat hij een goede keus zal zijn en ik besluit dat als hij me aanstaat, ik voor hem kies en hier niet nog meer geld in ga steken. Tenslotte weet ik nog steeds niet honderd procent zeker of ik embryo's zal laten invriezen.

'Je moet niet vergeten dat die keuzes geen garanties geven ten aanzien van je kind.'

In zijn profiel zegt de kwajongen dat hij donor wil worden omdat hij weet dat 'veel vrouwen ervan dromen om hun eigen biologische kinderen te krijgen' en hij hen graag wil helpen. Hij zegt dat hij geen fantastische relatie heeft met zijn naaste familie, maar wel een groep verwanten heeft waar hij veel van houdt. Hij benadrukt opnieuw hoe creatief hij is. Hij heeft drie cd's opgenomen en een tentoonstelling gehad van zijn fotografisch werk. Hij schrijft zelfs een boodschap aan zijn toekomstige kind: 'Volg je dromen, wat anderen er ook van vinden. Neem je eigen beslissingen, denk voor jezelf, wees vriendelijk en beleefd tegen anderen, en wees zo positief, innemend en onderhoudend mogelijk.'

Ik vind het een schattige boodschap en ik duim dat hij een goede medische voorgeschiedenis heeft en er leuk uitzag als baby.

Zijn medisch profiel blijkt bijna volmaakt: geen bril en geen allergieën als kind; hij heeft goede tanden, sport regelmatig en is slechts één keer in het ziekenhuis geweest, voor een simpele sinusoperatie. Hij bekent dat hij af en toe marihuana rookt, wat voor mij geen probleem is.

Zijn familie bevalt me meteen. Zijn grootvader van vaderskant sprak vijf talen vloeiend. Hij zegt dat zijn grootmoeder van vaderskant uitstekend kon koken en heel hartelijk en charmant was. Hij heeft twee tweelingneven en -nichten (een tweeëiige, een meisje en een jongen, van vaderskant en een identieke jongenstweeling aan moederskant). Er komen geen ernstige geboorteafwijkingen voor in zijn familiegeschiedenis, al zijn er wel wat medische problemen geweest: zijn grootmoeder van moederskant en grootvader van vaderskant hadden allebei een hoge bloeddruk, zijn tante van moederskant had astma en bij zijn oom van moederskant werd toen hij begin vijftig was een voorstadium van huidkanker ontdekt. Bij een neef aan moederszijde werd op diens vijfde een lichte leerstoornis vastgesteld. Iets verontrustender is dat zijn moeder op haar zeventiende reumatische artritis bleek te hebben, wat haar polsen aantast. Zijn tante van vaderskant had jicht en een oom aan vaderskant was als twintiger verslaafd aan drugs, al schrijft de kwajongen dat hij in een kliniek is behandeld en er nu vanaf is.

Ik vraag me af of ik dit alles zou weten – of, belangrijker, of het me iets zou kunnen schelen – als ik op iemand verliefd was.

Ik download zijn babyfoto, de laatste test.

De kwajongen was absoluut een schatje. Hij heeft grote bruine babyogen, een bosje blond haar en een klein rond neusje. Misschien verbeeld ik het me maar, maar hij lijkt ook een ondeugende grijns te hebben die zegt: toekomstige kwajongen.

Ik ga op mijn gevoel af en klik op 'toevoegen aan winkelwagentje'.

Op nieuwjaarsdag word ik ongesteld. Ik bel de kliniek; de arts vraagt me over drie dagen terug te komen. Als mijn hormoonspiegel in orde is, kan ik dan beginnen met mijn behandelcyclus.

Op 4 januari ga ik 's ochtends naar de NYU-vruchtbaarheidskliniek voor een bloedtest en een echo. Een paar uur later word ik gebeld door Jen, de verpleegkundige van de eicel-invriezingsles, die me vertelt dat ik een FSH van 4,6 en een oestrogeenspiegel van 24 heb. Ze zegt dit dat goede cijfers zijn en dat dit mijn basis is. Ze zegt dat ik me die avond een injectie van 300 mg Follistim moet geven en vervolgens twee dagen lang elke ochtend en elke avond 150 mg. Op zaterdagochtend moet ik terugkomen voor een nieuwe bloedtest om mijn oestrogeenspiegel te controleren.

Ik heb een afspraak met mijn vriendin Abby en zeg op zeker moment tegen haar dat ik naar huis ga voor mijn eerste injectie. Ze vraagt of ik hulp nodig heb, maar ik heb al besloten dat dit een heel persoonlijke aangelegenheid is – nu er geen partner bij betrokken is, wil ik het helemaal in mijn eentje doen. Na thuiskomst ga ik op de bank zitten met de Follistim-injectiepen en lees de gebruiksaanwijzing.

1. ZET DE MEDICIJNPATROON IN DE PEN.
2. KIES DE VOORGESCHREVEN DOSIS.
3. MAAK ONGEVEER 5 CM HUID SCHOON ROND DE PLAATS WAAR DE NAALD ZAL WORDEN INGEBRACHT.
4. KNIJP IN DE HUID, INJECTEER DE NAALD EN DRUK DE INJECTIEKNOP STEVIG IN.

Ik maak me klaar voor de prik als de bel gaat. Mijn buurvrouw en vriendin Patricia komt langs om me een gelukkig nieuwjaar te wensen.

'Goed getimed,' zeg ik. 'Ik sta net op het punt om mezelf de eerste injectie voor de eicelinvriezing te geven.'

We barsten allebei in lachen uit vanwege de absurditeit van de situatie. 'Waarschijnlijk heeft een inwendig stemmetje gezegd dat ik even moest gaan kijken of alles goed met je was,' zegt ze.

Ze vraagt of ze kan helpen. Ik zeg dat ik haar graag erbij wil hebben voor morele steun, maar de feitelijke injectie zelf wil geven. Ik maak de naald klaar voor gebruik en veeg mijn huid schoon met alcohol. Ze griezelt als ik het dopje van de naald haal. Ik prik de dunne naald in mijn buik en krijg een koud en een beetje pijnlijk gevoel. Dan is het gebeurd.

Patricia en ik kletsen nog even over ons werk, haar geplande vakantie naar Spanje en het laatste nieuws over mij en Ted – dat weinig opzienbarend is. Naar mijn mening zit er niet echt schot in. Hij is prima gezelschap, maar ik ben niet verliefder op hem dan in het begin. Aangezien hij in de veertig is en graag kinderen wil, laat hij af en toe iets vallen over trouwen of onbeschermde seks en kijken wat ervan komt. Ik heb echt geprobeerd mezelf ervan te overtuigen dat ik mezelf zou kunnen dwingen van hem te houden, zodat ik mijn verloren tijd zou kunnen inhalen. Maar ik kan er niet omheen: hij is in de verste verte geen nieuwe liefde.

In de loop van de volgende twee dagen word ik steeds handiger met de injectienaald. De ochtendprik is al naadloos opgenomen in mijn ochtendritueel: koffie zetten, gezicht wassen, tanden poetsen, kunstmatig, uit eierstokken van Chinese hamsters gekloond FSH in mijn buik spuiten, krant lezen.

Na drie dagen FSH-injectie voel ik me een supervrouw. Ik heb een enorme lading energie en ben sterk gefocust op mijn werk. Ik hoor en zie alles intenser: het geel van mijn roerei oogt feller, de liedjes op de radio klinken helderder.

Op een avond zit ik met een paar vrienden in een café in de East Village en ik voel me intens verbonden met iedereen met wie ik spreek. Ook wil ik iedere knappe jongen ter plekke bespringen. Ik flirt met een zesendertigjarige oceanograaf, die erop ingaat, maar me dan vertelt dat hij sinds kort een relatie heeft met een vrouw die twee jaar ouder is dan hij. Onmiddellijk switch ik in de journalistenstand en vraag hem hoe hij aankijkt tegen het leeftijdsverschil en tegen kwesties als vruchtbaarheid en gezinsvorming.

'Ik vraag me af of vrouwen, als ons sperma ook beperkt houdbaar was, zouden kiezen voor jongere mannen,' zegt hij, half voor de grap. Dan wordt hij serieus. 'Ik ga voorzichtig om met een vrouw die kinderen wil. Ik ben gevoelig voor het feit dat ze misschien overhaast te werk gaat. Maar het is ook weer niet zo dat ik denk: o, die is te oud, ze kan waarschijnlijk geen kinderen krijgen, dus ik wil geen relatie met haar. We zouden altijd nog een kind kunnen adopteren. Ik heb neefjes en nichtjes, dus ik heb al het gevoel dat mijn familie zich heeft voortgeplant.’

De volgende ochtend krijg ik weer een bloedtest. Een paar uur later belt Jen op om te zeggen dat mijn oestrogeen is omhooggeschoten naar duizend. ‘Je reageert heel snel,’ zegt ze. ‘Dat kan goed of fout zijn. Het betekent in elk geval dat je heel vruchtbaar bent.’

Ze keert terug naar de culinaire metaforen en legt uit dat om een goed aantal eicellen te krijgen mijn waarden langzaam omhoog moeten gaan, zoals je een saus op lage temperatuur laat indikken. Als mijn oestrogeen te snel omhoog gaat en de ovariële follikels te snel groeien, bestaat het risico van het ovariële hyperstimulatiesyndroom – het aanbranden van de saus. Dat gebeurt slechts bij 2 procent van de cycli, maar áls het gebeurt krijg ik waarschijnlijk te maken met hevige misselijkheid of diarree. In het ergste geval kan ik een abdominale bloeding krijgen of kan er vocht in mijn longen komen.

Jen vertelt me dat mijn artsen enigszins verontrust zijn; ik moet mijn dosis verlagen tot 225 mg en de volgende ochtend terugkomen voor nog een bloedtest en een echo om de grootte van mijn follikels te controleren.

‘Als er een heleboel kleine follikels zijn en je oestrogeen hoog is, zijn we te hard van stapel gelopen en moet de cyclus misschien worden afgebroken,’ zegt ze. ‘Maar als de follikels mooi groot zijn, kun je door naar de volgende fase van de medicatie en kunnen we de eicelpunctie halverwege volgende week plannen.’

Die avond bereid ik een prik voor terwijl ik met een vriendin aan de telefoon hang. ‘Zo, dat is gebeurd.’

‘Wauw,’ zegt mijn vriendin. ‘Je zei niet eens au!’

‘Het stelt niet zoveel voor,’ zeg ik. ‘Tot nu toe is het niet moeilijk geweest.’

Maar later die nacht wordt het wel degelijk moeilijk. Om drie uur word ik bezweet, duizelig en hondsberoerd wakker. Ik heb ook een vreemd soort bionisch gehoor waardoor elk geluid tienmaal zo hard klinkt als normaal. Ineens voel ik me niet meer zo sterk en onafhankelijk. Ik ben bang en machteloos. Maar na zo'n tien minuten trekt dat gevoel weg en komt er een golf van kalme euforie over me. Ik val weer in slaap.

Vroeg in de ochtend gebeurt het opnieuw. Even vraag ik me zelfs af of ik mijn bed wel uit kan komen om voor de bloedtest en echo naar de kliniek te gaan. Maar het gevoel ebt weer weg en ik spring in een taxi.

In de kliniek bekijkt de dienstdoende arts mijn eierstokken op het echoscherm en haar ogen worden groot. 'Zo, dat zijn kanjers,' zegt ze. 'Je reageert heel goed.'

Ik vertel haar over de opvliegers en ze zegt dat mijn oestrogeenspiegel erg hoog is, zo vroeg in de cyclus; vandaar die sensaties. Ze zegt dat er die middag een arts zal bellen om me te vertellen wat de volgende stappen zijn.

Ik ga naar huis en plof neer op de bank. Het ontmoedigt me een beetje dat ik me niet zo lekker voel. Een paar uur later belt Jen om me te vertellen dat mijn oestrogeenspiegel is omhooggeschoten tot 2475. Dat is veel te hoog voor een vrouw die pas in de vierde dag van haar cyclus zit en mijn follikels zijn nog maar 8 mm groot. Pas bij 17 mm zijn ze klaar voor de trigger-injectie. Daarom hebben de artsen besloten om de behandelcyclus af te breken, aldus Jen. De volgende keer zullen ze lagere doses voorschrijven.

Met andere woorden: het vuur stond te hoog.

Jen onderstreept dat hoewel de cyclus moet worden afgebroken, mijn reactie op de medicijnen veelbelovend is. Het betekent dat ik behoorlijk vruchtbaar ben en waarschijnlijk bij de goede doses een heleboel eicellen zal produceren.

'Het verbaast ons dat we zo'n hevige respons zien bij iemand van jouw leeftijd,' zegt ze.

De volgende dag spreek ik met dr. Noyes. 'Foei, hoe durf je zo te hyperstimuleren,' verwijt ze me lachend. 'Maar de zonzijde is dat je een heleboel eicellen zult krijgen, minstens vijfentwintig. Een betere respons hebben we hier nog niet gezien.'

Wel moet ik beseffen dat een grote hoeveelheid eicellen nog niet betekent dat ze allemaal rijp of van goede kwaliteit zijn, maar het is toch goed nieuws.

In de loop van de dagen die volgen, vertel ik het verhaal aan vrienden. Een vriendin is geschokt omdat mijn arts me een 'overdosis' heeft gegeven en vraagt zich af waarom ik me al die narigheid op de hals haal.

Ik vertel haar dat het echt belangrijk voor me is om kinderen te krijgen, en wel in de juiste omstandigheden. Per slot van rekening nemen legio vrouwen borstimplantaten en ondergaan schoonheidsoperaties uit pure ijdelheid. De injecties zijn niet gekker of pijnlijker dan die dingen en ik doe het voor een veel beter doel.

'Oké, ik denk dat wat jij doet wel wat nobeler is dan de aanschaf van neptieten,' zegt ze.

Ik heb al een hele tijd geleden met vrienden afgesproken om een reis naar Brazilië en Argentinië te maken, dus moet mijn volgende behandelcyclus even wachten. En het is fijn om na deze stressvolle weken van injecties en teleurstelling even weg te duiken in het hedonistische carnaval van Rio.

Op de eerste carnavalsavond gaan mijn vriendin Rebekah en ik naar een nachtclub in Lapa om sambamuziek te horen. De straten zijn gevuld met suikerspinverkopers en feestvierders met flonkerende maskers en carnavalstiara's op en gehuld in laag uitgesneden jurken. Maar rond half elf steekt er een tropische storm op en komen de straten blank te staan. We schuilen in een kleine nachtclub waar een band uit Bahia speelt. Ik raak aan het dansen met een jonge Zwitser met een strohoed op. 'Je hart zal na carnaval zo wijdopen zijn dat je niet in staat zult zijn terug te keren naar je oude leven,' zegt hij.

Hij heeft het mis. Hoezeer ik ook van reizen houd, ditmaal is het anders. Mijn hart trekt me terug naar huis; voor mij ligt het echte avontuur in die injectienaalden in mijn koelkast. Dat is natuurlijk niet half zo romantisch als met een sexy Braziliaan de samba dansen tot zonsopgang, maar op dit moment is het zoveel belangrijker.

Een paar weken na mijn terugkeer word ik ongesteld en begin ik aan een nieuwe behandelcyclus. Deze keer heb ik gedurende de eerste week injecties met leuprolideacetaat, een andere gonadotrofine die oestrogeen en testosteron juist onderdrukt, zodat ik geen risico loop op oververhitting. Tijdens die week heb ik geen belangstelling voor seks. Op een avond doet Ted toenaderingspogingen; ik zeg hem dat ik naar huis en naar bed wil – alleen. In de tweede week begin ik weer met het Follistim-ritueel.

Een week voordat ik naar de kliniek moet voor de eicelpunctie, besluit ik snel dat ik geen gebruik wil maken van het sperma van de kwajongen. Niet dat ik hem niet leuk vind, maar na een telefoongesprek met Wendy Kramer, de oprichtster van het register voor donorbroers en -zussen, kom ik erachter dat de California Cryobank geen maximum hanteert voor het aantal vrouwen aan wie ze het sperma van een bepaalde donor verkopen. Hoewel de American Society for Reproductive Medicine een richtlijn heeft waarin staat dat een kliniek het sperma van een donor aan niet meer dan vijfentwintig vrouwen mag verkopen, vertelt Kramer me dat veel spermabanken zich daar niet aan houden. Het idee dat er op een dag honderden minikwajongens rondlopen, geeft me de kriebels. Nu het feitelijk creëren van een leven uit deze embryo's een steeds reëlere mogelijkheid wordt, vraag ik me af hoe mijn kind het zou vinden als het vele tientallen halfbroertjes en -zusjes had.

Een vriendin van me die single moeder is, raadt me aan om naar de Sperm Bank of California in Berkeley te gaan. Het is de enige non-profit spermabank in de VS en het beperkt elk van zijn donoren tot tien gezinnen. Al betekent dat nog steeds dat mijn kind misschien meerdere halfbroertjes en -zusjes zou kunnen krijgen, tien lijkt me beter te behappen.

Zodoende bel ik de Sperm Bank of California en spreek ik met Simone, een van de klantcoördinatoren. Haar manier van doen staat me meteen aan; ze verwijst me niet zomaar naar een online zoekmachine, maar doorloopt de website samen met mij en doet zelfs een paar aanbevelingen. De ervaring voelt minder steriel aan dan mijn eerste zoektocht op het web.

Simone attendeert me op een nieuwe donor, een student aan de universiteit van Berkeley die tevens professioneel pokerspeler is. Hij klinkt interessant en ik voel een vage affiniteit, aangezien ik mijn masters op Berkeley heb gedaan.

'Ik vind hem wel wat; hij begreep echt waar hij mee bezig was,' zegt Simone.

Aangezien ik midden in mijn cyclus zit en dus haast heb, zegt ze dat ze me zijn profiel en babyfoto per koerier zal sturen.

De volgende dag komt de envelop aan. Hij is 1 meter 78 en heeft een lichte, rozige huid, lichtbruine ogen en golvend blond haar. Hij legde met uitstekend resultaat universitaire tests af toen hij nog op de middelbare school zat en hij is een goed atleet. Zijn moeder is Engels-Canadees en zijn vader Duits-Schots-Engels. Zijn familie telt een grootmoeder die professioneel violiste was en een andere die betrokken is bij de Gray Panthers, een politieke actiegroep die voornamelijk uit gepensioneerden bestaat. Zijn grootvader stond tot de dag van zijn dood op de ski's en zijn zus is turnster. Qua gezondheid ziet alles er normaal uit; mijn enige zorgen zijn dat hij als tiener acne heeft gehad en dat er aan moederskant een gen voor kleurenblindheid aanwezig is.

Het meest ben ik onder de indruk van zijn intelligente en ietwat excentrieke omschrijving van zichzelf: 'Als kind heb ik verschillende eigen ontwerpen gebouwd: vliegtuigjes van balsahout, een radio uit onderdelen. Ik kan allerlei soorten stropdassen strikken, zowel bij mezelf als bij een ander. Soms loop ik ergens naartoe en begin dan te rennen omdat ik mentaal te lui ben om het geduld voor lopen te kunnen opbrengen. Ik heb een zwak voor aforismen. Ik hou van eclectisch taalgebruik en bewoordingen op een glijdende schaal van petanque tot badonkadonk, eventueel in een en dezelfde zin.' (Dat 'badonkadonk' moet ik opzoeken: het is Amerikaans slang voor 'welgevormde vrouwenbillen'.) Over zijn doelen schrijft hij: 'Ik denk dat de sleutel voor bijzondere prestaties ligt in de dagelijkse inspanning om te leven naar je principes. Genieten van vandaag is belangrijker dan het inschatten van morgen.' Hij wil donor worden omdat 'het leven ertoe doet. Filosofisch gezien hebben we een nieuwe generatie nodig om zich op de grote vragen en de grenzeloze mogelijkheden van het leven te storten.' Net als de Kwajongen heeft ook hij een boodschap voor zijn kind geschreven: 'Elke daad, gedachte, beslissing en ervaring heeft betekenis. Alles wat we direct of indirect op deze wereld zetten, wordt een uniek, onvervangbaar deeltje in het lichaam van het menselijk bestaan, omdat het door de tijd heen reikt. Wij hebben niet het voorrecht om de volle impact van ons leven te doorgronden. Lééf dus, zo goed als je kunt.'

Ik vind zijn stukje heel mooi. Hij lijkt me niet alleen slim maar ook sterk en bescheiden, een ongewone combinatie. Mijn intuïtie zegt me dat als mijn kind in de toekomst contact met deze man zou opnemen, hij op een volwassen manier zou omgaan met die ontmoeting. En dan is er nog zijn babyfoto: een schattig jochie met een brede glimlach, dat zijn vingertjes speels in zijn dikke wangetjes prikt. Ik vul het formulier in en geef mijn creditcardgegegevens door.

Op de vijfde dag van mijn Follistim-injecties besluiten de artsen een medicijnloze dag in te lassen vóór de dag van mijn triggerinjectie. Ze zijn een beetje bang dat er opnieuw een oververhittingsreactie optreedt. De volgende dag is mijn oestrogeenspiegel naar 1100 gezakt en ik krijg een telefoontje van Jen, die me vertelt dat mijn oestrogeen nu te ver wegzakt en ik Follistim moet bijspuiten. Als mijn waarden niet stijgen, zou het kunnen betekenen dat deze groep eicellen niet van goede kwaliteit is en dan moet de cyclus misschien opnieuw worden afgebroken. In de vierentwintig uren die volgen is het spitsroeden lopen. Als de cyclus wordt afgebroken moet ik weer opnieuw beginnen, en ik weet niet zeker of ik dit een derde maal aankan.

De volgende ochtend ga ik naar de kliniek voor een bloedtest en gelukkig zijn mijn waarden weer gestegen tot 3000. Ik ben klaar voor de trigger-injectie en mijn eicelpunctie staat gepland voor de volgende ochtend.

Die avond klop ik aan bij Patricia en vraag haar of ze bereid is me de trigger-injectie te geven. De naald is echt groot en ik moet de hormonen ditmaal in mijn achterste injecteren, wat anatomisch gezien een beetje onhandig is. Nadat ze me de prik gegeven heeft, vertelt ze me dat ze het dapper vindt dat ik dit doe, en ze belooft me te helpen als ik ooit besluit om single moeder te worden. Ik schenk ons twee glazen Schotse whisky in, we toosten op de toekomst en nemen foto's voor het geval ik ooit aan mijn kind wil laten zien op welke avond zijn of haar leven is begonnen.

De volgende ochtend, twee dagen voor paaszondag, neem ik een taxi naar de kliniek. In de punctiekamer trek ik een operatiejas en -sokken aan en doe een muts over mijn haar. Een verpleegkundige controleert mijn hartslag en ademhaling en brengt me dan naar de operatiekamer, waar ik even praat met Lisa Kump, de arts die de punctie zal verrichten aangezien dr. Noyes met vakantie is.

Kump is eenenveertig en heeft een jaar geleden haar derde kind gekregen. Ik vraag haar of ze een beroep heeft moeten doen op kunstmatige voortplantingstechnieken.

'Nee,' zegt ze. 'Ik had geluk.'

Dan wijst ze naar een verpleegkundige in de hoek en vertelt me dat zij op haar zesenveertigste een baby heeft gekregen. 'We noemen haar de vrouw met de gouden eicellen,' zegt ze.

Ik ga op de operatietafel liggen; de anesthesist brengt een infuus aan in mijn arm en wenst me welterusten. Voor mijn gevoel drie seconden later word ik wakker in de verkoeverkamer.

'Je bent klaar,' zegt de verpleegkundige.

Ik ben een beetje bibberig van de narcose, dus drink ik een paar glazen appelsap en wacht op de uitslag.

Intussen is achter de coulissen in een laboratorium het invriezingsproces begonnen. Mijn eicellen, die nog in folliculaire vloeistof drijven, worden overgebracht in een draagbare incubator die op 37°C staat, de temperatuur van het menselijk lichaam. De embryoloog gaat dan op zoek naar de eicellen in de vloeistof, haalt ze eruit en telt ze. Vervolgens worden de eicellen naar een laboratorium gebracht en in een petrischaaltje gelegd op een oppervlakte die ook tot 37°C wordt verwarmd. De embryoloog maakt de eicellen schoon om te kijken of ze rijp zijn en kiest de beste uit. De minder rijpe eicellen worden weggezet voor het geval ze later nog nodig zijn; in dat geval kunnen ze kunstmatig bevrucht worden.

De helft van de rijpste eicellen wordt voorafgaand aan de invriezing in een ander petrischaaltje gelegd, gevuld met zes tot negen druppels met suiker doordrenkte cryoprotectant. De andere eicellen, die met het donorsperma zullen worden bevrucht, worden in een ander schaaltje gelegd met een oplossing die in feite een imitatie van de voortplantingssappen in mijn baarmoeder is. Een paar druppels donorsperma (150.000 spermacellen per druppel) worden dan toegevoegd. Door de oplossing in het schaaltje denken de spermacellen dat ze zich in de baarmoeder bevinden en worden ze hyperactief. Dan laat de embryoloog de natuur zijn gang gaan. Normaal gesproken vindt bevruchting plaats na zestien tot twintig uur.

Ik zit nog steeds aan mijn appelsap als de embryoloog binnenkomt en meedeelt dat ze 35 eicellen hebben verzameld – een zeer hoog aantal. Het enige probleem is volgens haar dat het ernaar uitziet dat slechts acht ervan rijp zijn. Nog eens elf ervan zijn zogenoemd M1, wat halfrijp betekent. Deze eicellen kunnen worden gerijpt voor toekomstige bevruchting, al zijn er maar weinig gegevens beschikbaar over het ontdooien en bevruchten van dat soort eicellen.

Aangezien ik maar acht rijpe eicellen heb, raadt ze me aan

om de groep niet te splitsen – ik moet kiezen voor het invriezen van alleen de eicellen, of alleen de embryo's. Ze zegt dat de M1-eicellen ook kunnen worden gerijpt en vervolgens geïnsemineerd met mijn donorsperma, met behulp van een techniek die intracytoplasmische sperma-injectie (ICSI) wordt genoemd. Dat is een procedure waarbij een enkele spermacel met een klein naaldje kunstmatig direct in de eicel wordt gebracht. De bevruchtings- en zwangerschapspercentages bij deze embryo's zijn vergelijkbaar met normale ivf-zwangerschapspercentages. Probleem is dat deze procedure me nog eens 2000 dollar kost.

Ik heb maar een paar minuten de tijd om deze belangrijke keuze te maken en ik ben nog steeds een beetje wazig van de narcose. Dus maak ik een snelle afweging. Als ik embryo's laat invriezen met de rijpe eicellen, heb ik niet voldoende eicellen over om met mijn ware liefde te gebruiken. Laat ik de eicellen invriezen, dan moet ik afzien van de iets hogere succespercentages met bevruchte embryo's. Kan ik me de extra 2000 dollar voor ICSI bij de onrijpe eicellen veroorloven? Waarschijnlijk niet. Bovendien denk ik ergens diep vanbinnen dat ik die embryo's niet nodig zal hebben. Ik geloof echt dat ik mijn ware liefde op tijd zal vinden om zijn genetische kinderen te krijgen.

Ook denk ik aan de opmerking van dr. Noyes dat haar succespercentage voor ingevroren eicellen nu gelijk is aan dat van ingevroren embryo's. Ik geloof dat de techniek voor het invriezen van eicellen vanwege al het daarop gerichte onderzoek snel zal verbeteren en dat het slagingspercentage tegen de tijd dat ik de eicellen zou gebruiken, zelfs nog hoger zal liggen. Opnieuw moet ik maar gewoon loslaten en vertrouwen hebben.

'Vries maar alleen de eicellen in,' zeg ik tegen de embryologe.

Ze knikt en gaat terug naar het lab.

En met die keuze is het avontuur voorbij. Ik kleed me aan, drink een kop koffie in een café in de buurt en ga naar huis om de rest van de dag te slapen. Nadat ik me een paar dagen wat moe en een beetje beurs heb gevoeld, ben ik terug in mijn gewone ritme.

Na terugkomst van haar vakantie belt dr. Noyes en ze zegt dat acht rijpe eicellen een mooi aantal is. Ze wou dat ik er een paar meer had, voor het geval ik misschien nog een tweede kind zou willen, en stelt voor dat ik nog een behandeling onderga. Ik vertel haar dat dit er nu financieel niet in zit en dat ik op het moment sowieso het gevoel heb dat ik moet accepteren hoe het ervoor staat.

'Voel je je nu minder opgejaagd?' vraagt ze.

'Zeker,' zeg ik. Ik heb het gevoel dat ik alles heb gedaan wat in mijn vermogen ligt. En ik weet nu dat ik nog steeds heel vruchtbaar ben. Volgens dr. Noyes heb ik hoogstwaarschijnlijk nog een paar jaar voor de boeg waarin ik op natuurlijke wijze zwanger kan worden. 'Blijf wel om de paar maanden je FSH-spiegel controleren,' drukt ze me op het hart.

Ik bedank haar, hang op en bel mijn moeder met het nieuws.

Het blijkt dat je sperma niet kunt terugbrengen. Daar kom ik achter wanneer ik Simone van de Sperm Bank of California bel om haar op de hoogte te brengen van het resultaat van mijn behandeling en van mijn besluit om al mijn kaarten in te zetten op mijn eicellen. Het gesprek gaat zo'n beetje als volgt:

'Uiteindelijk heb ik het sperma dus niet nodig. Hoe kan ik het het beste terugsturen?'

'Het spijt me, maar ons beleid is dat zodra het sperma de bank verlaat, we het niet kunnen terugnemen of uw geld terugstorten.'

'Maar ik heb het nu niet nodig,' zeg ik. 'Kan iemand anders er niet iets aan hebben?'

'Helaas is dat ons beleid.'

Dus nu ben ik eigenares van twee reageerbuisjes sperma van een pokerspeler van Berkeley. Het staat ingevroren en wel naast mijn ingevroren eicellen. Ergens is het een geruststellend idee dat, mocht ik ooit besluiten dat ik gewoon een kind wil, de ideale donor daar al op me staat te wachten.

Intussen wordt alles snel weer zoals gewoonlijk. Mijn eicelinvriesavontuur wordt een van de vele in mijn leven. Ik vertel een handvol vrienden over wat ik heb gedaan, en sommigen staan versteld van mijn dapperheid, terwijl anderen huiveren bij mijn beschrijving van de naalden en de punctie.

Het invriezen van mijn eicellen heeft één belangrijk direct resultaat: ik kan mijn relatie met Ted wat eerlijker bekijken. Ik zie in dat ik nooit verliefd op hem zal worden en besluit dat deze relatie, die regelrecht voortkomt uit mijn echec met Jacob, al veel te lang heeft geduurd. Een paar weken later vertel ik hem dus dat ik niet geloof dat we een toekomst hebben, en we besluiten elkaar gewoon als vrienden te zien.

Ik ben blij dat ik de zomer kan ingaan na het nemen van deze proactieve en progressieve stap. Ook al is het niet zeker dat er ooit een kind zal voortkomen uit mijn ingevroren eicellen, de wetenschap dat ze er zijn heeft me een gevoel van rust gegeven. Natuurlijk houd ik niet helemaal op met piekeren over mijn vruchtbaarheid – die zal zeker ook een rol spelen in toekomstige relaties. Maar ik denk dat ik me een stuk rustiger zal voelen als de liefde weer mijn kant op komt.

12

De eiceldonoreconomie

Op een middag ga ik theedrinken met mijn vriendin Abby. Ze heeft er een handje van ontwapenend directe vragen te stellen. Als het gesprek op mijn ingevroren eicellen komt, kijkt ze me doordringend aan en vraagt recht voor zijn raap: 'En als ze niet blijken te werken? Zou je dan een kind adopteren?'

'Ik weet niet zeker wat mijn volgende keuze zou zijn,' moet ik erkennen.

Toen Abby en ik in India waren, bezochten we een fort in Gwalior. Bij de ingang kwamen we een bedelend, mank lopend jongetje tegen die ons ansichtkaarten wilde verkopen. Het klikte meteen tussen Abby en het jochie en de uren daarna liep hij steeds in haar kielzog door het fort. Toen we weggingen, was ze verdrietig en zei ze dat ze wilde dat ze hem kon adopteren en meenemen.

Een paar maanden later werd Abby veertig, nog steeds single, en ze besloot een stap in de richting van het moederschap te zetten door te proberen met donorsperma gecreëerde embryo's te laten invriezen. Maar na twee behandelcycli van hormooninjecties en bijna 4000 dollar lichter, moest ze concluderen dat haar lichaam niet meewerkte. Haar arts deelde haar mee dat haar ovariële reserve onvoldoende was om levensvatbare eicellen te produceren en stelde voor in plaats daarvan donoreicellen te gebruiken.

'Nou, fantastisch,' had Abby sarcastisch geantwoord. 'Ik kan donoreicellen en donorsperma gebruiken en aangezien ik niet zo'n zin heb om het kind zelf te baren kan ik misschien ook daarvoor een vervangster inschakelen! En weet u hoe dat heet? Adoptie!'

Ze besloot niet uit alle macht te proberen de situatie met nog meer technologie onder controle te krijgen, maar het los te laten.

'Ik zag in dat ik niet een van die mensen was die acht, tien, twaalf ivf-behandelingen ondergaan,' zegt Abby. 'En eigenlijk heb ik van jongs af aan altijd al een kind willen adopteren. De donorsperma-embryobenadering heeft me nooit natuurlijk geleken.'

Ik vraag haar waarom ze überhaupt voor een ivf-behandeling heeft gekozen als ze altijd al een kind wilde adopteren.

Ze zwijgt even voor ze antwoord geeft. 'Ego, denk ik,' zegt ze nadenkend. 'Mijn ego sloeg toe en ik wilde dolgraag zien wat er uit de reproductie van mijn genen zou komen. Het was eerder iets verstandelijks dan iets biologisch. Ik dacht: zou het niet leuk zijn als er een biologische extensie van mij op de wereld rondliep?'

Maar toen ze erachter kwam dat ze geen biologisch kind kon creëren, besloot ze niet tot het technologische uiterste te gaan om haar fantasie na te jagen.

'Ik besefte dat ik een kind wilde om voor te zorgen en van te houden. Waarom zou ik een kind van mezelf op de wereld willen zetten terwijl er al zoveel kinderen zijn die iemand nodig hebben? Ik weet dat niet iedereen er zo over denkt, maar voor mij ligt het zo. Ik zie de biologische factor niet als doorslaggevend, althans niet als het gaat om kinderen krijgen.'

Een toenemend aantal vrouwen en echtparen van in de veertig en vijftig gaat over tot adoptie om een gezin te vormen of uit te breiden. Maar tegelijkertijd kiezen veel oudere vrouwen voor de tegenovergestelde weg: zij gaan fysiek tot het uiterste om biologisch moeder te worden. Het gebruik van donoreicellen is een van de populairste opties geworden voor oudere vrouwen.

De keuze voor dat piepkleine eicelletje werpt veel vragen op. De aankoop ervan opent een hele nieuwe wereld aan sociale, ethische en morele keuzes – van de donor die de vrouw kiest en de relatie die ze met haar donor wil hebben tot wat ze haar kind vertelt over zijn of haar biologische oorsprong.

Volgens de Centers for Disease Control and Prevention is het aantal vrouwen dat probeert zwanger te worden met donoreicellen gestegen van 1802 pogingen (ivf-cycli) in 1992, het jaar waarin ik afstudeerde, tot 16.161 in 2005; dat was 12 procent van alle pogingen en dat resulteerde in 5887 zwangerschappen. Amerikanen besteden nu jaarlijks ongeveer 38 miljoen dollar aan de aankoop van eicellen. Het aantal betaalde donoren is onbekend omdat deze bedrijfstak, net als die van spermadonatie, grotendeels ongereguleerd is.

Zwanger worden met een donoreicel is gemakkelijk noch goedkoop. Het vereist de aankoop van de eicellen van een jongere vrouw, bevruchting daarvan met sperma (hetzij van een partner hetzij van een donor) door middel van ivf en implantatie in de baarmoeder. De kosten van de hele procedure kunnen oplopen tot meer dan 40.000 dollar. Waarom onderwerpen vrouwen zichzelf aan deze financiële, emotionele en fysieke stress om op biologische wijze een kind te krijgen, zelfs wanneer dat kind niet genetisch aan hen verwant is?

De beslissing is uiterst persoonlijk en het antwoord verschilt per persoon. Sommige vrouwen doen het omdat ze zelf geen kinderen kunnen krijgen, maar wel een kind willen hebben dat genetisch verwant is aan hun echtgenoot of partner. Sommige vrouwen willen gewoon beleven hoe het is om zwanger te zijn, te baren en borstvoeding te geven. Voor veel vrouwen zijn dat essentiële ervaringen die de band met het kind versterken. En door het kopen van een donoreicel, net zoals het uitkiezen van een spermadonor, hebben vrouwen en echtparen enige invloed op de genetische achtergrond van hun kind.

Terwijl ik nadenk over Abby's vraag – zou ik kiezen voor adoptie? – merk ik dat mijn gedachten precies in de tegenovergestelde richting gaan. Ik denk dat mijn voorkeur zou uitgaan naar het gebruik van een donoreicel. Het lijkt me fijn om zwanger te zijn, om te voelen hoe mijn lichaam en mijn bloed een leven voeden. Het lijkt me fijn om het biologisch kind van de man van wie ik hou te koesteren. Die dingen zou ik niet ervaren als ik een kind adopteerde – een procedure die overigens even duur en ontzettend bureaucratisch kan zijn. Ik denk dat het uiteindelijk een afweging is tussen de humanitaire impuls – de wens om een kind met een minder geprivilegieerde achtergrond een beter leven te geven – en het verlangen naar een persoonlijke, biologische relatie. Voor mij is dat laatste op dit moment belangrijker. Zoals ik donorsperma uitkoos met een vergelijkbare etnische achtergrond als die van mijn familie, zou ik dat ook doen met een eicel, zodat ik op een dag op een kaart kon wijzen en kon zeggen: 'Wij komen hiervandaan. We hebben dezelfde genetische achtergrond.'

Aan het eind van het voorjaar vlieg ik naar Californië om op bezoek te gaan bij een oude vriendin uit New York die nu met haar man en kinderen in San Francisco woont. Ze had geopperd dat ik tijdens mijn bezoek haar vriendin Samantha Long* zou kunnen interviewen over haar ervaring met het gebruik van donoreicellen. Daar was ik op ingegaan en ik belde Samantha om een afspraak te maken.

Long is een knappe blondine met stralend blauwe ogen. Ze woont met haar echtgenoot en vierjarige dochter in een klein, eclectisch ingericht appartement in Pacific Heights.

We installeren ons op de bank en Samantha, tweeënveertig jaar, begint haar relaas. Ze heeft via een bank die ze op internet had gevonden twee eicellen gekocht, die ze heeft laten bevruchten met het sperma van haar man en laten implanteren in haar baarmoeder. Ze is iets meer dan een maand zwanger van een tweeling.

Samantha werd zwanger van haar dochter toen ze achtendertig was. 'Het was ongelooflijk,' vertelt ze. 'Ik werd tijdens onze huwelijksreis bij de eerste poging zwanger. Het was een volslagen verrassing.'

Zes maanden na de geboorte besloot het echtpaar te proberen een tweede kind te krijgen, en omdat het de eerste keer zo gemakkelijk was geweest, maakte Samantha zich geen zorgen. Maar na acht maanden was ze nog steeds niet zwanger.

Na een jaar begon ze zich zorgen te maken; vervolgens werd ze zwanger en kreeg een miskraam. Het echtpaar ging naar een vruchtbaarheidsspecialist om meer te horen over ivf en de arts vertelde hun dat Samantha's ovariële reserve te laag was geworden; ze kon niet langer zwanger worden met haar eigen eicellen. Haar man wilde adoptie overwegen, maar voor Samantha was het echt belangrijk om de ervaring van de zwangerschap nogmaals mee te maken. Ook wilde ze graag enige controle over de genetische constitutie van haar volgende kind, het zusje van haar dochter.

De dag na de afspraak met de arts googelde ze op de woorden 'eicel' en 'donatie'. Er verschenen duizenden links met vele pagina's informatie over donorbureaus.

'Het was om dol van te worden,' zegt ze.

Samantha wilde graag een donor die eruitzag zoals zij, dus bestudeerde ze vooral de profielen van blonde meisjes met blauwe ogen. Ze keek naar de foto's, hobby's en favoriete films van deze vrouwen. Ze belde de bureaus en vroeg foto's op van broers, zussen, ouders en soms grootouders van mogelijke donoren.

Samantha's man bleek nog kieskeuriger te zijn dan zijzelf. 'Hij zei de hele tijd: "O nee, deze is te klein, of deze is niet slim genoeg,"' zegt ze. 'Voor mij ging het niet zozeer om de intelligentie, maar meer om de persoonlijkheid. Ik wilde iemand die sociaal was. Ik was op zoek naar iemand die me direct aansprak.'

Uiteindelijk werd het stel het eens over een donor die in Los Angeles woonde. Het was een lange, knappe operazangeres uit Texas, met lichtblauwe ogen en donkerblond haar, die op een van de elite-universiteiten had gezeten – precies het ideaal dat Samantha voor ogen had gehad. Ze zat in het 'Plus'-bestand: deze donoren waren hoger opgeleid en werden in het algemeen bijzonder aantrekkelijk gevonden en het bureau vroeg dan ook dubbel zoveel voor haar eicellen als voor die van gewone donoren.

Toen Samantha echter het bureau opbelde om informatie over de vrouw op te vragen, kwam ze erachter dat die bij haar laatste punctie slechts vijf eicellen had geproduceerd. Ze besloot daarom dat deze donor te veel risico met zich meebracht. Samantha stipt aan dat het bureau deze donor bleef aanprijzen hoewel ze een laag aantal eicellen produceerde, wat een kijkje geeft in de agressieve marktstrategieën in de eicelhandel.

'Ze is knap en dat trok mijn aandacht naar hun website,' aldus Samantha.

Zodoende ging het echtpaar opnieuw op zoek. Op een avond zaten ze door de donorsites te grasduinen en kwamen toen een foto tegen van een meisje met lang rood haar, een brede glimlach en grote witte tanden. 'Ze straalde iets gelukkigs uit en hoewel ze totaal niet op mij leek, vonden we haar allebei leuk,' zegt Samantha. 'Het was liefde op het eerste gezicht.'

De volgende ochtend belde Samantha het bureau. De roodharige vrouw was onmiddellijk beschikbaar.

Samantha en haar echtgenoot betaalden 6500 dollar voor haar eicellen, maar uiteindelijk waren ze inclusief reiskosten, advocaten, inschrijfgeld, medicatie voor de donor en doktersafspraken bijna 40.000 dollar kwijt aan de procedure.

Nadat de eicellen van de donor waren verwijderd, werden ze bevrucht met het sperma van Samantha's echtgenoot. Samantha moest zich twee weken lang met progesteron injecteren om haar lichaam op de zwangerschap voor te bereiden en daar zal ze de eerste drie maanden mee door moeten gaan.

De dag van de implantatie voelde voor Samantha heel onwerkelijk aan. 'Het was zo'n gek idee om het genetisch materiaal van iemand anders in mij geïmplanteerd te krijgen. Ik had een foto van de donor en het bleef maar door me heen flitsen: wauw, dit zijn de eicellen van iemand anders.

Eigenlijk wilde mijn man de donor graag ontmoeten, alleen maar om haar persoonlijkheid te zien,' vertelt Samantha. 'Ik wilde haar niet ontmoeten, omdat ik geen stem bij het plaatje wilde. Ík draag de kinderen en ik wil een band met ze ontwikkelen alsof ze van mij zijn.'

Voor de implantatie had Samantha een paar gesprekken met een psycholoog over haar toekomstige relatie met de donor en over de vraag of ze haar kinderen wil inlichten omtrent hun oorsprong. Haar man en zij besloten uiteindelijk de tweeling te vertellen dat ze 'een helper' hebben gehad.

De ethische commissie van de American Society for Reproductive Medicine adviseert ouders hun kinderen te vertellen dat ze met een donoreicel zijn verwekt. Juridisch wordt een vrouw die een kind draagt en baart beschouwd als de wettelijke moeder – zelfs als het kind niet met haar eigen eicel is verwekt. De meeste bureaus eisen van hun donoren dat ze vijf jaar lang contact houden voor het geval zich medische problemen voordoen. Samantha en haar man hebben zich ook ingeschreven op de Donor Sibling Registry, zodat hun donor en eventuele andere nakomelingen elkaar in de toekomst kunnen bereiken.

Samantha schreef haar donor een bedankbriefje met een foto van het gezin Long.

'Ik deed er foto's van ons bij zodat ze wist aan wie ze dit gaf,' zegt ze. 'Als ik mijn eicellen zou doneren, zou ik graag willen weten of ik ze gaf aan mensen die goede ouders zouden zijn.'

Samantha vertoont nu het blozende uiterlijk van een pas zwangere vrouw. Als ik haar verhaal niet had gehoord, zou ik nooit hebben geraden hoeveel geld, wikken en wegen en technologie er bij deze zwangerschap is komen kijken. Misschien kiezen sommige vrouwen juist om die reden voor eiceldonatie: het biedt niet alleen persoonlijke controle, maar ook privacy.

Ik vraag Samantha of ze ergens spijt van heeft, of ze de fysieke stress of de kosten van deze zwangerschap met twee donoreicellen betreurt.

Ze schudt haar hoofd. 'Als je er een gezin voor terugkrijgt, is het het waard.'

Nu ik Samantha's verhaal heb gehoord, wil ik meer weten over de andere kant van de zaak: de vrouwen die hun eicellen verkopen zodat andere vrouwen kinderen kunnen baren. Deze gang van zaken komt me voor als de bizarre ironie van de moderne tijd: vrouwen zijn in hun vruchtbare jaren bezig met zichzelf te vinden, opleidingen te volgen en hun carrière op te bouwen en stellen zwangerschap uit om geld te verdienen. En als hun vruchtbaarheid zo is verstreken, moeten ze dat geld vervolgens uitgeven aan de eicellen van een jongere vrouw.

Ik vlieg naar Los Angeles voor een ontmoeting met Brigid Dowd, de directrice van de Donor Egg Bank, een bureau dat sinds vier jaar in een hoog gebouw in het centrum van Los Angeles gevestigd is. Brigid, een ontspannen 'California girl' met blond haar en een gebruinde huid, heeft zich bereid verklaard de procedure van het kopen van donoreicellen met me door te nemen.

'Het is iets ingewikkelder dan "Mag ik van u een eicel?"' begint Brigid, terwijl ik plaatsneem in haar kleine kantoor met optimistische standaardfoto's van bloeiende bloemen aan de wand. 'Niet iedereen beseft wat erbij komt kijken en als ze horen wat het kost vallen er al flink wat af.'

'Maar hoe zou ik de procedure beginnen?' vraag ik.

'Gewoonlijk zouden we je allereerst vragen of er iets specifieks is waarnaar je op zoek bent,' zegt ze.

Ze haalt een witte plastic map uit de kast en legt die voor me neer. Ik blader hem vluchtig door. Elke donor heeft een profiel van twee pagina's. Op de eerste pagina staan foto's van de donor, met basisgegevens zoals lengte, gewicht, haarkleur en -textuur, kleur van de ogen, studie, hoofdvak en gemiddeld afstudeercijfer. De tweede pagina geeft meer details: de studiedoelen van de donor, werk, gezondheidsinformatie, atletisch vermogen, lievelingsmuziek en -boeken, eventuele psychische afwijkingen en of iemand in haar naaste familie een geboorteafwijking heeft.

In de gauwigheid zie ik een drieëntwintigjarige blondine, deels Cherokee, deels Engels, met een lichtgetinte huid. Een roodharige vrouw van 1 meter 80 noemt haar muziekvoorkeur gevarieerd. 'In mijn cd-collectie zit van alles, van Sinatra tot Eminem. Ik ben dol op rockmuziek uit de jaren tachtig.'

Ik zeg tegen Brigid dat ik waarschijnlijk een eiceldonor zou willen met een vergelijkbare etnische achtergrond als de mijne, om een kind te krijgen dat fysiek in mijn familie past.

'Heeft iedereen in jouw familie een licht getinte huid?' vraagt ze. 'Vind je de lengte belangrijk?'

'Ja! Ik wil geen klein kind,' flap ik eruit.

Dan dringt het beeld van de meest ouderwetse manier om een kind te verwekken zich aan me op en moet ik om mezelf lachen. 'Weet je, als ik met een echtgenoot zou proberen zwanger te worden, denk ik niet dat ik halverwege de daad ineens zou uitroepen: "Ik wil geen klein kind!"'

'Nee, inderdaad,' zegt Brigid lachend. 'Je zou je vriendje of man heus niet gaan vragen hoe lang zijn grootouders waren.'

Brigid wijst erop dat vrouwen en stellen die een eiceldonor uitkiezen veel meer controle hebben over eigenschappen en genetische achtergrond, maar dat dit een vals gevoel van beheersbaarheid kan geven – zoals ik ook al heb gemerkt bij het selecteren van donorsperma.

'Als je een baby met bruine ogen wilt en de donor heeft bruine ogen en haar beide ouders eveneens, dan krijg je hoogstwaarschijnlijk bruine ogen,' legt ze uit. 'Maar in de genetica is niets gegarandeerd.'

Brigid zegt dat ze haar klanten aanraadt zo open mogelijk te zijn, want als ze te star of te geobsedeerd op zoek zijn naar de 'perfecte' donor, kan dat de keuze erg moeilijk maken. Dit illustreert ze aan de hand van een klant uit China die aanvankelijk geïnteresseerd was in een donor die hoogopgeleid, half-Chinees en half-Iers was. 'Alles aan dat meisje was perfect, behalve dat haar haar lichtbruin was, en dat hield haar tegen,' aldus Brigid. 'Ze zei tegen me: "Alle kinderen in China hebben donker haar, en ik wil niet dat mijn kind anders is." De arts legde haar uit dat het gen van haar echtgenoot, die donker haar had, waarschijnlijk dominant was en de overhand zou hebben. Maar ze wilde het risico niet nemen.'

Brigid vertelt me dat degenen die op hun gevoel afgaan uiteindelijk gelukkiger zijn. 'Ze lezen een profiel en zeggen bijvoorbeeld: "O, dat is mijn lievelingsboek", of: "Wat zegt ze dat mooi, dat ze zich in haar vrije tijd wil inzetten voor het helpen van slachtoffers van aardbevingen", of: "Ze heeft de ogen van mijn man."'

Als de zoektocht naar de juiste donor te overweldigend wordt, verwijst Brigid haar klanten vaak naar Gail Anderson, een psychologe die een programma heeft met de naam Donor Frontiers. Ze geeft me een folder met op de voorkant een foto van een prachtige baby. In feite presenteert Anderson zichzelf als een personal shopper die alle opties uitzoekt en het gemakkelijker maakt om een donor te vinden die aan iemands specifieke criteria voldoet. Ze fungeert als een bemiddelaar tussen de vrouw of het stel en het donorbureau, die ervoor zorgt dat de procedure minder tijd in beslag neemt en ook ondersteuning biedt bij wat een emotionele beproeving kan zijn.

'De ontvangende partij geeft een heleboel op,' legt Anderson uit als we elkaar later die dag ontmoeten. 'Ze moeten een rouwproces doormaken: het verlies van hun biologische kind.'

Achter op de folder staat een prijslijst: 350 dollar voor een zoektocht naar essentiële criteria: ras, haar, oogkleur en lengte. Een uitgebreide zoektocht kost twee keer zoveel en omvat naast de basale zaken ook nog opleiding, achtergrond van de ouders en moeilijk te vinden donoren, zoals zeldzame raciale mengvormen. 'Ik probeer hen zover te krijgen dat ze niet meer het gevoel hebben dat ze geen andere keus hebben, maar dat ze zeggen: "Goddank héb ik deze keuze",' aldus Anderson.

De meeste bureaus spelen slechts een bemiddelende rol tussen ontvanger en donor. De donor ondergaat de eicelpunctie en de eicellen worden vervolgens onmiddellijk bevrucht en geïmplanteerd in de klant. Het bureau verdient eraan door een provisie te vragen op de vergoeding van de donor, die door het bureau wordt vastgesteld.

De Donor Egg Bank biedt nu echter ook de mogelijkheid eicellen direct van de bank te kopen, uit een voorraad eicellen die zijn ingevroren en opgeslagen. Deze eicellen zijn afkomstig uit al verrichte of uit nieuwe eicelpuncties. Deze dienstverlening maakt een nieuw soort flexibiliteit mogelijk: donor en ontvanger hoeven hun agenda niet op elkaar af te stemmen om ervoor te zorgen dat de ontvanger fysiek klaar is voor de transfer van verse eicellen zodra deze bij de donor zijn weggehaald. Het is ook aanmerkelijk goedkoper voor de klant. Deze hoeft nu niet alle kosten van de donor te betalen: de kliniek neemt de medische kosten voor haar rekening en de ontvanger betaalt een vastgestelde prijs voor het transport en het ontdooien van de eicel. Door deze benadering vervallen kosten als medicijnen voor de donor, doktersafspraken en reis- en verblijfkosten indien de donor in een andere stad woont.

De kliniek betaalt de medische onkosten van de donor, maar maakt niettemin winst, aangezien ze een prijs per partij eicellen berekent in plaats van per behandelingscyclus. Zo vertelt Brigid me dat haar bank eicellen per acht stuks verkoopt voor 16.000 dollar. Als een donor tweeëndertig eicellen produceert, betaalt de kliniek voor één behandelingscyclus, maar kunnen er vier groepen eicellen worden verkocht. Maar natuurlijk is deze procedure ook riskanter: de Society of Advanced Reproductive Technology verzamelt nog geen landelijke gegevens van klinieken waarin de bevruchtingspercentages van embryo's die uit verse eicellen zijn gecreëerd worden vergeleken met die uit ingevroren eicellen, al blijkt uit onderzoeksgegevens van dr. Porcu dat ingevroren eicellen een gemiddeld bevruchtingspercentage hebben van 28 procent. Het CDC-rapport over donoreicellen uit 2005 geeft een percentage levendgeborenen uit embryo's die werden gecreëerd uit verse donoreicellen van 52. En nu de techniek voor het invriezen van eicellen beter wordt, zou het gebruik van ingevroren eicellen de keuze voor donoreicellen breder toegankelijk kunnen maken vanwege de lagere kosten.

'Op dit moment kost het 10.000 dollar minder als een vrouw ingevroren eicellen gebruikt,' aldus Brigid.

Sinds de Donor Egg Bank in het voorjaar van 2006 zijn deuren heeft geopend, is er volgens Brigid al een sterke ontwikkeling geweest in verband met betere bevruchtingspercentages en meer geboorten uit ingevroren eicellen. 'Drie jaar geleden konden we de eicellen aan de straatstenen niet kwijt. Iedereen die op de bijeenkomst van de Pacific Coast Reproductive Society langs ons kraampje kwam, zei dat er geen toekomst in zat,' zegt ze. 'Nu hebben we de eicellen van twintig donoren ingevroren en ineens komt er een run op en moeten we meer invriezen.'

De volgende die ik ontmoet is Marylyn Shore, een psychologe die belast is met het psychologisch onderzoek van vrouwen die eiceldonor willen worden.

Shore is een statige blonde vrouw van in de vijftig die na jarenlang als model en zakenvrouw in New York te hebben gewerkt is overgestapt op de psychologie. Haar ervaring in de mode- en modellenwereld helpt haar bij het rekruteren en uitkiezen van eiceldonoren; aantrekkelijke donoren zijn immers een van de voornaamste trekpleisters voor de bureaus.

Shore legt echter uit dat de beoordeling er vooral op is gericht vast te stellen of de donor psychisch in orde is. Zoals ik intussen maar al te goed weet, is het ondergaan van een behandelingscyclus misschien niet zo zwaar als het beklimmen van de Kilimanjaro, maar gaat het je niet in je koude kleren zitten. Toch weerhoudt dat er vele donoren niet van om vijf of meer cycli te ondergaan.

Shore zegt dat 80 tot 90 procent van de kandidaten die ze spreekt, eicellen willen doneren om een deel van hun studiekosten te betalen. Hoewel het verkopen van lichaamsdelen in de VS wettelijk verboden is, mogen donoren een 'compensatie' ontvangen voor de medische procedure waarin hun eicellen worden weggehaald. In de ethische richtlijn van de ASRM staat dat een bemiddelingsbureau voor eiceldonatie nooit meer dan 5000 dollar mag berekenen voor de diensten van een eiceldonor, maar sommige bureaus vragen veel meer, vaak tot 50.000 dollar.

Door deze hoge prijzen is eiceldonatie big business geworden en is er een nieuwe vruchtbaarheidseconomie ontstaan. Er staan tegenwoordig advertenties op de internetmarktplaats Craigslist en in universiteitsbladen, waarin aan studentes duizenden dollars wordt geboden voor hun eicellen. Een advertentie in *The Daily Californian*, het studentenblad van de universiteit van California, laat weten dat een bepaald bureau 10.000 dollar betaalt voor eicellen; een andere in *The Harvard Crimson* biedt 35.000 dollar voor 'een bijzondere vrouw die aantrekkelijk, sportief en jonger dan negenentwintig is', en 50.000 dollar voor een 'uitzonderlijke eiceldonor'. Een advertentie van een bedrijf uit San Diego met de naam A Perfect Match zoekt vrouwen die 'aantrekkelijk' en jonger dan negenentwintig zijn en bij wie de score voor de SAT-test voor studenten hoger dan 1300 punten is.

Nu de studiekosten de pan uit rijzen, voelen steeds meer studentes zich aangesproken door deze advertenties en door de verhalen van leeftijdsgenotes die duizenden dollars verdienen met hun vruchtbaarheid. De beroemdste van hen is Julia Derek, een laatstejaarsstudente aan de George Mason University die in *The Washington Post* een advertentie las van een echtpaar dat geld bood voor de eicellen van een jonge vrouw. Derek onderging twaalf behandelingscycli, verdiende 50.000 dollar, financierde daarmee haar postdoctorale studie en bracht vervolgens een boek op de markt met de naam *Confessions of a Serial Egg Donor.*

Shores voornaamste taak is het opstellen van een profiel van de donor vanuit elk gezichtspunt: haar persoonlijkheid, intellectuele vermogens, motivatie, verantwoordelijkheidsgevoel en medische achtergrond. Ze ondervraagt de donor over alles, van gevolgde opleidingen en gemiddeld eindcijfer tot de professionele achtergrond van haar familie. Ze vraagt de donor haar persoonlijkheidskenmerken te omschrijven: is ze spraakzaam, verlegen, zelfverzekerd, zorgzaam?

Veel potentiële donoren halen de selectie niet. Vrouwen die roken, drugs gebruiken of veel alcohol drinken, worden onmiddellijk afgewezen. Psychische afwijkingen vormen een grijzer gebied, legt Shore uit. De meeste artsen accepteren een donor niet als er schizofrenie of ernstige manische depressie bij haar is vastgesteld.

'Het hangt af van de ernst,' aldus Shore. 'Een verleden van matige nervositeit of depressie sluit hen gewoonlijk niet uit van het donorschap. We vragen hoeveel generaties het teruggaat en of ze recent klachten hebben gehad. Alles komt in het rapport en de arts neemt de beslissing.'

Na deze ontmoeting spreek ik opnieuw met Brigid. Ze gaat iets verder in op de details en legt uit dat een meisje dat een geschiedenis van depressie heeft en daarvoor medicijnen gebruikt, door het bureau kan worden afgewezen. Ik denk onmiddellijk aan alle briljante en depressieve kunstenaars die vanwege zo'n beslissing misschien niet geboren worden. Waar trekken we als maatschappij de lijn tussen het uitroeien van slopende ziekten en het uit de bevolking filteren van de minder uitgesproken sociale en genetische onvolmaaktheden waardoor al onze levens in zekere zin gekenmerkt worden?

Als ik deze vraag aan Brigid voorleg, vertelt ze dat ze gewoonlijk een genetisch adviseur inschakelen. Als een donor bijvoorbeeld een familiegeschiedenis heeft van een bepaalde vorm van kanker, is dat misschien een waarschuwing voor een zich herhalend patroon.

'Stel dat haar grootvader een hartaanval heeft gehad, dan betekent dat natuurlijk niet zoveel,' zegt ze. 'Maar als haar grootvader van vaderskant, twee ooms van vaderskant en haar vader allemaal een hartaanval hebben gehad, dan heerst dat kennelijk in haar familie van vaderskant.'

Brigid brengt me in contact met Megan McCoy voor meer informatie over de manier waarop de ontvangers de details in de genetische achtergrond van een donor beoordelen. 'We gaan nog niet zover dat we testen op het borstkankergen,' zegt McCoy, genetisch adviseur in Los Angeles. 'Mensen zijn bezorgder over geboorteafwijkingen bij baby's dan bij afwijkingen die op volwassen leeftijd tot uiting komen. Maar er zijn genetische tests beschikbaar, dus kan het wel zover komen.'

Terwijl ik overdenk waarvoor ik zou kiezen als potentiële moeder met behulp van een donoreicel, zie ik hoe glad het ethisch terrein is. Ik wil een gezond kind, dus denk ik dat ik zeker eicellen zou willen die waren getest op geboorteafwijkingen waardoor mijn baby getroffen zou kunnen worden. Dat stelt me niet voor een moreel probleem; het is voor mij gelijk aan het laten uitvoeren van een vruchtwaterpunctie of een vlokkentest tijdens de zwangerschap. Maar stel nu dat ik de donor ook kon laten testen op kanker, of ervoor zou kunnen kiezen om een bijzonder creatief of lang kind te krijgen? Geen enkele ouder wil dat zijn kind het moeilijk krijgt als baby of als volwassene, maar in welke mate moeten we proberen de toekomst te beheersen? Hoe ver mogen we gaan bij het gebruiken van de wetenschap om volmaaktere kinderen te creëren en wat moeten we overlaten aan de natuur en het toeval?

Na mijn gesprek met Marylyn Shore wil ik heel graag met een donor spreken. Brigid geeft me het telefoonnummer van Natalie McMenany, een drieëntwintigjarige donor die nu twee behandelingscycli heeft doorlopen. Natalie vertelt me dat ze half-Libanees is en een olijfkleurige huid, steil donker haar en helblauwe ogen heeft. Ze woont met haar man in Dallas, Texas en werkt als administratief medewerkster bij een investeringsbank. Ze volgt in deeltijd een universitaire studie psychologie.

Ik bel haar op een avond, een paar uur nadat ze een eicelpunctie heeft ondergaan.

'De punctie ging heel goed,' zegt ze op nonchalante toon. 'Ze zeiden dat ik een stuk of dertig eicellen had. De medicatie is gewoonlijk binnen een paar uur uitgewerkt en dan slaap ik eens goed uit. Natuurlijk heb je wel wat kramp, soms een beetje bloed, maar het valt best mee, niets heftigs.'

Ik vraag haar of ze zich op enigerlei wijze verbonden voelt met haar eicellen.

'Het is niet echt mijn kind,' zegt ze. 'Technisch gezien is het misschien wel mijn biologisch kind, maar ik doe het voor iemand anders. Ik ga heus niet over tien of vijftien jaar op zoek naar het betreffende kind.'

Ik weet nog niet zo net of ik er ook zo tegenaan zou kijken. Ik moet denken aan Nancy Vitali, de psychiater die embryo's liet invriezen en die vertelde dat ze de neiging had te willen kijken hoe het ermee gaat. Nu mijn eicellen zijn ingevroren, merk ik soms ook dat ik eraan zit te denken. Ik weet zeker dat als ik eicellen zou hebben gedoneerd om iemand te helpen een leven te creëren me elke dag zou afvragen wat voor kind het zou zijn geworden. Ik denk dat ik mezelf er slechts met moeite van zou kunnen weerhouden hem of haar op te zoeken.

Een paar dagen later spreek ik een andere donor, Jennifer Green, een achtentwintigjarige moeder van twee kinderen. Ze vertelt me dat ze nooit aan haar nakomelingen denkt. 'Ik geef alleen mijn genetisch materiaal weg,' zegt ze.

Jennifer is 1 meter 70, heeft donkerblond haar en bruine

ogen, en heeft in het verleden modellenwerk gedaan. Ze denkt dat haar houding ten opzichte van haar eicellen misschien kan worden verklaard door het feit dat ze al moeder is. Ze werkt ook als onderzoeksassistent op de afdeling diergeneeskunde van de universiteit van Missouri. Daar doet ze onderzoek naar ovarieel falen bij muizen in het kader van een project dat gericht is op de ontwikkeling van nieuwe vruchtbaarheidsmedicijnen.

'Ik draag het kind niet,' zegt ze. 'Dat doen zij. Zij doen het werk.'

Jennifer zegt dat ze openstaat voor een toekomstige ontmoeting met de ontvangers van haar eicellen, maar niet zeker weet of ze een verdergaande relatie met hen zou willen dan het beantwoorden van vragen over haar familiegeschiedenis.

'Dat zie ik dan wel. Je weet nooit echt hoe het ontvangende echtpaar ermee omgaat – of ze het kind al dan niet vertellen dat het afkomstig is uit een donoreicel.'

Zowel Natalie als Jennifer zijn veelvoudig donor; Natalie heeft er drie donaties op zitten. Voor de eerste cyclus verdiende ze 4000 dollar, voor de tweede 5000 dollar en voor de derde 7000 dollar. Jennifer heeft sinds dit najaar al drie behandelingscycli ondergaan, waarmee ze bijna 20.000 dollar heeft verdiend. Beide vrouwen gebruiken het geld voor een aanbetaling voor een nieuw huis. Beide vrouwen zeggen ook dat ze uit altruïstische motieven tot het werk werden aangetrokken: ze voelen wel wat voor dat idee van een biologische economie, een nieuw verbond tussen jongere en oudere vrouwen.

'Ik bleef maar denken: stel dat mijn man en ik er niet in waren geslaagd om een kind te krijgen. Ik weet zeker dat ik heel blij zou zijn geweest als iemand anders me had willen helpen,' zegt Jennifer. 'Vrouwen hebben nu eenmaal een beperkt aantal eicellen, en ik gebruik ze toch niet, dus ik vind het fijn om iemand anders ermee te helpen.'

In de winter van 2007 voerde Mary Fusillo, verpleegkundige en directeur van The Donor Solution, een onafhankelijk onderzoek uit onder achtendertig eiceldonatiecentra om de beweegredenen van eiceldonoren te achterhalen. Ze concludeerde dat 68 procent het deed 'om iemand te helpen een gezin te vormen' en 29 procent zei dat het om de financiële vergoeding ging. De gemiddelde vergoeding bedroeg 5482 dollar. Op de vraag wat ze met het geld wilden doen, zei 46 procent van de donoren dat ze het wilden gebruiken om creditcardleningen af te lossen en studiekosten te betalen, en 36 procent was van plan het geld op een spaarrekening te zetten. Volgens haar gegevens wilde 11 procent het geld uitgeven aan reizen en luxegoederen; bovenaan het verlanglijstje van deze vrouwen prijkte een designhandtas.

Op een stralende dag vroeg in het najaar kijkt Karen Lehman*, een drieënvijftigjarige alleenstaande moeder, uit de verte toe terwijl Tammie* en Taylor*, haar blonde, blauwogige tweeling van vijf, hun vriendinnetjes, een andere blonde, blauwogige tweeling, achterna zitten op het grote gazon van het Arboretum in Dallas. 'Ik heb de kinderen nog nooit zo tweelingachtig gezien,' zegt ze tegen haar vriendin Kelly Grier*, de zevenenveertigjarige moeder van de meisjes. Beide vrouwen zijn aangesloten by Single Mothers By Choice.

Aangezien ik vragen heb omtrent de uiterste grenzen om moeder te worden, heb ik besloten een weekend bij Karen in Texas door te brengen om beter te begrijpen wat het betekent om op je achtenveertigste moeder te worden van een tweeling, in je eentje, in een van de politiek en sociaal conservatiefste streken van het land. Samen met Kelly en drie andere alleenstaande moeders houdt Karen de jaarlijkse bijeenkomst van hun afdeling van Single Mothers by Choice. Een van de groepsleden is Alice Gray*, een gescheiden leidinggevende bij Canon van drieënvijftig jaar die een uit China afkomstige geadopteerde dochter heeft, en Andrea English*, een gescheiden onderwijzeres uit een kleine voorstad van Dallas, die op veertigjarige leeftijd een tweeling heeft gekregen door middel van donorinseminatie.

Karen, een extravert, eigenzinnig en zeer assertief voormalig feestbeest, verhuisde naar een voorstad van Dallas toen ze besloot dat ze een kind wilde. 'In LA reed ik rond in een Corvette en bezat ik een flat in Santa Monica,' zegt ze. 'Mijn vrienden verklaarden me voor gek toen ik hiernaartoe verhuisde.' Maar haar nieuwe woonplaats is kindvriendelijk en haar zus woont niet ver.

Tegenwoordig woont ze in een bungalow in een kraakheldere straat. De huizen zien er volkomen identiek uit en hebben allemaal een perfect gemaaid gazonnetje. Met uitzondering van de Range Rover-SUV's en de Fort Tauros-stationwagons op de oprijlanen ziet de buurt eruit als een karikatuur van een woonwijk uit de jaren vijftig.

Atypischer dan Karen vind je ze niet in deze zeer christelijke, republikeinse uithoek van Amerika. Karen beschouwt zichzelf als sociaal-liberaal en gelooft niet in georganiseerde religie. Haar vader, een methodistisch predikant, beschouwt haar als een 'ongehuwde moeder' die niet in de kerk mag komen.

Op de school van haar kinderen is Karen een van de twee alleenstaande moeders en verreweg de oudste ouder.

Terwijl we op het grasveld zitten en de kinderen verderop spelen, vertelt Karen dat ze toen ze in de dertig was, verloofd was met een man die tien jaar jonger was dan zij en aarzelde over een huwelijk met hem.

'Liefde alleen was niet genoeg om te trouwen,' zegt ze. 'Voor een huwelijk is meer nodig. Je moet bij elkaar passen. Hij wilde dat ik kookte en schoonmaakte. Daar heb ik niets mee. Ik ben een ochtendmens en hij een avondmens. Hij had twee linkerhanden. Ik had geen respect voor hem.'

'Maar je kunt niet alles hebben,' zeg ik.

'Nee,' zegt ze. 'Ik wilde dat niet.'

Na een paar jaar relatietherapie besloot Karen dat ze in haar eentje beter af was. 'Ik ben niet het eenzame type.'

Vlak voor haar veertigste verjaardag begon ze serieus na te denken over het alleenstaand moederschap.

'Op mijn veertigste verjaardag gaf ik een groot feest in LA en een paar weken later verhuisde ik naar Texas en sprak ik met vruchtbaarheidsartsen,' zegt ze.

Karen gebruikte een gedeelte van het geld van een verzekeringsuitkering voor aardbevingsschade aan haar appartement voor een aanbetaling voor haar huis vlak bij Dallas, zodat ze aan deze nieuwe levensfase kon beginnen. Maar ze kwam er al snel achter dat Texas geen LA was.

'De eerste arts die ik hier sprak, vroeg of ik lesbisch was; zo ja, dan wilde hij me niet helpen,' zegt ze met een veelbetekenende blik.

Ze had geantwoord dat ze niet lesbisch was, maar gewoon ongetrouwd. Hij zei dat hij met zijn vrouw wilde bespreken of hij haar al dan niet kon helpen. Een paar dagen later belde hij met het nieuws dat hij haar wilde helpen, omdat hij geloofde dat ze een betere moeder zou zijn dan de meeste echtparen die hij kende.

Karen kocht donorsperma van Xytec Corporation. Haar donor was een Duits-Ierse muziekleraar van 1 meter 95 met lichtblond haar. Vlak voor haar eenenveertigste verjaardag werd ze geïnsemineerd. Maar zwanger werd ze niet. Ze probeerde het een paar maanden later opnieuw, werd zwanger, maar kreeg een miskraam. Na nog zes intra-uteriene inseminaties (IUI's) was ze nog steeds niet zwanger en haar arts raadde haar aan over te gaan op ivf. In de loop van de vier maanden daarna onderging ze twee ivf-behandelingen, en bij de tweede werd ze zwanger. Maar opnieuw kreeg ze een miskraam. Toen zei haar arts tegen haar dat donoreicellen of adoptie misschien een mogelijkheid waren.

Karen raakte na alle mislukte behandelingen in een diepe depressie en gaf haar pogingen op. Maar rond haar zesenveertigste verjaardag vatte ze nieuwe moed toen een vriendin die ze van de vruchtbaarheidskliniek kende haar vroeg of ze de helft van een groep eicellen wilde kopen. Hoewel Karen bij het gebruik van zowel een donoreicel als donorsperma geen enkele genetische relatie met haar kinderen zou hebben, was adoptie voor haar nooit een optie geweest. Ze wilde zwanger zijn en ze wilde in staat zijn de genetische achtergrond van haar kinderen te kiezen.

Binnen een paar maanden probeerde ze opnieuw zwanger te worden met de eicellen van een blonde, twintigjarige Noors-Duitse donor die haar vriendin via het Egg Donation Center in Dallas had gevonden. Ze kwam uit Noord-Illinois en studeerde voor lerares. Het slot van haar profiel luidde: 'Ik geef u met groot plezier het geschenk van het leven, zodat u het geschenk van de liefde kunt geven.'

Karen liet haar donor met vriendje overkomen naar Dallas. Beiden logeerden bij haar tijdens de behandelingscyclus. Karen wilde een oogje in het zeil houden met betrekking tot de injecties en de algemene gezondheidstoestand van haar donor.

'We raakten bevriend,' vertelt Karen. 'Tijdens de procedure zorgde ik als een grote zus voor haar. Ik zei tegen haar: "Als jij in deze periode seks hebt en zwanger wordt, vermoord ik je, want ik heb een heleboel geld betaald voor je reis."'

In het begin van het voorjaar implanteerde Karens arts twee embryo's, gecreëerd uit het sperma van de muziekleraar en de eicellen van de toekomstige onderwijzeres, in Karens baarmoeder. Drie weken later wist Karen dat ze zwanger was van een tweeling – en toen ze een paar weken later haar vruchtwaterpunctie en vlokkentest kreeg, kwam ze erachter dat ze een zoon en een dochter verwachtte. Dat was een paar maanden na haar zevenenveertigste verjaardag.

Taylor en Tammie werden in hun vijfde maand geboren via een keizersnede. De tweeling en Karen bleven een maand op de kraamafdeling van het ziekenhuis. De ziekenhuisrekening liep op tot bijna 500.000 dollar, al werd dat grotendeels gedekt door haar verzekering.

De ochtend na de bijeenkomst van de alleenstaande moeders in het Arboretum van Dallas sta ik bij Karen voor de deur om verder te praten over haar keuze. We drinken koffie in haar keuken. Tammy, haar dochter, zit naast haar op de grond te spelen met een teddybeer die ze de avond tevoren heeft gemaakt tijdens een verjaarspartijtje. Om de paar minuten buigt ze zich voorover en geeft haar broertje Taylor een duw. Die kijkt op mijn laptop naar een video die ik tijdens mijn India-reis heb gemaakt, van een tijger die uit een rivier drinkt.

'Het is afzien,' zegt Karen. 'Ik heb mijn kinderen niet voor mezelf gekregen, maar voor mijn familie. Op school moesten ze een tekening maken van hun familie. Dat was ik, oom Jim, tante Carol, oma en opa, mijn broer in LA en de oppas. Ze denken dat ze de grootste familie van allemaal hebben.'

Ik vraag haar waarom ze al die jaren haar lichaam onder druk heeft gezet en al die medische kosten heeft gemaakt en of ze het gevoel heeft dat het het allemaal waard is geweest.

'Ik was gefrustreerd omdat ik niet kreeg wat ik wilde. Ik ben gewend te krijgen wat ik wil,' zegt ze op gespannen toon. 'Na een tijdje werd het een uitdaging. En de mensen bleven maar mogelijkheden aandragen. Ik ben zo iemand die gelooft dat als er zich kansen voordoen, ik die niet moet laten voorbijgaan.'

Ze zwijgt een tijdje. Dan fluistert ze me toe: 'Weet je, ik hou van mijn kinderen. Maar achteraf besef ik dat ik het prima zou hebben gehad als ik kinderloos was gebleven.'

Ik heb nooit gedacht dat ik zelf zo ver zou kunnen gaan met onvruchtbaarheidsbehandelingen, maar ineens begrijp ik wat Karen motiveert. Ook ik hou er niet van als ik niet krijg wat ik wil.

'Maar wat is naar jouw mening te oud?' vraag ik.

'Ik denk dat ik er al hard aan moet trekken,' zegt ze. 'Het is leuk, maar ook zwaar. Ze maken me horendol. Ik ben niet zo geduldig. Dat krijg je nu eenmaal als je ouder bent: de dingen gaan je minder makkelijk af.'

Toch denkt ze dat het moeilijker zou zijn geweest als ze twintig jaar eerder moeder was geworden. 'Ik zou er minder goed op voorbereid zijn geweest.'

Wel geeft ze toe dat het haar verdrietig stemt te bedenken dat haar ouders, die in de tachtig zijn, haar kinderen waarschijnlijk niet van de middelbare school zullen zien komen. Dat is ook een van de redenen waarom ze blij is dat ze een tweeling heeft. 'Ze hebben elkaar, en mijn broer heeft zojuist een kind geadopteerd, dus ze hebben een neefje, maar ze zullen niet hetzelfde leven hebben dat ik had, dat ze drieënvijftig worden en hun ouders nog steeds in leven zijn.'

Ik vraag Karen om advies. 'Denk je dat ik er gewoon in mijn eentje aan moet beginnen? Wat zou jij doen als je zo oud was als ik?'

Karen schudt haar hoofd. 'Begin er niet aan. Jij bent niet zoals ik – je wilt niet alleen zijn. Wat jij moet doen is je energie stoppen in het vinden van de juiste relatie. Ik denk dat je met de moderne technologie dan alsnog een kind krijgt.'

Tammie heeft haar belangstelling voor de teddybeer verloren en gaat naast haar broertje zitten om de video op mijn computer te bekijken.

'Lieverd, heb je geen zin om te waterverven?' vraagt Karen, en ze geeft haar dochter een vel papier en een blikken doosje met waterverf.

'Haar donor was artistiek,' legt ze uit.

Als we een paar minuten later naar Tammies schilderij kijken, zie ik dat ze een oranje tijger heeft geschilderd, naast een poppetje met een driehoekige paarse jurk aan.

'Ben jij dat?' vraag ik.

Tammie kijkt naar me op. 'Nee, dat ben jij.'

Nawoord

Zomer

Bij mijn geboorte schreef mijn moeders vriendin, de dichteres Lucille Clifton, een gedicht om me welkom te heten in de wereld. Zolang ik me kan herinneren heeft dat gedicht aan de badkamermuur van mijn ouderlijk huis gehangen; ik las het af en toe tijdens het tandenpoetsen. Eén gedeelte heeft zich vastgezet in mijn geheugen:

> Voor Rachel
> je zult zien, er zijn
> scherpe randen
> vaak zul je jezelf opvangen
> voor je valt   of niet
> dat gebeurt
> en kringetjes
> die je dagenlang rond zult gaan
> en rond
> het is niet volmaakt   maar
> welkom in wat we hebben

Als de zomer aanbreekt vraag ik me nog steeds af hoe mijn toekomst als moeder eruit zal zien. Ook denk ik aan mijn drang om alles te willen hebben in een wereld vol onvolmaakte randen.

Mijn vriendin Mollie is zwanger en maakt plannen voor haar

(tweede) bruiloft; samen met haar verloofde is ze een huis aan het bouwen voor hun toekomstige gezin en daarnaast gaat ze door met haar werk als tekstschrijver en redacteur.

'Het is overweldigend,' zei ze laatst aan de telefoon.

Ik beschuldigde haar van valse bescheidenheid.

'Nee!' zei ze. 'Het is echt zwaar. Je zult het zien.'

Natuurlijk is het echt zwaar – maar het is wat ik wil, wat ik altijd heb gewild en waarvan ik vind dat iedere vrouw er recht op heeft: een carrière die voldoening schenkt, een gelijkwaardig partnerschap en de mogelijkheid om kinderen te krijgen als ze daarvoor kiest.

Het is me duidelijk geworden dat niet iedere vrouw dezelfde weg volgt om daar te komen. De een doet er langer over dan de ander. Alle keuzemogelijkheden die ik heb onderzocht, zijn manieren om dezelfde doelen te bereiken, maar volgens een ander plan. En hoewel veel van die opties – geavanceerde voortplantingstechnieken, het alleenstaand moederschap, adoptie, instantgezinnen – sommigen misschien onnatuurlijk voorkomen, is het een feit dat ik aanzienlijk meer gelukkige dan ongelukkige oudere moeders heb ontmoet.

Bovendien: wat ons nu onnatuurlijk voorkomt zou over tien jaar, of wanneer onze dochters kinderen krijgen, weleens ronduit achterhaald kunnen lijken. De technologie verandert veel sneller dan de ingesleten gedachten van de mens. In 2007 woonde ik een seminar bij tijdens het congres van de American Society of Reproductive Medicine. Elaine Gordon, een klinisch psychologe gespecialiseerd in het begeleiden van personen en echtparen die een beroep doen op geavanceerde voortplantingstechnieken, bood een kijkje in wat ons voorland zou kunnen zijn: 'In de toekomst kunnen kinderen vijf ouders hebben: de spermadonor, de eiceldonor, de draagmoeder en de sociale ouders, die het grootbrengen. Artsen, advocaten en psychologen zijn allemaal betrokken bij het selecteren van de beste genetische bestanddelen voor een superbaby. Je zult het geslacht, de haarkleur en de mate van zelfvertrouwen van je kind kunnen bepalen, of het een optimist of een pessimist is, een atleet of een boekenwurm. Het zou de ultieme winkelervaring kunnen worden. Misschien vind je ooit bij Amazon.com een boek met de titel *Hoe creëer ik een superbaby*.'

Hoewel haar toespraak eerder hyperbolisch dan realistisch was, zou zo'n toekomst dichterbij kunnen zijn dan we denken. Hoewel vrouwen en echtparen op dit moment al een breed en vaak verwarrend scala aan keuzemogelijkheden hebben, werken researchers aan een hele reeks nieuwe technologieën. Zo zou het binnenkort mogelijk kunnen zijn het DNA van de eicel van een oudere vrouw over te brengen in het mechanisme van de eicel van een jongere vrouw, waardoor het mogelijk wordt om het genetisch materiaal van de eerstgenoemde door te geven lang na het verdwijnen van haar vermogen om op een natuurlijke wijze een kind te krijgen. Wetenschappers onderzoeken ook de mogelijkheid om nieuwe eicellen te genereren op basis van stamcellen.

Deze nieuwe technieken zijn opwindend en zouden de vrouw weleens een stuk dichter bij de bevrijding van onvruchtbaarheid en van de tirannie van de biologische klok kunnen brengen. Maar ze zullen ook gecompliceerde ethische vraagstukken opwerpen. Hoe meer we te weten komen over het menselijk genoom, dus hoe dichter we komen bij het identificeren van de genen voor alle eigenschappen, van oogkleur tot creativiteit, hoe meer we in staat zullen zijn om individuen stukje bij beetje te manipuleren en te herschikken in nieuwe configuraties. Het ontwerpen van een baby zou binnenkort weleens even gemakkelijk (en waarschijnlijk bijna even duur) kunnen zijn als het ontwerpen van een huis op maat. We zullen de lengte en het temperament van onze kinderen even gemakkelijk kunnen kiezen als de juiste kleur marmer voor ons aanrecht. In haar boek *The Baby Business* schrijft Deborah L. Spar, als econome verbonden aan Harvard Business School: 'Naarmate voortplantingstechnologieën de grenzen oprekken van wat mogelijk is, zullen ze kinderen – en vergissingen – voortbrengen die vragen om schadeloosstelling. Ze zullen de grenzen doen vervagen tussen dingen die nu officieel verboden zijn, bijvoorbeeld klonen of onderzoek op foetussen, en dingen die wel mogen. Uiteindelijk wint natuurlijk de markt. We zullen doorgaan onze kinderen te kopen, verkopen en modificeren, en daar intussen flink geld mee verdienen. Maar die markt zal niet voor altijd ongebreideld blijven. In plaats daarvan zal – en moet – er door het duwen en trekken van de politiek een wettelijk kader worden gevormd waarin de handel in baby's kan worden voortgezet.'

De geschiedenis van de voortplantingstechnologie begint nog maar net. Tijdens de conferentie van de ASRM in 2008 in San Francisco kondigde dr. Alan D. Copperman, hoofd van de afdeling Reproductieve Endocrinologie van het Mount Sinai Medical Center – de arts die ik een paar jaar daarvoor sprak tijdens de informatieavond van Extend Fertility – aan dat hij bezig was met de versnelde lancering van het eerste nationale register voor ingevroren eicellen. Dat register is bedoeld voor het bestuderen van het potentieel van ingevroren eicellen en de ontwikkeling van de kinderen die uit dergelijke eicellen worden geboren. Tegelijkertijd werden er twee nieuwe onderzoeken gepubliceerd die nauw verband hielden met mijn persoonlijke research. Het ene toonde aan dat het slagingspercentage van implantaties en zwangerschappen uit ingevroren eicellen steeds hoger wordt. Het andere, een gezondheidsrapport met betrekking tot 156 uit ingevroren eicellen geboren baby's, toonde aan dat 99 procent van hen genetisch gezond was.

Voor dit moment nadert mijn verhaal echter zijn einde. Ergens wilde ik dat ik een sprookjeseinde uit mijn mouw kon toveren. Helaas moet ik het doel waarover ik droom nog bereiken – het plechtig, onder aanzwellende tonen naar mijn perfecte geliefde voor het altaar schrijden, met onder mijn bruidsjapon een buikje. Begin zomer 2008 ben ik nog steeds single.

Wel heb ik mijn eerste boek voltooid, en dat is een prestatie die er ook mag zijn. Tijdens de research en het schrijven heb ik ontdekt dat sprookjes op veel verschillende manieren kunnen eindigen en beginnen, en dat heeft me ingrijpend veranderd.

Ik zie mezelf niet langer als een achterblijver. Gedurende mijn zoektocht heb ik zoveel vrienden van wie ik dacht dat ze me waren voorbijgestreefd, zien scheiden terwijl ze twee kinderen hebben – of nog erger, zien vastzitten in een slecht huwelijk. Ik heb me gerealiseerd dat ik niet op dit punt ben gekomen doordat ik heb gefaald in mijn leven. Ik ben hier vanwege de keuzes die ik heb gemaakt en ben trots op die keuzes: ik heb geen genoegen genomen met een relatie die niet aan mijn wensen en behoeften voldoet; ik ben trouw gebleven aan mezelf en mijn waarden; ik heb gewerkt en zal blijven werken aan mezelf, zodat ik klaar zal zijn voor een liefde die het volmaakte dichter nadert.

Laatst belde ik de tante van mijn vriendin, de vrouw die me op het verlovingsfeest aanraadde een deadline te stellen voor het alleenstaand moederschap. Ze herinnerde me eraan dat ik moest blijven genieten van mijn onafhankelijke leventje. Toen ons gesprek op het huwelijk en het gezin kwam, zei ze: 'Misschien was je er nog niet echt klaar voor.' En daar zou ze weleens gelijk in kunnen hebben. Ik weet dat het een voorrecht is om deze keuzes te kunnen maken, waar andere vrouwen in de loop van tientallen jaren en eeuwen hard voor gevochten hebben. Om te kunnen zeggen: 'Nee, dit is niet goed,' of: 'Ik wil nog even wachten.' Of: 'Ja, eindelijk, jij bent degene die ik nodig heb, en dit is nu precies wat ik wil.'

In juli besluit ik even de stad uit te gaan, naar een huisje dat ik met een paar vrienden heb gehuurd aan de baai in East Hampton Springs. Terwijl ik aan zee woon en schrijf, probeer ik me opnieuw eigen te maken wat ik in India heb geleerd: de controle loslaten en erop vertrouwen dat de handen van iemand anders me aan de andere kant zullen opvangen.

Midden juli, op de dertigste verjaardag van mijn broer, leer ik een man kennen die vijf jaar jonger is dan ik, een ondernemer met sexy blauwe ogen. Als we elkaar een paar weken kennen, komt hij een paar dagen naar mijn huis aan het strand. We spelen in de golven, drinken wijn bij zonsondergang en hij kust me en even denk ik dat dit mijn sprookjeseinde is.

In de weken die volgen krijg ik diverse berichtjes van vrienden en mensen die ik tijdens mijn onderzoek heb leren kennen. Ik krijg een e-mail van Christy Jones, de nu negenendertigjarige oprichtster van Extend Fertility, waarin ze over de geboorte van haar dochtertje vertelt. Ze heeft niet haar ingevroren eicellen gebruikt, maar overweegt dat wel te doen voor haar tweede kind. Een week daarna hertrouwt Mollie bij dageraad op het strand van Martha's Vineyard; ditmaal in een groene jurk en acht maanden zwanger.

Kort daarna laat mijn vriendin Jane, die met Adam trouwde toen ze acht maanden zwanger was, weten dat haar tweede dochter Mabel is geboren, drie kilo zwaar, om tien voor één 's middags. Het is een paar maanden voor Janes drieënveertigste verjaardag. Ik schrijf haar terug en vraag hoe ze zich voelt.

'Ik wou dat ik me niet zo ellendig had gevoeld toen ik alleen was,' zegt ze. 'Ik had geen vertrouwen in de toekomst, en dat had ik wel moeten hebben.'

Dan hoor ik op een klamme dag eind augustus van een kennis dat Jacob zich heeft verloofd. Hij had zijn verloofde leren kennen tijdens een etentje waar we samen bij aanwezig waren voor mijn vertrek naar India en in die tijd was hij achter haar aan gegaan. Hoewel ik helemaal kapot ben van het nieuws, ben ik wel blij dat ik eindelijk de waarheid weet. Ik besef dat mijn vriendin gelijk had over Jacobs ingehouden glimlach – daarachter lag inderdaad een vermogen tot emotioneel bedrog.

'Het is heus niet zo dat hij er bij zonsondergang vandoor gaat en jij achterblijft,' zegt mijn vader als ik het hem vertel. 'Zo gaat het niet in het echte leven. Dat is voor de sprookjes.' Hij zegt dat ik blij mag zijn dat ik me niet heb gebonden aan een man die zo anders denkt over emotionele eerlijkheid, die weliswaar vaak pijnlijk is, maar waardoor zowel de intimiteit als het huwelijk op de lange duur vooruit kunnen zwemmen.

Natuurlijk heeft mijn vader gelijk. Jacobs instantkeus heeft hem misschien eerder dan mij voor het altaar gebracht, maar dit is geen wedstrijd. Mij gaat het om het 'nog lang en gelukkig'. Na het einde van onze relatie ben ik me blijven afvragen of we er iets van hadden kunnen maken, maar nu begrijp ik dat ik met hem uiteindelijk niet gelukkig zou zijn geweest. En als het om de liefde gaat, is er geen strijd om dezelfde schat; dat hij wellicht zijn geluk gevonden heeft, beïnvloedt niet hoe of wanneer ik het mijne vind.

Ik kies voor de koninklijke weg en stuur Jacob een kaartje waarin ik hem en zijn verloofde het beste wens.

En dan besluit ik dat ik optimaal ga genieten van de rest van de zomer. Samen met een vriendin volg ik een zeilcursus en ik begin *Oorlog en vrede* te lezen. Van beide leer ik veel. Van het zeilen leer ik dat je op koers moet blijven, maar ook flexibel moet reageren op de veranderlijke wind. Van Tolstoj leer ik iets essentieels over geluk, en wel: 'dat er in de wereld niets angstaanjagends is.' Hij schrijft: 'Aangezien er geen situatie is waarin de mens gelukkig en volledig vrij is, is er ook geen situatie waarin hij ongelukkig en onvrij is.'

Als de blaadjes beginnen te vallen, komt er ook een eind aan mijn zomerliefde. Hij vertelt me dat hij zo kort na de beëindiging van een relatie van zes jaar nog niet klaar is voor een nieuwe serieuze relatie. Ik ben teleurgesteld, maar leg me erbij neer dat de timing gewoon niet klopt. In de liefde hangt veel af van de timing, heb ik geleerd. Dus rond Halloween, een paar weken voor mijn negenendertigste verjaardag, neem ik een belangrijke beslissing. Als ik volgende zomer nog niet de juiste relatie heb, ga ik proberen zwanger te worden door middel van intra-uteriene inseminatie. Ik ben klaar voor de volgende fase. Mijn eicellen zijn ingevroren en als ik ooit niet langer op natuurlijke wijze zwanger kan worden, zal ik ze misschien samen met mijn geliefde gebruiken om een kind te maken waaraan we beiden biologisch verwant zijn. Ik blijf zoeken naar mijn ideale geliefde en blijf werken aan een gezonde relatie – ook als dat betekent dat ik mijn kind daarin moet zien op te nemen. Persoonlijk ben ik klaar voor de stap waarover ik het had met mevrouw Schiffman, namelijk liefde en voortplanting te scheiden. Ik ben klaar voor het moederschap. Volgend jaar november word ik veertig en als ik aan die mijlpaal denk, besluit ik dat ik liever veertig word zonder partner dan zonder kind.

Daarmee wil ik niet zeggen dat ik mijn zoektocht opgeef naar een relatie met een man die een goede vader zal zijn; ik vind nog steeds dat een kind een vader verdient. Maar ik ben tot het besef gekomen dat ik niet per se alles in de juiste volgorde hoef te doen om de ideale situatie te creëren. Ik vertrouw erop dat ik, als ik nu in mijn eentje moeder word, mijn kind een goed leven en voldoende liefde kan geven tot ik een intieme relatie vind die in ons leven past en we met zijn allen dat nog volmaaktere gezin vormen. Tot dat moment ken ik een heleboel mannen die een rolmodel voor mijn kind kunnen zijn.

Ik ben niet van plan al te rechtlijnig te zijn. Als in het komend jaar lot en timing samenvallen en ik toch verliefd word op iemand die dezelfde dingen wil als ik, zal ik ongetwijfeld de zeilen bijzetten voor hem. Maar wanneer dat gebeurt – en ik weet dat het ooit zal gebeuren – zal ik niet verwachten dat het perfect is, evenmin als het alleenstaand moederschap dat zal zijn. Welke weg ik ook insla, ik weet dat er gelukkige dagen komen, maar ook boze, saaie en verdrietige dagen. Mijn volmaaktere liefde zal mijn onvolmaaktheden accepteren en ik die van hem, en met zijn tweeën zullen we sterk genoeg zijn om op koers te blijven, zowel bij storm als bij helder weer.

Er kan veel gebeuren in een jaar, en alle jaren die volgen. Voorlopig heb ik het heft in handen genomen wat betreft de dingen waar ik controle over heb, en geaccepteerd dat er veel meer is wat buiten mijn macht ligt. Ik voel geen verbittering. Ik voel me onafhankelijk en bang, kwetsbaar en sterk. Maar vooral voel ik me klaar voor alles wat deze vreemde, soms scherpgerande, mooie, onvolmaakte en opwindende wereld me brengt.

Woord van dank

Lydia Wills is niet alleen een fantastische superagente, maar ook een verbluffend eerlijke, loyale en echte vriendin die in mijn hersenen en geweten een belangrijke plaats inneemt – en dan is ze ook nog eens een briljante binnenhuisarchitecte die precies weet wanneer ze me van mijn hersenarbeid los moet rukken om me duidelijk te maken dat ik een nieuw vloerkleed nodig heb.

De dag waarop Lara Heimert, mijn redacteur, bij onze eerste marketingafspraak verscheen, verkleed als de omslag van dit boek met een oranje bloem in haar haar, begreep ik dat haar humor en haar intuïtieve begrip van de wereld evenzeer als haar verstand voortkomen uit haar buitengewone intelligentie. Haar kwaliteit als redacteur gaf me zelfvertrouwen en leerde me een beter en eerlijker schrijfster te worden.

Pamela Paul bezorgde me zes jaar geleden tijdens een borrel in de West Village het idee voor dit boek. Abby Ellin luisterde naar alles, bijna dagelijks en ook in Panama, India en Argentinië. Mijn schrijfgroep Matilda, vernoemd naar de kat van het Algonquin Hotel, waarvan Alissa Quart, Debbie Siegel en Maia Schalvitz deel uitmaken, las, redigeerde, besprak eindeloos en hield me ook qua tijd op koers met hun warmte, gevat commentaar en scherpzinnig advies. Mijn ouders, Natalie Robins en Christopher Lehmann-Haupt, lieten me zien dat een ambacht nog steeds van generatie op generatie wordt doorgegeven. Ze waren mijn leermeesters en mijn steun en toeverlaat. Mijn broer, Noah Lehmann-Haupt, zorgde dat ik rationeel bleef, en al mijn familieleden en aanhang gaven me liefde en vertrouwen: Mildred Vogel, mijn grootmoeder, Carl Lehmann-Haupt, Celestine Lehmann-Haupt, Roxanna Lehmann-Haupt, Lou Bruno, Sandy Lehmann-Haupt en John Lehmann-Haupt.

Mijn dank gaat uit naar vrienden en collega's dichtbij en ver weg, voor hun loyaliteit, liefde en steun in mijn leven en bij het schrijven van dit boek: Mollie Doyle, Nicole Maurer, Warren St. John, Ted Rose, Josh Shenk, Laura Rich, Molly Jong-Fast, Amanda Bernard, Elizabeth Brekhus, Velleda Ceccoli, Jennifer Kriz, Rebekah Meola, Mary Jane Horton, Will Bourne, Larry Smith, Rachel Elson, Art Lenahan, Ahn Ly, Jennifer Krauss, Lauren Barack, Michael Learmonth, Cullen Curtiss, Kim Cutter, Lynn Nesbit, Priscilla Gillman, Louanne Brizendine, Caroline Waxler, Bill Brazell, Laurel Touby, Elizabeth Sheinkman, Regina Joseph, Patricia Garcia-Gomez, Daniela Vitali, Amy Linn, Jean Tang, Allison Gilbert, Lauren Kern, Emily Nussbaum, Adam Moss, Kim Meisner, Rob Stein, Sara Reistad-Long, en natuurlijk alle Bowlers – jullie weten wie ik bedoel. Ook wil ik de hele staf van het NYU Fertility Center, en met name dr. Nicole Noyes, bedanken voor hun tactvolle raadgevingen en zorg.

Bronvermelding

Inleiding: Later beginnen

[17] **Al die nieuwe status en macht**, Sylvia Ann Hewlett, *Creating A Life: What Every Woman Needs to Know About Having a Baby and Career* (New York: Hyperion, 2003), p. 32.

[18] **de dames deden het zichzelf aan**, Nancy Gibbs, 'Making Time for a Baby', *Time Magazine*, 15 april 2002.

[19] **Tegenwoordig lijkt die fantastische onafhankelijkheid**, Vanessa Grigoriadis, 'Baby Panic,' *New York Magazine*, 13 mei 2002, http://nymag.com/nymetro/urban/family/features/6030/. 'Wij, single vrouwen in de stad, wisten dat we alles konden wat mannen deden, zelfs in onze Jimmy Choos. Maar hebben we in alle drukte rond zaken, uitgaan en mannen onze kans op het moederschap verkeken? Voor de *Sex and the City*-generatie lijken de regels van het spel te zijn veranderd.'

[19] **huwelijkscrunch**, Daniel McGinn, 'Rethinking Marriage After 40: Twenty Years Since the Infamous "Terrorist" Line, States of the Union Aren't What We Predicted They'd Be,' *Newsweek*, september 2006.

[20] **Volgens de American Society for Reproductive Medicine**, *Age and Fertility: A Guide for Patients* (Birmingham: American Society of Reproductive Medicine, 2003), http://www.asrm.org/Patients/patientbooklets/agefertility.pdf. Zie de grafiek op p. 6.

[20] **Een onderzoek uit 2004**, Henri Leridon, 'Can Assisted Reproduction Technology Compensate for the Natural Decline in Fertility with Age? A Model Assessment,' *Human Reproduction* 19, no. 7 (juni 2004): p. 1548-1553.

[20] **Na hun vijfendertigste**, Liza Mundy, *Everything Conceivable: How Assisted Reproduction is Changing Men, Women, and the World* (New York: Alfred A. Knopf, 2007), p. 39.

[21] **In een Israëlisch onderzoek uit 2006**, Abraham Reichenberg et al., 'Advancing Paternal Age and Autism,' *Archives of General Psychiatry* 63 (2006): p. 1026-1032.

[21] **een financiële last van meer dan 10.000 dollar per jaar**, Mark Lino, 'Expenditures on Children by Families, US Department of Agriculture Estimates and Alternative Estimators,' *Journal of Legal Economics* 11, no. 2 (2008).

[22] **De leeftijd waarop iemand voor het eerst moeder of vader wordt, stijgt**, *Births: Final Data for 2005*, National Center for Health Statistics, Centers for Disease Control, Tabellen C, 1, 10, 32.

1 – Een nest bouwen

[32] **In het algemeen worden we niet gelukkiger van al die mogelijkheden**, Barry Schwartz, *The Paradox of Choice: Why More Is Less* (New York: HarperCollins, 2004), p. 3.

[33] **Match.com, een van de grootste online datingsites, zegt wereldwijd wel vijftien miljoen leden te hebben**, Interview met Allison Clark, pr-medewerkster van Match.com, 8 oktober 2007.

[35] **onderzoek van Harvardsociologe Kimberly DaCosta onder eenentwintigjarige single vrouwen**, Kim DaCosta, *Marriage and Motherhood: A New Perspective on Commitment, Sacrifice, and Self-Development*, niet-gepubliceerde masterscriptie, University of California, Berkeley, 1995.

[41] **In 1964 was de gemiddelde leeftijd voor een eerste huwelijk voor vrouwen twintig**, 'Current Population Survey,' Current Population Reports, Series P20-553, 'America's Families and Living Arrangements: 2003.'

[41] **Maar tegenwoordig heeft 'liefde' het huwelijk vervangen**, Interview met Stephanie Coontz, docent geschiedenis en gezinsstudies aan Evergreen State University en auteur van *Marriage, a History: From Obedience to Intimacy, or How Love Conquered Marriage* (New York: Viking Press, 2005), september 2006.

[46] **De feitelijke voorspellende waarde van FSH**, Interview met Daniel Stein, 15 november 2005.

[47] **prematuur ovarieel falen**, Interview met John Zhang, New Hope Fertility Center, 20 november 2005.

[48] **Het probleem bij het uitsluitend meten van het FSH**, Interview met Bill Ledger, University of Sheffield, 15 november 2005.

[50] **Uiteraard betekent dit gelijkwaardige, gezamenlijke ideaal een aanmerkelijke aanscherping**, Pepper Schwartz, *Love Between Equals: How Peer Marriage Really Works* (New York: The Free Press, 1994), p. 6.

[58] **ongeveer tweehonderd baby's geboren uit eicellen die ingevroren waren geweest**, Jason Barrit et al., 'Report of Four Donor–Recipient Ooctye Cryopreservation Cycles Resulting in High Pregnancy and Implantation Rates,' *Fertility and Sterility* 87, no. 1 (januari 2007), p. 189.

[58] **Reproductive Medicine Associates of New York een onderzoek had uitgevoerd**, 'Extend Fertility and Reproductive Medicine Associates of New York Report Encouraging New Egg Freezing Results,' persbericht Extend Fertility, 15 november 2005, http://www.extendfertility.com/downloads/documents/EF–RMA–results.pdf.

[59] **Op basis van de verzamelde klinische resultaten**, Eleonora Porcu en Stefano Venturoli, 'Progress with Oocyte Cryopreservation,' *Current Opinion in Obstetrics and Gynecology* 18, no. 3 (2006) p. 5.

[63] **percentage geboortes uit embryo's die zijn ontstaan uit ontdooide eicellen**, *Clinic Summary Report 2006*, Society for Advanced Reproductive Technology, http:www.sartcorsonline.com/rptCSR–PublicMultYear.aspx?ClinicPKID=0.

[65] **Een artikel uit *The Wall Street Journal* van 2002**, Amy Dockser Marcus, 'Fertility Clinic Set to Open First Commercial Egg Bank – Controversial Facility Will Target Women Waiting for Mr. Right,' *The Wall Street Journal*, 17 april 2002.

[65] **vijf miljoen single vrouwen van in de dertig zonder kinderen**, Erika Brown, 'The Big Chill,' *Forbes.com*, 2 september 2004, http://www.forbes.com/business/forbes/2004/0920/294.html.

[65] **single vrouwen van boven de dertig er wellicht niet van weerhouden**, Claudia Kalb, 'Fertility and the Freezer,' *Newsweek*, 2 augustus 2004, http://www.newsweek.com/id/54729.

[66] **bijna alle bedrijven die instrumenten voor in-vitrofertilisatie produceren**, Interview met Jorn Lyshoel, 10 september 2006.

[68] **klinieken in de vs voor hun voortbestaan afhankelijk zijn van hun succespercentages**, Interview met Barry Behr, Stanford University, 11 september 2006.

[72] **In een Texaanse rechtszaak uit 2002**, 'Court Won't Hear Battle Over Embryos,' *New York Times*, 26 augustus 2007.

[74] **bepaalde soorten kanker en genetische afwijkingen vaker voorkomen bij *frosties***, 'What's Wrong with Assisted Reproductive Technologies?' persbericht Institute of Science in Society, 11 maart 2003, http://www.i-sis.org.uk/wwwART.php.

3 – Shoppen voor het juiste sperma

[82] **aantal huishoudens met aan het hoofd een alleenstaande vrouw**, *America's Families and Living Arrangements 2007*, US Census Bureau, http://www.census.gov/population/www/socdemo/hh-fam/cps2007.html.

[91] **In haar maandelijkse SMC-nieuwsbrief snijdt Jane Mattes altijd 'de vaderkwestie' aan**, Jane Mattes, 'The Daddy Question: Excerpts from *Single Mothers By Choice: A Guidebook for Single Women Who Are Considering or Have Chosen Motherhood*,' Single Mothers By Choice-nieuwsbrief 105 (zomer 2008).

[91] **publiceerde de Sperm Bank of California de eerste onderzoeksgegevens over kinderen van donoren**, Raymond W. Chan, Barbara Raboy en Charlotte J. Patterson, 'Psychosocial Adjustment among Children Conceived via Donor Insemination by Lesbian and Heterosexual Mothers,' *Child Development* 69, no. 2 (april 1998), p. 443-457.

[96] **Iowa is voor 80 procent blank**, *America's Family and Living Arrangements 2007*, US Census Bureau, http://www.census.gov/population/www/socdemo/hh-fam/cps2007.html.

[98] **California Cryobank, een van de grootste spermabanken in de VS**, Interview met Marlo Jacob, marketing director van de California Cryobank, 12 maart 2007.

[99] **In 1954 werd in een rechtbank in Illinois**, David Plotz, *The Genius Factory: The Curious History of the Nobel Prize Sperm Bank* (New York: Random House, 2005), p. 167.

[99] **Een man kon clandestien een extra centje verdienen**, Interview met een anonieme spermadonor, 12 maart 2007.

[99] **Repository for Germinal Choice**, David Plotz, *The Genius Factory: The Curious History of the Nobel Prize Sperm Bank* (New York: Random House, 2005), p. 181.

[99] **honderden sperma- en eicelbanken in het hele land**, Amy Harmon, 'Are You My Sperm Donor? Few Clinics will Say,' *The New York Times*, 20 januari 2006.

[100] **Het is verleidelijk te denken dat je met genoeg kennis**, David Plotz, *The Genius Factory: The Curious History of the Nobel Prize Sperm Bank* (New York: Random House, 2005), p. 181.

4 – Vrienden en vaderschap

[115] **veel vrouwen voor het alleenstaand moederschap kiezen na een 'katalytische' gebeurtenis**, Rosanna Hertz, *Single By Chance, Mothers By Choice: How Women Are Choosing Parenthood without Marriage and Creating the New American Family* (New York: Oxford University Press, 2006), p. 29.

[126] **Zo kun je vanaf het begin duidelijke keuzes maken**, Interview met dr. Albert Anouna, directeur van de New York Sperm Bank, 22 juni 2006.

5 – Zalig nietsdoen

[138] **huwelijksgeluk een duikvlucht maakt**, Arthur C. Brooks, *Gross National Happiness: Why Happiness Matters for America – And How We Can get More of It* (New York: Basic Books, 2008), p. 64.

[142] **Door hun toenemende economische onafhankelijkheid**, Nicola Branson, *The South African Labor Market 1995-2004 A Cohort Analysis,* SALDRU working paper nr 06/07, University of Cape Town, oktober 2006, p. 7, www.tips.org.za.

7 – Het instantgezin

[169] **Bruiden maken niet alleen geen geheim van hun zwangerschap**, Mireya Navarro, 'Here Comes the Mother-to-Be,' *The New York Times,* 13 maart 2005.

[173] **Verliefdheid in het begin zorgt ervoor dat mensen het langer samen uithouden**, Kaja Perina, 'The Success of a Marriage,' *Psychology Today* (mei/juni 2003): http://www.psychologytoday.com/articles/pto-20030703-000001.html.

[173] **langdurig samenwonen voor het huwelijk**, Catherine L. Cohan and Stacey Kleinbaum, 'Toward a Greater Understanding of the Cohabitation Effect: Premarital Cohabitation and Marital Communication,' *Journal of Marriage and Family* 64 (2002), p. 180-192.

8 – Wachten op het hoge woord

[183] **Ik weet niet hoe het mogelijk is dat ik zo oud ben geworden**, Wendy Paris, 'In the Grip of Nature's Own Form of Birth Control,' *The New York Times*, 26 november 2006.

[187] **op vijfendertigjarige leeftijd wordt ongeveer 66 procent van de vrouwen binnen een jaar zwanger**, Henri Leridon, 'Can Assisted Reproduction Technology Compensate for the Natural Decline in Fertility with Age? A Model Assessment,' *Human Reproduction* 19, no. 7 (juni 2004): p. 1548-1553.

[188] **de persoonlijkheid van vrouwen die het krijgen van kinderen bewust uitstellen**, Julia C. Berrymen en Kate C. Windridge, *Motherhood After 35, A report on the Leicester Motherhood Project* (Leicester: Leicester University Press, 1995).

[189] **kinderen van oudere ouders een stuk beter af zijn**, Interview met Brian Powell, hoogleraar Sociologie, University of Indiana, 11 maart 2005.

[190] **gezinnen waarin de moeder de grootste economische onafhankelijkheid heeft**, Sara McLanahan, 'Diverging Destinies: How Children Are Faring Under the Second Demographic Transition,' *Demography* 41, no. 4 (2004): p. 607-27.

[191] **vanwege de hogere kans op een miskraam bij vijfendertigplussers**, Julia C.

Berrymen en Kate C. Windridge, *Motherhood After 35, A report on the Leicester Motherhood Project* (Leicester: Leicester University Press, 1995).

[194] **mannen die op veertigjarige of oudere leeftijd vader werden**, Abraham Reichenberg et al., 'Advancing Paternal Age and Autism,' *Archives of General Psychiatry* 63 (2006): p. 1026-1032.

[194] **nakomelingen van mannen van vijfenveertig tot vijftig jaar**, E. Sloter et al., 'Qualitative Effects of Male Age on Sperm Motion,' *Human Reproduction* 21, no. 11 (2006): p. 2868-2875.

[194] **de datingfase tussen man en vrouw een gelijkwaardiger karakter krijgt**, Roni Rabin, 'It seems the Fertility Clock Ticks for Men, Too,' *The New York Times*, 27 februari 2007.

[195] **kwaliteit van het sperma van een man vanwege mitose ofwel celdeling afneemt**, Interview met Harry Fisch, New York-Presbyterian Hospital/Columbia University Medical Center, 15 september 2007.

[197] **afwezigheid van dergelijke tekenen in een scan gemaakt na de eerste drie maanden**, Fionnuala M. Breathnach, Ann Fleming en Fergal D. Malone, 'Second Trimester Fetal Sonogram,' *American Journal of Medical Genetics* 145, no. 1 (februari 2007): p. 62-72.

9 – Loslaten

[211] **dat geldt voor 90 procent van de huwelijken in India**, Divya Mathur, *What's Love Got to Do with It? Parental Involvements and Spouse Choice in Urban India*, University of Chicago, dissertatie.

10 – Gelati, wetenschap en een glazen bol

[227] **alternatief voor het invriezen van de extra embryo's**, Interview met dr. Rafaela Fabbri, vakgroep Obstetrie en Gynaecologie aan de Universiteit van Bologna, 12 oktober 2007.

[229] **ze niet achter de vercommercialisering van eicelbevriezing stond**, Interview met dr. Eleonora Porcu, vakgroep Obstetrie en Gynaecologie aan de Universiteit van Bologna, 19 november 2006.

[229] **een zwangerschapspercentage van 28 heeft uit bevroren eicellen**, Interview met dr. Eleonora Porcu, vakgroep Obstetrie en Gynaecologie aan de Universiteit van Bologna, 12 oktober 2007.

[232] **onderzoek naar eicelbevriezing**, John K. Jain en Richard J. Paulson, 'Oocyte Cryopreservation,' *Fertility and Sterility* 86, no. 4 (oktober 2006): p. 1037-1046.

[234] **inmiddels zeventien invriezingen van eicellen heeft verricht**, Interview met dr. Nicole Noyes, 5 november 2007.

11 – De tijd bevriezen

[249] **vijftien onderzoeken over het risico op het ontstaan van borstkanker na een ivf-behandeling**, W. Al Sarakbi, M. Salhab, Kefah Mokbel, 'In Vitro Fertilization and Breast Cancer Risk: A Review,' *International Journal of Fertility* 50 (2005): p. 5.

[249] **zes gevallen van eierstokkanker**, A. Venn et al., 'Breast and Ovarian Cancer Incidence After Infertility and In Vitro Fertilization,' *The Lancet* 14, no. 346 (oktober 1995): p. 995-1000.

12 – De eiceldonoreconomie

[274] **vrouwen en echtparen van in de veertig en vijftig gaat over tot adoptie**, Interview met Adam Pertman, auteur van *Adoption Nation: How the Adoption Revolution Is Transforming America* (New York: Basic Books, 2000) en directeur van het Evan D. Donaldson Adoption Institute of New York, 6 april 2006.

[275] **1802 pogingen (ivf-cycli) in 1992**, Centers for Disease Control, 'The Fertility Clinic Success Rate and Certification Act of 1992,' *Federal Register* 64, no. 139 (21 juli 1999): p. 102.

[275] **16.161 in 2005**, '2004 Assisted Reproductive Technology (ART) Report: Section 4 – ART Cycles Using Donor Eggs,' Centers for Disease Control and Prevention, Department of Health and Human Services, 2004, http://www.cdc.gov/art/art204/section4.htm.

[275] **Amerikanen besteden nu jaarlijks ongeveer 38 miljoen dollar aan de aankoop van eicellen**, Deborah L. Spar, *The Baby Business: How Money, Science and Politics Drive the Commerce of Conception* (Boston: Harvard Business School Press, 2006), p. 3 (tabel 1–1).

[275] **Het aantal betaalde donoren is onbekend**, '2005 Assisted Reproductive Technology (ART) Report: Section 4 – ART Cycles Using Donor Eggs,' Centers for Disease Control and Prevention, Department of Health and Human Services, 2005, http://www.cdc.gov/art/art204/section4.htm.

[283] **De Donor Egg Bank biedt nu echter ook de mogelijkheid eicellen direct van de bank te kopen**, Interview met Brigid Dowd, directeur van de Donor Egg Bank, Los Angeles, 2 april 2008.

[284] **percentage levendgeborenen uit embryo's die werden gecreëerd uit verse donoreicellen van 52**, '2005 Assisted Reproductive Technology (ART) Report: Section 4 – ART Cycles Using Donor Eggs,' Centers for Disease Control and Prevention, Department of Health and Human Services, 2005, http://www.cdc.gov/art/art204/section4.htm.

[285] **Julia Derek, een laatstejaarsstudente aan de George Mason University**, Julia

Derek, *Confessions of a Serial Egg Donor* (New York: Adrenaline Books, 2004).

[289] **voerde een onafhankelijk onderzoek uit onder achtendertig eiceldonatiecentra**, M.M. Fusillo en A. Shear, 'Motivations, Compensations and Anonymity in Oocyte Donors from 38 A.R.T. Centers in the United States,' *Fertility and Sterility* 88 (september 2007): S10.

Nawoord: Zomer

[297] **In de toekomst kunnen kinderen vijf ouders hebben**, Elaine Gordon, 'From Cells to Superbabies,' presentatie tijdens de jaarvergadering van de American Society for Reproductive Medicine, Washington, D.C., 16 september 2007.

[298] **Naarmate voortplantingstechnologieën de grenzen oprekken van wat mogelijk is**, Deborah L. Spar, *The Baby Business: How Money, Science and Politics Drive the Commerce of Conception* (Boston: Harvard Business School Press, 2006), xix.

[299] **slagingspercentage van implantaties en zwangerschappen uit ingevroren eicellen steeds hoger**, Jason Barritt et al., 'Report of Four Donor-Receipient Oocyte Cryopreservation Cycles Resulting in High Pregnancy and Implantation Rates,' *Fertility and Sterility* 87, nr. 1 (januari 2007): p. 189.

[299] **een gezondheidsrapport met betrekking tot 156 uit ingevroren eicellen geboren baby's**, M. Tur-Kaspa, M. Gal en A. Horwitz, 'Genetics and Health of Children Born from Cryopreserved Oocytes,' *Fertility and Sterility* 88 (september 2007): S14.

[302] **dat er in de wereld niets angstaanjagends is**, L.N. Tolstoj, *Oorlog en vrede*, vertaald door Yolanda Bloemen en Marja Wiebes, Russische Bibliotheek delen 3 en 4 (Amsterdam: Uitgeverij G.A. van Oorschot, 2006).

Register